内容简介

本书不同于国内一般的服装设计速写教材，其优势在于将服装历史知识、服装设计的技巧，以及国际时装设计大师的访谈和他们的设计手稿融入本书中。

本书上篇以对国际时装设计大师的访谈开篇，如艾尔莎·夏帕瑞丽、克里斯汀·拉克鲁瓦、安娜·苏等,并附有他们各自风格鲜明的手稿；接下来主要讲解服装设计速写的技巧，如不同姿势人体的绘制，长裙、半裙、针织服装、裤子等不同服装品类和配饰的绘制；最后讲解如何进行设计，阐述了服装设计的一般过程。

下篇主要阐述经典服饰的绘制，对各历史时期的主要设计师与风格进行了简要梳理，如新风貌、极简现代主义等，并将服装历史知识与服装设计速写技巧进行结合。

目 录

纺织服装高等教育“十三五”部委级规划教材

服装速写技法入门

[英] 西莉亚 · 乔伊西 [英] 丹尼斯 · 诺斯德福特 著

辛芳芳 译

東華大學出版社 · 上海

图书在版编目（C I P）数据

服装速写技法入门／（英）西莉亚·乔伊西，（英）丹尼斯·诺斯德福特著；辛芳芳译.—上海：东华大学出版社，2018.1

ISBN 978-7-5669-1336-4

I.①服…II.①西…②丹…③辛…III.①服装设计—速写技法 IV.①TS941.28

中国版本图书馆CIP数据核字（2017）第318223号

合同登记号：09-2016-254　09-2016-253

责任编辑　谢 未

装帧设计　王 丽

服装速写技法入门

Fuzhuang Suxie Jifa Rumen

著　　者：[英] 西莉亚·乔伊西　[英] 丹尼斯·诺斯德福特

译　　者：辛芳芳

出　　版：东华大学出版社

（上海市延安西路1882号　邮政编码：200051）

出版社网址：dhupress.dhu.edu.cn

天猫旗舰店：http://dhdx.tmall.com

营销中心：021-62193056　62373056　62379558

印　　刷：上海利丰雅高印刷有限公司

开　　本：889 mm × 1194 mm　1/16

印　　张：11.75

字　　数：407千字

版　　次：2018年1月第1版

印　　次：2018年1月第1次印刷

书　　号：ISBN 978-7-5669-1336-4

定　　价：59.00元

96 下篇 经典服饰的绘制

上篇 服装设计速写基础

大家好，我是桑德拉·罗德斯，我是一名纺织品设计师和时装设计师。我希望本书的内容能激发你们绘制服装手稿的热情。

对设计师来说，绘画就是给自己找个时间，来进行观察和思考。它是一种解决问题的方式，相比绘画，拍摄显得太容易和肤浅了，走出去观察周围事物对设计师很重要。通过绘画你将学会从不同角度观察事物。我只有在绘画时，才会被动地理解事物的构造原理。

当我绘画时，常常会迸发出设计灵感，绘画的过程要求我必须协调眼睛、手和大脑的功能，眼睛看到的，和笔端画出的都要经过大脑的过滤筛选，所以我的画稿总会以新的面貌完成。

绘画的地点对我很重要。旅行总会带给我各种灵感，我有个习惯是当我在外旅行或不在工作室时，会坚持每天画张手绘稿。它不一定是纺织品设计或服装设计，可能只是一张动物速写，但不管是什么题材，画稿都必须是手绘的，要能激发新的设计思路。当回顾曾经的旅程，看到自己每天坚持画画，这是一件很美好的事情。

我第一次去艺术学院的时候，就意识到我的梦想是成为一名设计师。首先，热爱绘画让我曾想从事书籍插画的工作，但不久我了解到绘画只是所有艺术设计的基础，然后我很自然地就转到了纺织品设计这个行业，这才是我真正热爱的工作。我喜欢纺织品影响服装造型的方式，印花也能获得如此令人惊叹的奇妙效果。

我认为一直坚持绘画可以让我不断获得灵感。的确，我主张在伦敦建立时装和纺织品博物馆的一个理由是，我坚信观察和描摹展品的这种方式会激发艺术创作。

绘画是我用原始的方法进行观察和思考的基础。我希望这本书能证实绘画在设计业的地位和重要性，希望它能给予所有年轻艺术家们开拓事业的信心。

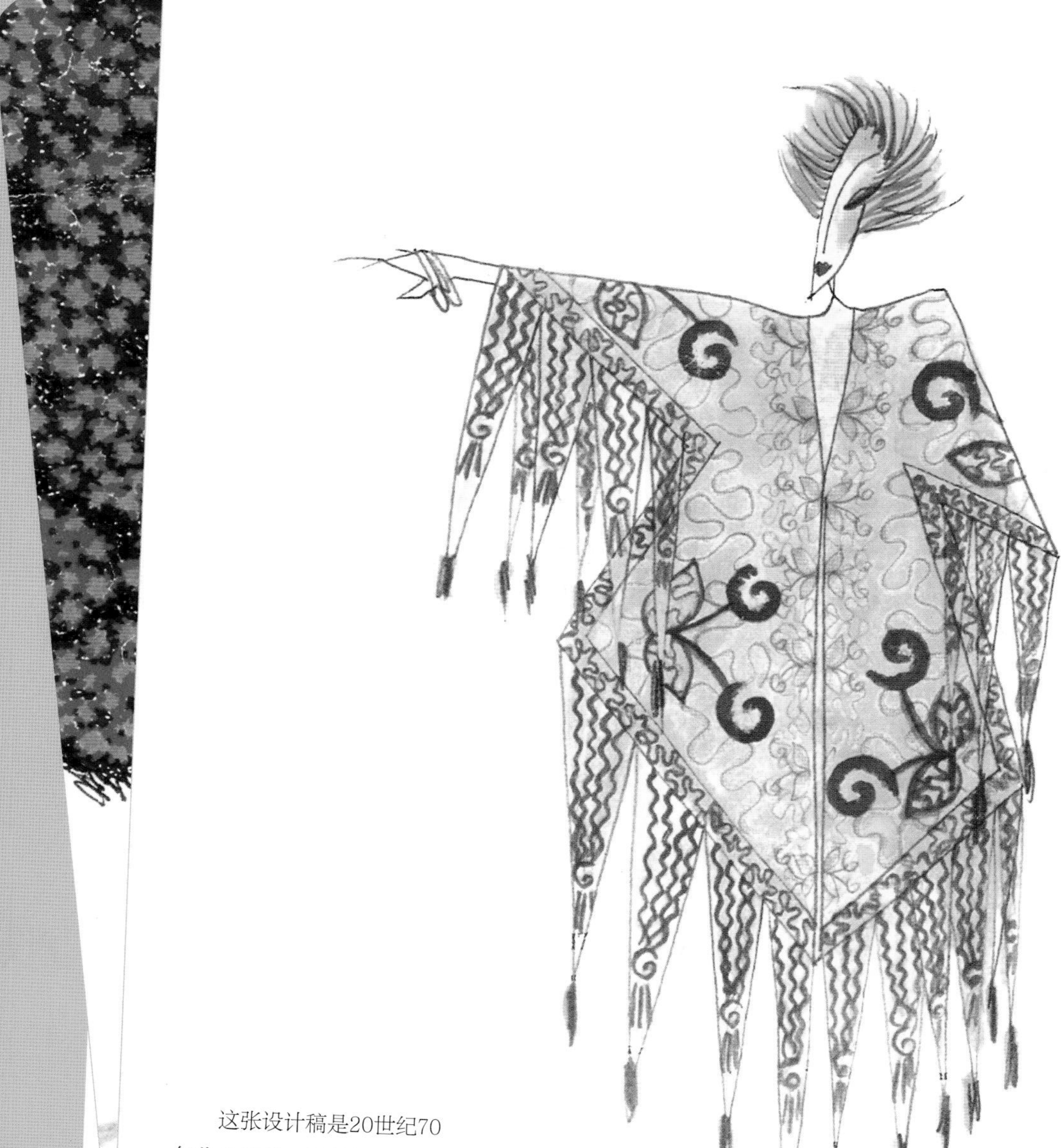

这张设计稿是20世纪70年代桑德拉·罗德斯发布的雪纺披肩系列设计中的一款，图中大胆鲜明的图案组合，体现了“设计女魔头”的鲜明个人风格。

你准备好绘制服装速写了吗?

无论你是在时尚工作室，还是在伦敦的纺织博物馆工作，这本书都向你展示了如何按步骤绘制时装速写稿的方法。本书上篇共分为3个部分：设计灵感、服装速写绘制基础和时装系列设计。

设计灵感

本书的第10～27页旨在激发读者的设计热情，这里选摘了几位全球最著名的时装设计师的个人访谈，并展示他们的一些设计手稿。

学习这些设计师们的设计稿，研究他们是如何形成自己的绘画风格的，学习其中的方法和技巧。

从设计师访谈中获得经验，但要记住，形成自己的个人风格很重要，用你独有的方式表现你的构思。另外也要记得保存速写本，这样设计时可用作资料参考。

桑德拉·罗德斯最擅长的是华丽的色彩组合和五彩缤纷的织物图案。

安娜·苏在她的铅笔手绘稿上用彩色麦克笔勾画出蕾丝和褶裥花边等细节。

贝尔维尔·沙宣设计的晚礼服体现了优雅迷人的女性气质和雍容华贵的服饰魅力。

服装速写绘制基础

第28～79页主要讲解服装速写的一些绘制技法，在开始设计服装之前，你需要掌握一些绘画的基本知识。首先介绍如何绘制“时装人体”或人体模板，当你完全掌握了人体的绘制方法，就能在人体模板上设计各类服装了，这些服装有连衣裙、半截裙、衬衫、长裤、外套、大衣，以及小礼服等。

这部分内容还介绍了一些绘画的窍门和经验，例如如何进行设计变化，以及从哪里获得更多的创意等内容。

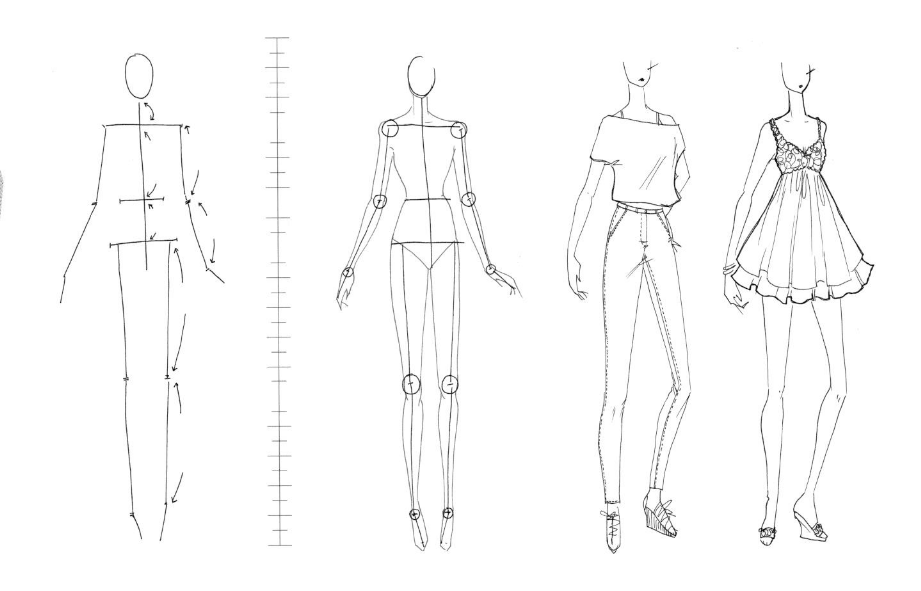

这部分内容根据学习者的需要，分步骤演示人体绘制、着装设计。

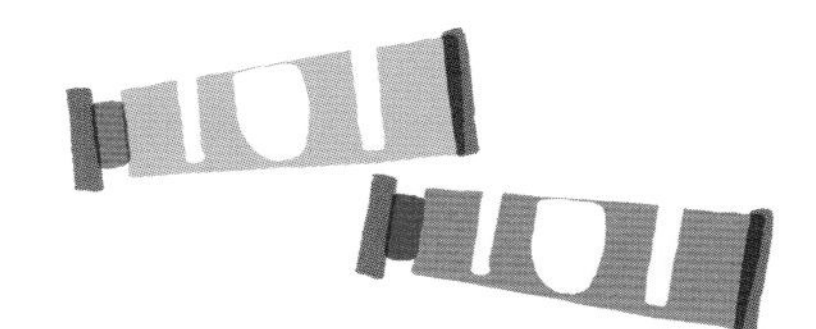

时装系列设计

你已经阅读了著名时装设计师们的作品，也掌握了绘制人体和不同类型服装的方法，现在可以开始进行服装设计了。第80～94页的内容介绍了设计调研，开拓设计思路和提炼设计主题的方法，了解了这些方法，你也能设计自己的时装系列。

这部分还介绍了时尚行业的专业培训以及职业种类等内容。

在本书的最后，罗列了部分常见的专业词汇，以便读者阅读和查找。

绘制整套的设计作品，需要准备多种绘画工具，并在设计前做大量的调研工作。在时装系列设计这一章内容中，我们将介绍如何制作服装系列作品。

姓名： 桑德拉·罗德斯
出生： 1940年出生于英国肯特郡查塔姆
学习经历： 肯特梅德韦艺术学院和伦敦皇家艺术学院
设计师个人风格： 戏剧化的风格个造型，大胆外向、活力四射又个性张扬

“任何地方我都能画画。”

设计师简介

桑德拉·罗德斯是英国著名时装设计师。20世纪70年代，在她的帮助下，伦敦成为了当时全球时尚的领导中心。在艺术学院学习期间，桑德拉主攻印花纺织品设计，从那时起，她就逐渐在时尚印花领域展现出不凡的设计才华。

粉色头发和彩色的妆容是桑德拉·罗德斯个人风格的一部分，她也将这些另类元素运用在她的作品中。她的客户名单从摇滚乐歌星到王室贵族不一而足，她拿手的仿古设计备受名流的欢迎，凯特·莫斯、凯莉·奥斯本和艾希莉·欧森都是她的忠实粉丝。1977年桑德拉·罗德斯举办了一场由粉红色和黑色针织服装组成的时装发布会，这场发布会取名为“概念化时髦”，所有展示的作品上布满了洞孔和串珠安全别针，这些离经叛道的大胆设计为她赢得了设计界“朋克女王”的称号。

除了设计日常服装之外，桑德拉·罗德斯还时常为戏剧设计舞台布景和演出服装。

在桑德拉·罗德斯的作品网站上，有500多幅设计师的时装画可供读者参观（www.zandrarhodes.ucreative.ac.uk）。

设计师访谈

什么能激起你绘画的热情？

时机对我很重要。如果有什么能吸引我，我觉得必须要画下来的，就算是早晨四点钟，我也会爬起来去画。

你通常在哪里绘画？

我大多数时候是在速写本上画，因为我什么都会弄丢！但如果是画在速写本上，我的想法就会比较“安全”，不会被遗忘。我会从第一页一直画到最后一页，画满整个本子，我可以在任何地方坐下来画。

你最喜欢用什么工具画？

我喜欢在日本的宣纸上用日本毡头笔手绘。

你是如何开始绘制设计稿的？

我会把印花面料以不同的方式披挂在身上或服装人台上，想象它能构成什么样的外观，然后把这些构思画出来。

最后的成衣是不是都和你的效果图完全一致？

不一定。但是有一点是不变的，就是手绘稿在整个设计过程中是主要灵感。

你的服装手稿是如何转化成实物的？

这需要经历好多个步骤，首先我得把手绘稿交给纸样裁剪师。

你会保存自己的手稿么？

我会保存，都放在速写本里呢。

你有感觉最满意的画稿么？

还没有。我觉得很幸运，英国创意艺术大学（UCA）已经把我的作品做成了数字档案，现在我查找和翻阅以前的手绘稿更方便了。

“概念化时髦”的发布会上展出的作品特点：服装被开洞，并缝合成泪珠形，由安全别针和金属链串起来，裙装的缝缉线暴露在外。

这组服装是桑德拉·罗德斯1976年在墨西哥举办秀展时设计的系列作品。服饰上的图案灵感来自墨西哥土著民族的宽边帽。服饰由各种活泼靓丽的色块和图案组成，体现了设计师从各种文化中汲取素材的创作思路。

姓名：瓦伦蒂诺
出生：1932年出生于意大利沃盖拉
学习与工作经历：巴黎美术学校，巴黎缝纫贸易公司，早年曾在雅克·法斯、巴黎世家、让·德斯和姬龙雪诸品牌工作
设计师个人风格：使用“瓦伦蒂诺红”（这是他的个人标志性颜色）为好莱坞女神们定制奢华、超级女性化的设计作品

“我最满意我的第一张画稿。”

设计师简介

瓦伦蒂诺·加拉瓦尼，人们常简称为瓦伦蒂诺，是欧洲著名的时装设计师和高级定制师。20世纪50年代末，他在罗马开办了自己的时装屋，从那时起，他就开始为全世界最有魅力的女士们设计服装。

从他进入时装界那一刻起，瓦伦蒂诺就和他长期的合作伙伴杰卡罗·吉米迪开始筹建瓦伦蒂诺的个人品牌，并最终成为全球最知名的时装品牌之一。

精致繁琐、雍容华贵，这是瓦伦蒂诺所有经典作品的共同特点，雪纺、丝绸、绸缎和精致的蕾丝被他巧妙地运用在各种面料上，塑造出女性婀娜的身姿，使得她们更加美艳动人。他的作品也因为这些细腻精美的细节和刺绣而闻名于世。

2008年瓦伦蒂诺宣布从时尚界退休。

读者如需了解更多内容，可浏览网站：www.valentinogaravanimuseum.com.

该网站收集有150多张瓦伦蒂诺的设计手稿和5000张记录设计师职业生涯的资料照片。

设计师访谈

什么能激起你绘画的热情？

将自己的作品展示给大众的一种责任感。

你通常在哪里画？

大多数时候是在我的办公室里。

你最喜欢用什么工具画？

铅笔。

你通常是如何开始设计服装的？

我一般是从头部和发型开始画起，简略地勾画模特的轮廓，我喜欢修长的脖颈，这样气质会更优雅。

最后的成衣是不是都和你的效果图完全一致？

是的，试样的过程中，我很少变动，可能会修改一些细节，但大的造型不会变。

你的服装手稿是如何转化成实物的？

这个过程比较长，首先是选择面料，然后是裁剪、试样修改，搭配钮扣，制作过程中有很多要注意的地方和琐碎的工作，需要很多人一起合作来完成。

今天，手绘稿对你的事业还有多重要呢？

我做的每个设计，无论是芭蕾舞的演出剧服，还是工作室内的沙发，都需要设计和制作说明，我一般是通过画稿来示意的。

你会保存自己的手稿么？

当然会，我保存了成千上万张手稿。

有没有哪张手稿你觉得对你意义非凡？

还没有，画稿太多了。我感觉最好的一张是我在巴黎工作时画的第一张设计稿。

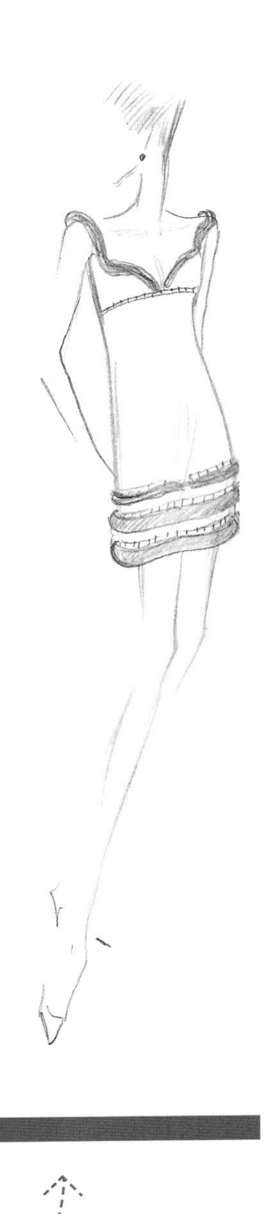

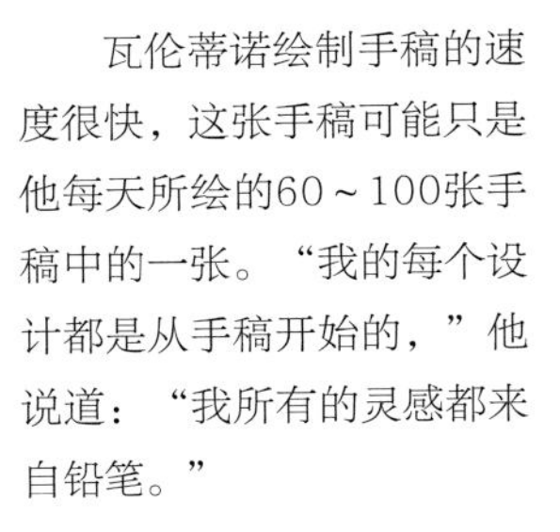

瓦伦蒂诺绘制手稿的速度很快，这张手稿可能只是他每天所绘的60～100张手稿中的一张。“我的每个设计都是从手稿开始的，”他说道：“我所有的灵感都来自铅笔。”

这张日常装的手稿中，紧身铅笔裙和阔袖、宽立领、宽摆搭配，形成鲜明的对比。从侧面绘制的这张手稿完美地表现出整体造型的美感。

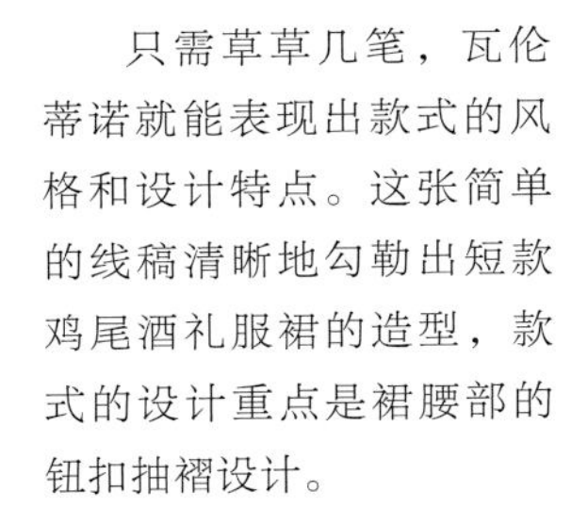

只需草草几笔，瓦伦蒂诺就能表现出款式的风格和设计特点。这张简单的线稿清晰地勾勒出短款鸡尾酒礼服裙的造型，款式的设计重点是裙腰部的钮扣抽褶设计。

为了表现出晚礼服的高贵优雅，瓦伦蒂诺在设计这款长裙时，上半身采用了合体修身的斜裁方法，下半身则采用多层裙片的展开式平裁设计。

姓名： 大卫·沙宣
出生： 1932年出生于英国伦敦
学习经历： 史密斯艺术学校和伦敦皇家艺术学院
设计师个人风格： 高街设计的摩登范，优雅的婚纱和浪漫的晚礼服

"新面料就能激发一张画稿。"

设计师简介

贝尔维尔·沙宣是一家英国著名高级定制品牌，它是由设计师贝琳达·贝尔维尔于1953年创立的，1958年大卫·沙宣加入了这家公司。

20世纪60年代，贝尔维尔·沙宣开始推出时尚婚礼服和晚宴服的设计，当时一些全世界最时髦女性穿着他们设计的服装。这个品牌逐渐成为王室贵族们的新宠，来自王室的客户名单有：玛格丽特公主、安妮公主、肯特的迈克尔王妃和威尔士的戴安娜王妃等。

当公司发展的越来越大时，一个设计师团队帮助大卫·沙宣进一步开拓自己的市场，团队成员有：什奈·卡洛夫、海伦·斯托瑞、乔治·夏普和罗米·格拉丹等优秀设计师。

20世纪80年代，贝尔维尔·沙宣品牌在爱尔兰设计师洛肯·马拉尼的领导下，推出了高级成衣系列，这使得更多消费者能购买得起他们的服装。公司也一直坚持为《时尚》杂志提供连衣裙的纸样，任何人只要购买这些纸样就可以自己进行缝纫和制作。

设计师访谈

什么能激起你绘画的热情?

有时候一款新式面料就可以激发我画一张设计图，但也可以是任何其他东西：一种感觉、一本书或一部电影，或是由这些事物引发的某些想像。

你通常在哪里画?

通常在家里。当我还在读大学时，我经常是在家里画一些构思或草图；后来在贝尔维尔·沙宣品牌工作时，我会在家里画草图，到工作室里润色，助手会把设计稿钉在样布上，样布是制作样衣用的替代面料。随着公司的快速发展，我逐渐把最初的草图交给团队，让他们衍生出更多的款式，每个设计思路可以扩展成20个款式。

你最喜欢用什么工具画?

画草图的话，我喜欢用粗铅笔来表现效果和不同的质感。

你通常是如何开始设计服装的?

我从人体开始画，我很少画头部，因为时间问题，为了设计得更快一点，我有时也会在人体模板上直接画款式。

最后的成衣是不是都和你的效果图完全一致?

绝大部分是一致的。原创手稿在被定稿前，会增加一些时尚感，最后的定稿会根据样衣和面料进行适当的调整。总的来说，最后的定稿没有被改动。

你的服装手稿是如何转化成实物的?

这需要大约6个月左右的时间，手绘稿一直是整个过程的设计灵魂。

你会保存自己的手稿么?

会的。我现在还保存一些我学生时候的速写手稿，其他的手稿可以在巴斯（英国西部）时尚博物馆看到档案记录。

有没有哪张手稿你觉得对你意义非凡?

有一些。最早的一幅是我在皇家艺术学院学习时画的，它是一件工艺复杂的作品，但我完成得很好，所以那是一次愉快的记忆。

“拉·古留裙”（康康舞裙）是一款合体黑色的拖地长裙，流行自1968年。

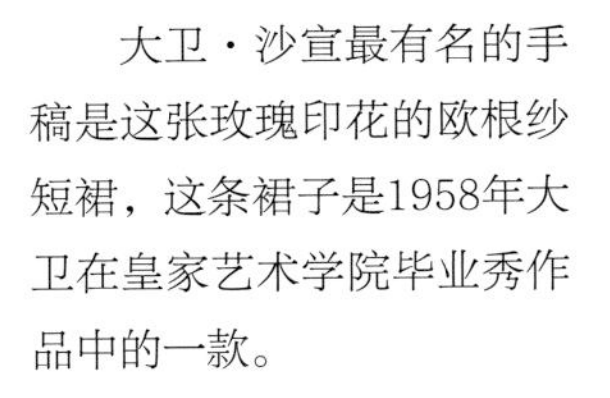

大卫·沙宣最有名的手稿是这张玫瑰印花的欧根纱短裙，这条裙子是1958年大卫在皇家艺术学院毕业秀作品中的一款。

这款手工刺绣、金色钉珠的高级礼服是歌星麦当娜特别委托定制的。从1999年起，乔治·夏普开始用毡头笔手绘记录大卫的设计稿。

姓名： 彼得·詹森
出生： 1969年出生于丹麦勒格斯特
学习经历： 皇家丹麦艺术学院、哥本哈根艺术学校、伦敦中央圣马丁艺术与设计学院，学习时装设计之前还曾学习过图案设计、刺绣和缝纫
设计师个人风格： 帅酷的基本款男女装

彼得·詹森最喜欢的一张开心大笑的照片。

设计师简介

彼得·詹森因为他的年轻化、有趣的服装设计而闻名。他的女装设计的灵感常常来自现实中的女性，他欣赏她们的个人风格和生活态度。在这些著名的女性中，最能激发他的是美国摄影师辛迪·雪曼，美国电影明星西希·斯贝西克和英国雕塑家芭芭拉·赫普沃思等人。

1999年，彼得·詹森毕业于中央圣马丁艺术与设计学院，同年他创办了自己的男装品牌，不久后，他又推出女装设计。他的设计在全球主要商店和精品店出售，从纽约到东京都能看到他的产品。他也与一些跨国零售连锁店合作，例如Topshop、Topman和Urban Outfitters等。

2009年，丹麦艺术委员会授予彼得·詹森一个重要奖项。通常情况下，这个奖项只授予那些杰出的艺术家们。从那时起，他的设计作品就开始在哥本哈根艺术博物馆和伦敦的维多利亚阿尔伯特博物馆里展览。

设计师访谈

什么能激起你绘画的热情？

我脑海里的想法以及想要表现这些想法的愿望是我绘画的动机，有了画稿我才能与我的设计团队交流：未来发布会应该做成什么样子。我有个习惯，当我开始准备新一季产品时，我就会去看一部20世纪70年代拍摄的丹麦电视连续剧，它是反映1929到1949年丹麦的各个阶层人们的生活。这部电视剧会让我集中精力在当前的工作上，心里没有任何内疚或压力。

你通常在哪里画？

家里电视机前，或是在旅馆里。

你最喜欢用什么工具画？

钢笔和纸，没别的了。

你通常是如何开始设计服装的？

从头（部）画起。

最后的成衣是不是都和你的效果图完全一致？

或多或少会有点区别。我在圣马丁的学习经历让我养成了一个习惯，就是在立体制作之前，会一遍又一遍反复地看设计稿。

你的服装手稿是如何转换成实物的？

在一个完美的人体上，进行很多次的试样和修改。

今天，手绘稿对你的事业还有多重要呢？

毫无疑问，手稿很重要，否则我就没有媒介去交流了，其他的东西能有感觉嘛？

你会保存自己的手稿么？

是的，我还保留着很多以前的手稿。

你有没有个人最喜欢的设计稿？

还没有，我一直是最喜欢手头正在做的设计。

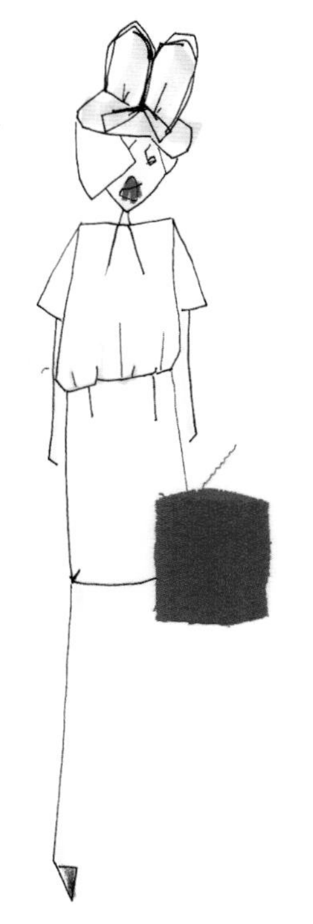

彼得·詹森的“塞尔玛”系列设计，灵感来自伦敦女帽商塞尔玛·斯皮尔斯，她另一个身份是贝恩斯托克·斯皮尔斯帽子专卖店（伦敦）的设计师。

为某些特别的场合设计服装是件有趣的工作，这条裙子就是詹森为美国电影制片人兼演员莉娜·杜汉姆参加纽约格莱美颁奖典礼量身设计的礼服裙。

这套服饰名为“尼娜”系列，灵感来自集歌星、歌曲创作人和钢琴家于一身的尼娜·西蒙。设计稿上黏贴面料小样是为了展示成衣将使用的面料的材质和肌理。

姓名：克里斯汀·拉克鲁瓦
出生：1951年出生于法国阿尔勒
学习经历：巴黎的蒙彼利埃大学、索邦神学院和卢浮宫美术学院
设计师个人风格：梦幻般的长裙，缤纷的色彩和他标志性的泡泡裙

"我越来越多地用电脑画稿了。"

设计师简介

克里斯汀·拉克鲁瓦是著名的法国服装设计师，20世纪80年代起，他的杰出才华振兴了巴黎的时装艺术。

拉克鲁瓦早年生活在阿尔勒，在那里，他对历史服装产生了浓厚的兴趣。后来，他研究艺术史，并移居巴黎，梦想成为一名博物馆馆长，但随后不久他就被引荐给了卡尔·拉格菲尔德和其他一些时装设计师，他开始为爱马仕工作，之后又效力于帕图时装屋。

当拉克鲁瓦在1986年赢得时装界殿堂级的金顶针奖时，他获得了资助并筹建了自己的时装屋。他的高级定制作品美仑美奂，令时尚界的每一个人为之侧目。

在过去的20年间，拉克鲁瓦还设计过高级成衣、香水、牛仔服、童装、内衣、家居服和男装系列。

从2002年到2005年，他为意大利高级时装屋璞琪工作。今天他最著名的设计作品是为电影、歌剧和芭蕾舞设计的精美服装。

设计师访谈

什么能激起你绘画的热情？

所有事物，任何事物。有时候啥也不需要。

你通常在哪里画？

任何地方。但我现在越来越多地使用电脑绘图软件了，用电脑画可以让我不再对空白感到恐惧。

你喜欢用什么工具画手稿？

当我不用电脑画时，我喜欢用简单的圆珠笔或毡头钢笔画，偶尔会用一些水彩和水粉。

你通常是如何开始设计服装的？

通常我是从头部轮廓开始画稿的，有时可能只是一只眼睛。我的设计比较随性，跟着感觉和线条走，喜欢一种自然形成的效果，比如有时可能只是一块色彩污渍。

最后的成衣是不是都和你的效果图完全一致？

我喜欢看到女孩穿着和手稿一模一样的成衣。但设计稿总会面临各种可能的结果，我记得有一次设计一套洗浴装，一步步做到最后时，竟变成了一件婚礼裙。

你会保存自己的手稿么？

我已经保存了很多啦，几乎是从出生以来的所有画稿！我甚至还有幼儿园的画稿和涂鸦。我愿意把所有这些画稿都捐给阿尔勒博物馆。

你有没有个人最喜欢的设计稿？

这主要取决于画稿的年代，当时的感觉和绘画的时间。我很少装裱自己的画稿，但还是有四五幅我特别保护起来了。

明艳的橙色、红色和紫红色搭配在一起，体现了拉克鲁瓦的典型个人风格。这组色调源自他童年记忆中法国南部的温暖色彩。

拉克鲁瓦在设计时，会先快速地勾勒出所有作品的轮廓线条，他说：“这些速写稿一般会演变成我所有系列设计的原始稿。”

拉克鲁瓦最著名的是发表在媒体上的戏剧化的时装手稿。这组手稿是运用数码技术绘制的。数码绘画快捷又方便，设计师可以立即看到最终的设计效果。

姓名： 诺曼·哈特奈尔
出生： 1901年出生于英国伦敦
1979年去世
学习经历： 自学成才的设计师。他曾在米尔·希尔学校和剑桥大学学习，在剑桥学习时，他为戏剧表演设计舞台剧服
设计师个人风格： 为宫廷贵妇和社交名媛设计的华丽服饰

"我对时尚的兴趣是从一盒蜡笔开始的。"

设计师简介

诺曼·哈特奈尔是20世纪英格兰著名的高级定制设计师。

他因优雅的晚礼服和婚礼服设计，以及对缎料、薄纱，刺绣和花边的富于想象力的创造性运用而闻名于世。为了获得设计灵感，哈特奈尔会把金丝透明绸缎钉在窗帘上，观察面料的悬垂效果；他还会将彩色的缎料铺在沙发垫上，想象沙发垫有着人体的胸部和臀部。

哈特奈尔的设计非常复杂，他的手绘稿绘制精美，但他必须依赖一个多达550人的团队来帮他实现自己的创意，一大群的专业人士集中在一起缝制着他设计的刺绣长袍。

1938年，哈特奈尔被任命为英国皇家的指定裙装设计师，他开始为英国王太后和现任女王伊丽莎白二世设计新形象。1947年，伊丽莎白女王结婚时，就是身穿哈特奈尔设计的婚礼服，礼服上装饰有1000颗小珍珠和不计其数的水晶；1953年，女王也是身穿着哈特奈尔设计的礼服裙举行的女王加冕礼。

设计师访谈

诺曼·哈特奈尔已于1979年去世，所以以下内容均摘自《银和金——诺曼·哈特奈尔自传》（1955年出版）。

什么能激起你绘画的热情？

名家画作中那些华贵的裙子一直在我的脑海中……

你通常在哪里画？

温莎森林——我的家中。

你喜欢用什么工具画手稿？

削尖的铅笔、水彩颜料、貂毛毛笔。我对时尚的兴趣是从一盒蜡笔开始的。我学生时代的书本：数学、几何和代数，这些书上都被我涂满了各式各样的时装设计画。

你通常是如何开始设计服装的？

我通常是先快速地勾画头部，然后是四肢的大致方向，我会把模特人体向右转，这样左边的臀部就会抬高，然后画胳膊，一只手叉腰，一只手向前伸展，要能展现袖子的形状，最后画脚和鞋子。

你的服装手稿转变成一件成衣容易吗？

哈特奈尔与多尔蒂小姐、杰曼·大卫女士（法国样衣师）合作，她们理解他那些复杂的设计稿。在这两位严谨的女士的帮助下，我的作品才能以全新的面貌出现。她们评价我的设计稿的价值，给款式提出建议，并分别进行裁剪制作，我也开始理解从设计到女士们购买的产品之间，要经过多少道程序才能实现。

你的服装手稿是如何转换成实物的？

我会与我的制衣师和店员主管讨论我所有的设计。几天后我们会开始试样，在展示给媒体、买手和大众之前，我们还会做最后一步工作：裙装的秀展彩排。

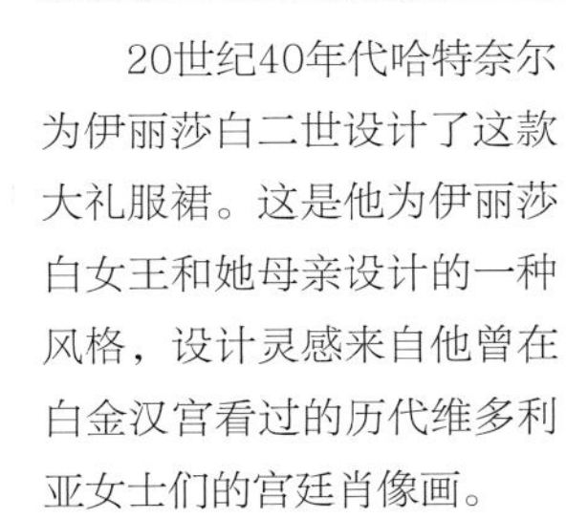

20世纪40年代哈特奈尔为伊丽莎白二世设计了这款大礼服裙。这是他为伊丽莎白女王和她母亲设计的一种风格，设计灵感来自他曾在白金汉宫看过的历代维多利亚女士们的宫廷肖像画。

这是伊丽莎白女王二世还是公主身份时，诺曼为她设计的第一款鸡尾酒礼服裙。注意本页的各个图稿中，长长的手套的搭配使得每个形象都更加完整。

哈特奈尔为伊丽莎白女王参加国会开幕大典设计了这条修身的金色长裙，国会开幕大典是每年英国议会会议召开前的举国盛会。你注意到背景中，女王将要披上的正式长袍吗？

姓名：安娜·苏

出生：1964年出生于美国底特律

学习经历：纽约帕森斯设计学院

设计师个人风格：T台上的高级时装混合着复古和摇滚风格

“我设计服装就像是给纸上的娃娃穿上衣服。”

设计师简介

安娜·苏是著名的美国时装设计师，她的每场时装发布会犹如打开了复古风格的宝藏，她的设计灵感来自各种艺术形式，包括摇滚乐和朋克音乐。

安娜·苏曾在艺术学校进行过短暂的学习，随后不久就辍学进入时尚界工作。她的职业转机发生在一场贸易会展上，当时一位纽约梅西百货公司的买手在会展上看到安娜·苏的6件套系列作品，随后这组系列就出现在梅西百货圣诞热卖季的橱窗里。

十多年来，安娜·苏从她的小公寓起步，并逐渐发展壮大，今天的她掌管着跨国时尚公司，产品范围涉及服装、鞋子、眼镜和香水。

设计师访谈

绘画之前你会如何准备？

我一般会快速地绘制铅笔稿，勾画某件服装的轮廓、缉线、口袋、钮扣等细节。当我准备一场走秀的发布会时，我会画更多的完整手稿。

你通常在哪里画？

在我公司的办公桌上。

你喜欢用什么工具画手稿？

彩色麦克笔。

你通常是如何开始设计服装的？

我从不临摹人体。我的时装人体看起来都挺像我的，这是因为她们都有相似的面孔和姿势。这些模特我都是手绘的，我的设计就像是给这些纸上的娃娃们穿上衣服。

最后的成衣是不是都和你的效果图完全一致？

必须一样。我可以准确地描绘印花面料和梭织面料的质地，这一点我很自豪。

你的服装手稿是如何转换成实物的？

我的速写手稿会先交给我们的纸样师来进行下一步工作。

今天，手绘稿对你的事业还有多重要呢？

我认为任何一种清楚地表达设计理念的方式都是很重要的。

你会保存自己的手稿么？

会。

你有没有个人最喜欢的设计稿？

我很喜欢我在2007年春季准备那场洛可可风格“海盗”系列发布会时所画的设计稿。

安娜的手绘稿有一些标志性的特点：红苹果脸颊、红唇和钮扣眼。她笔下的模特头部常常不完整，这是因为她总是抵着画纸顶端开始画稿的习惯。

彩色麦克笔适合用来绘制印花面料。

注意这组系列设计中的色彩组合与搭配。色彩组合是设计师选择进行某系列设计的主要色系组合。

21世纪新生代服装设计师的设计稿

你会用电脑绘画吗？今天的时尚业，电脑绘画是设计师们必须掌握的技能。许多设计师都在用计算机辅助绘图软件绘画，但无论是手绘还是电脑绘稿，绘画的基本原理是不会变的。

下面介绍的两位设计师是21世纪崭露头角的年轻设计师，他们在学校时，就掌握了电脑绘画的技巧，但他们都认为手绘也是非常重要的设计手段。

“当我出门时，我会观察世界并画一些草图，然后回到工作室再深入绘制。”

“我会尽量保留自己的作品，就算是‘失败作品’，我也留着，会一遍遍地反复看，这可以帮助我找出设计不足之处并解决这些问题。”

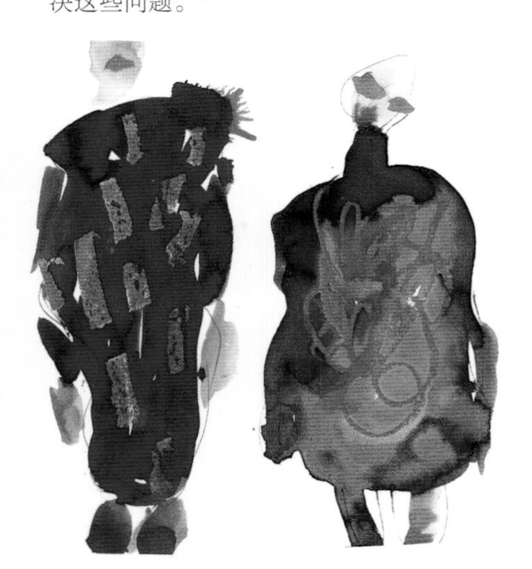

姓名：基蒂·约瑟夫

英国出生的基蒂·约瑟夫2011年毕业于伦敦皇家艺术学院。她因为设计紧身的“布迪克”礼服裙而一跃成名，这条裙子是由一种名为氯丁的弹性橡胶材料和有机玻璃配饰制作而成的。她曾为歌星嘎嘎小姐设计演出服，也为一些大品牌做设计，例如Stylus公司和诺基亚公司，同时还为一些知名公司提供印花面料的设计，例如唐可娜儿和英国玛莎百货等。

“我的手绘稿常常是从色彩标识开始的。”

设计师访谈

什么能激起你绘画的热情？

作为一个专业的纺织品设计师，我发现我的设计稿常常是从色彩标识开始的，这些颜色标记了服装的大体形状，服装就如同我那些印花设计的画布。

你通常是如何开始设计服装的？

我最初的画稿是相当自由的，注重感觉和情绪。我然后会从工艺上进行安排：哪里是裙子的领围线或下摆。我喜欢在我自己独创的模特体型上做设计，黏贴上拼贴纸和色块。

你最喜欢哪种绘画工具？

当我有设计灵感的时候，我会使用手边的任何工具来绘画。平时我喜欢用便宜的圆珠笔。大多数时间，我是在家里用我的墨水笔和粉彩进行绘制，因为用它们可以画出各种颜色。

绘画对你有多重要呢？

绘画是一种语言，除了绘画我想不出我还能用什么东西把我的设计发挥到这个程度。

你喜欢在电脑上画吗？

虽然我受过专业训练，知道如何判断和使用电脑设计软件，以及其他的一些电脑技术，但我更喜欢那种直接的设计过程，就是在人体模型上的手绘方式。

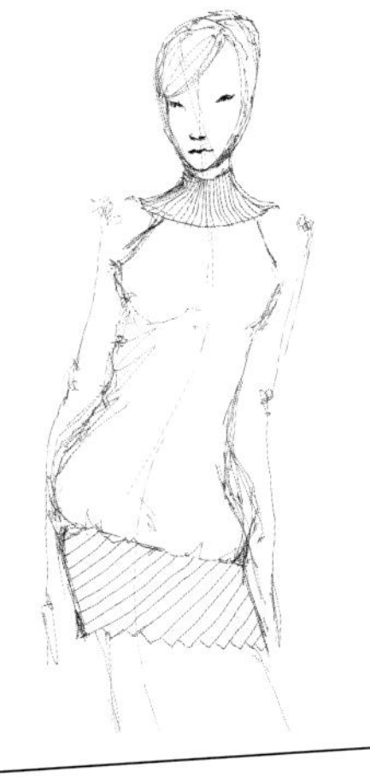

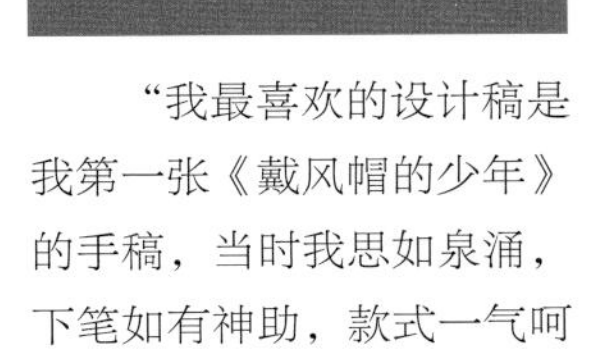

“我最喜欢的设计稿是我第一张《戴风帽的少年》的手稿，当时我思如泉涌，下笔如有神助，款式一气呵成，一点也不费劲。”

姓名：亚历桑德拉·格鲁弗

这位年轻的设计师曾在美国罗德岛设计学院和伦敦中央圣马丁艺术与设计学院学习。2008年，亚历桑德拉在伦敦创建了自己的品牌。她的作品多选用针织面料制作，喜欢将面料塑造成奇异大胆的造型，服饰外观犹如雕塑一般。她也常与音乐家、摄影师和其他设计师进行各种艺术项目的合作。

“每个设计的构思我都是从设计稿开始的。”

以前的手绘稿也是有用的，两位设计师都会从旧稿中提取出没用过的设计想法，把它们转化成下一季的新设计。

设计师访谈

什么能激起你绘画的热情？

生活中的每一样东西。

你通常是如何开始设计服装的？

我先研究每一季的主题，同时构思不同的款式。当时间到了设计截稿时，我会把所有想法组织在一起，围绕主题组成一个系列。

你最喜欢哪种绘画工具？

铅笔或黑色圆珠笔。平时我会设法在包里放一个小速写本，但灵感总是不期而遇，所以，我就有了数不清的各种手稿的速写：餐巾纸、信封、收据和商业卡片都成了速写纸。当我突然有某个构思时，我在哪里并不重要，在我忘记这个想法之前，我会用目光所及处的任何东西记录下来。

绘画对你有多重要呢？

每个想法我都是先画出来的。有时候，它们可能是简单的草图，没有多少详细的内容，但绘画总能帮我不断完善我的设计构思。

你是如何进行服装设计的？最后的成衣和你的效果图一样吗？

直接在人台上立体裁剪，是我最喜欢的一种设计方式。我的设计没有固定的形式，我常常是从一张设计稿或几何形状开始，例如一些漂亮的图案之类的；当我在人台上挂上面料时，这些初步的构思就逐渐完整起来。最后的成衣有时候会像我的手稿，有时候它就是完全不同的什么东西。

为什么画草图？

本书介绍的设计师们都相信，绘画是一种思考的方式，它引导设计师们去寻找思路。绘画也是一种回忆思路的方式。速写本将你的想法妥善保存起来，许多设计师都会回到他们最初的速写本中寻找新的创意。

设计师们一般要用多少本速写本？

一些设计师为不同的素材准备不同的速写本，例如有的设计师会为绘画、裁剪和面料小样各准备一个速写本；而另一些设计师则会将所有素材放在同一个速写本里，一页一页地填满。这种将大量不同的素材排列在一起的方式容易激发出新的设计。

设计师们都使用什么样的速写本？

速写本有各种各样的规格，所以使用什么样的速写本取决于这设计师的个人喜好。有些设计师例如桑德拉·罗德斯，她就喜欢手边随时有个速写本，这样就可以在任何地方画稿，她需要的就是那种便于携带的速写本。

画纸也有许多种类型，根据你的画稿要求和绘画颜料选择合适的画纸很重要。例如，水彩是一种稀释的颜料，会让大多数画纸起皱。速写本的装订也是考虑因素之一，有些速写本是螺旋圈装订的，有些是黏合在一起的，这种速写本的页面很容易被完整地撕下来，可做为设计的研究资料。

描绘周围的实物有时会给设计师带来新的想法。下面这张由桑德拉·罗德斯绘制的花卉图可以延展设计成新的造型或色块组合。

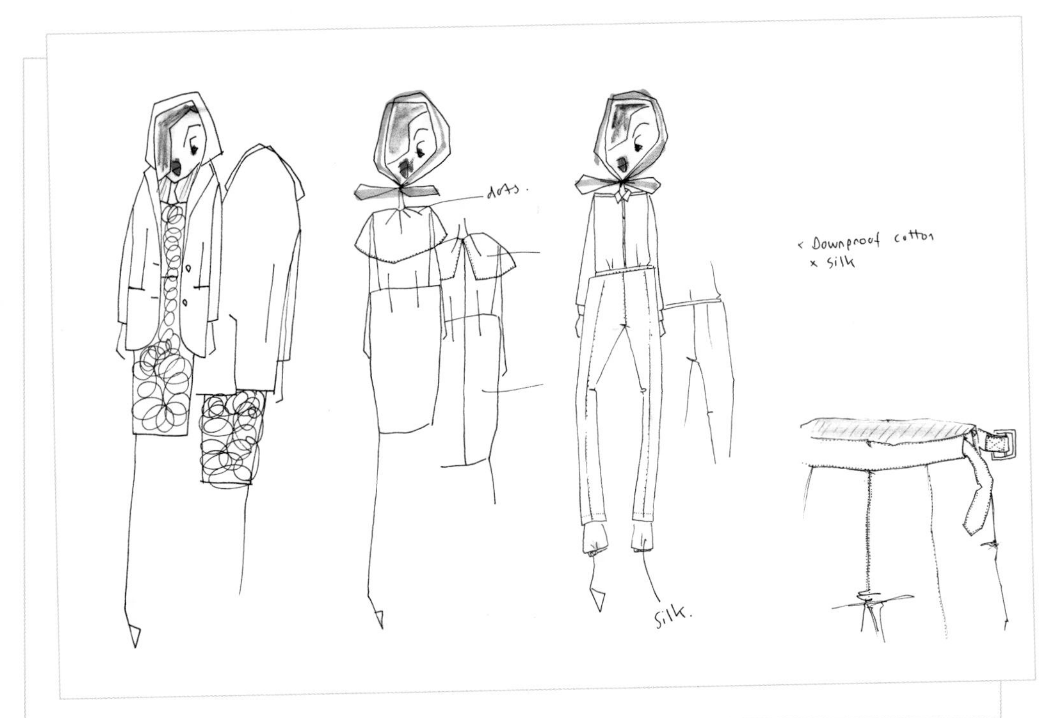

这组由彼得·詹森绘制的手稿展示了他是如何将自己的速写变成设计稿的。他刻画细节，并描绘出结构之间的组合方式。

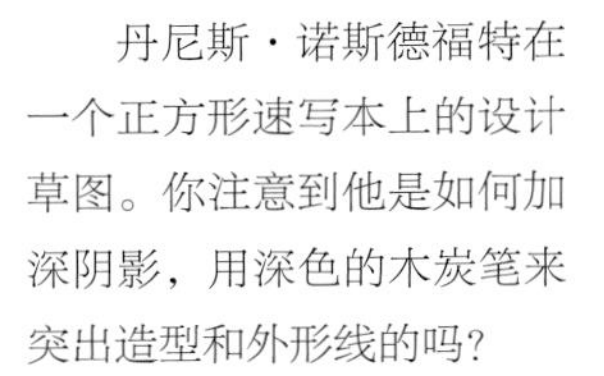

丹尼斯·诺斯德福特在一个正方形速写本上的设计草图。你注意到他是如何加深阴影，用深色的木炭笔来突出造型和外形线的吗？

有些设计师使用数码技术绘制草图或进行速写，可以快速地记录下设计构思。这组画稿的特点是色彩的运用，克里斯汀·拉克鲁瓦采用电脑上色，使得效果更容易被表现出来。

绘画准备

本书介绍的几位设计师使用的是不同的绘画工具。初学者应多加练习，找到最适合自己的绘画方式。

这里列举了部分绘画前需要准备的工具和材料。把它们收集在一个专门的盒子里，这样你随时都能拿来画画。

铅笔

如果你正在做设计，硬铅会帮助你获得清晰又干净的线条。本书中的各个示例就是用HB铅笔绘制的。

· 画速写或绘制阴影，你应该试试使用**更软的铅笔**，例如4B铅笔。

· 小型的物体需要细心地描绘，使用**硬铅**画出的细线条，可用于刻画某些细节。

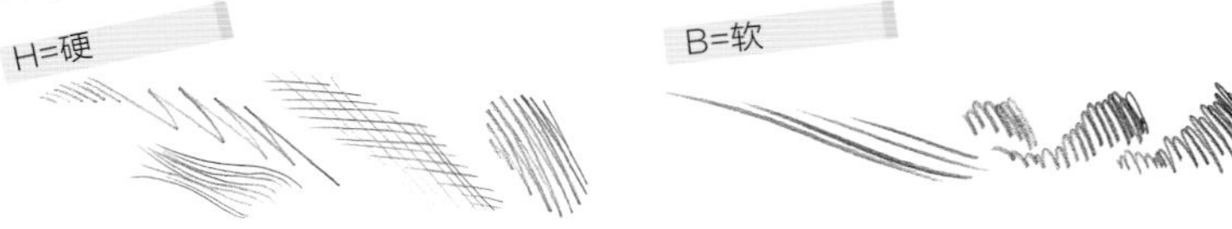

钢笔

钢笔适合绘制细节。根据笔尖的大小和宽度，有很多种类型的钢笔可供选择。

· **设计专用的麦克笔**和**细签字笔**适合起稿。

· 如果你计划用颜料绘图，而旁边有幅钢笔画，那需要先确认下你用的是否是**防水钢笔**，这样颜色不会互相渗透。

· 水彩钢笔需要多练习才能掌握。

水粉

水粉是**不透明的**，这意味着你将看不到颜料下面的内容。水粉适合于填实色块，边缘清晰又整齐。

· 确认你**调配了足够的**某种颜色，否则如果颜料用完了，你可能再也调不出这种颜色。

· 加入足够的水调匀颜料，在上另一种颜色之前，先让前面那个颜色完全干透。

· 为了获得**漂亮、干净的边缘**，在填色之前先勾画好每块颜色的边界线。

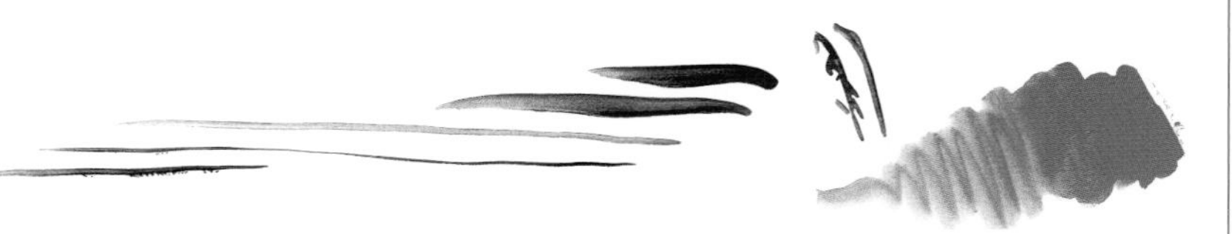

水彩

水彩颜料有管装的，也有盘装的，略**透明**。

· 水彩是很棒的速写工具，可用于绘制大块面，或颜色**渲染**。

· 因为水彩是透明的，你不能在一块深色调上涂上另一种浅色调。

毛笔

毛笔是由各种不同的材料制成的，笔头也有各种不同的形状和宽度。如果你准备给画稿上色，建议使用**结实的细毛笔**，可以画出精细的线条。

画纸

选用**薄型的优质画纸**，这样你可以放在模特人体或基础人形上进行描摹，可以直接看到下面的形状。

· 记住，当你用稀释的水彩绘画时，画纸可能会起皱。

速写本

· 选择容易携带的速写本——A4大小或更小一点的尺寸比较适合。

· 有些速写本配有一个**口袋**，你可以用它装杂志剪贴、彩色的面料小样等。

不要用橡皮或各种量尺

使用橡皮的问题是它会妨碍你**从错误中学习**。如果一个设计稿存在问题，擦除并不能帮你发现症结所在，你应该在错误上继续尝试，在不同的方向找到新的线条。也避免使用量尺，它们画出的线条生硬，机械感强。

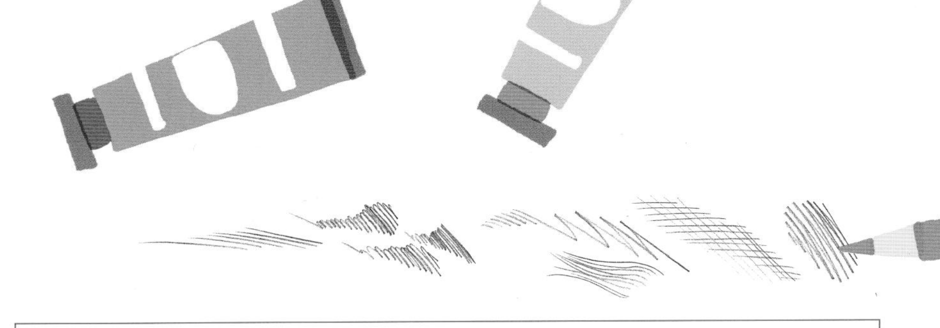

你可能需要找个时间，去某个地方绘画，选择一个舒适的地方，可以播放一些音乐，以激发创意。

绘画地点的选择

你可以尝试在不同的地方绘画。平面的餐桌或写字台、地板，或者是倾斜的画板上，只要适合你绘画都可以。

描图为何有用?

当你完成了模特人体或基本模型的绘制，并且感到满意，你就可以用它来进行设计，这部分内容在本书第37页有相关介绍。

· 放一张透明的薄型纸在模特人体上，先根据人体绘制服装，并思考服装是如何穿在人体上的。

· 当你已经完成了服装的设计，再画人体的头部、胳膊、腿和脚，把人体模型作为你设计的基准线。

选择线条

实线表示拼缝线，虚线表示装饰线或称为明缉线。

增添阴影，刻画深度

小型交叉的排线（或称为**交叉线**）有助于表现出设计的光影关系。例如，抽褶面料上的阴影部分就表现了面料是如何抽褶的。

画纸的布局

画纸通常是长方形的，你可以选择竖向的长方形，这种画纸格式称为**肖像画**模式（或版式）；你也可以把纸转过来，摆成横向的长方形来画，这种称为**风景画**版式。

· 初学者适合采用肖像画版式来画，这样你可以有足够的画面高度来绘制人体和设计。

· 当你准备一个系列设计时，风景画版式更适合一组设计的排版，你可以直观看到你的设计彼此排列，并能比较它们。

风景画版式

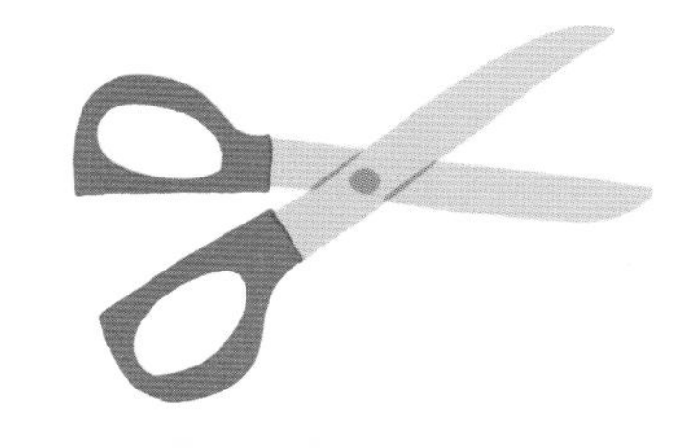

练习使用不同的绘画工具

观察这两页的示例速写稿，它们都展示了同一个人体，但是用不同的绘画工具绘制而成，使用了铅笔、钢笔和多种颜料。你能看出不同工具产生的效果和感觉的差异吗？

尝试使用不同的绘画工具和技法，找到最适合你的那种，就是你用起来感觉最舒服、最能表达你的想法的方式，也可以尝试将不同的绘画工具综合使用。

回顾前几页介绍的设计师手稿，你能看出他们风格有哪些不同吗？他们都是用什么工具来画的？

这些设计师的设计稿中，哪一种风格是你最欣赏的？学习并借鉴他们的绘画技法，你也能形成自己的个人风格。

1

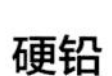

硬铅

硬铅画出的线条干净、清晰，可用于表现物体的结构和外形线。起稿时，可以使用硬铅绘制服装的造型、轮廓线和服装结构细节。

2

软铅

4B或更软的铅笔画出的线条较粗糙，颜色也较深。软铅绘制阴影，结合绘画技巧，例如交叉排线（多排整齐交叉的细线条）可以给你的设计稿增加质感和立体效果。

3

4

5

钢笔

钢笔既可以用来画轮廓，又可以用来画细节，是一种强大的多功能绘图工具。钢笔绘画很容易掌握，可以让你对艺术创作充满信心。

水墨

水墨画一般使用毛笔绘制，线条柔和。水墨颜料也可以稀释后填充画面。水墨画比其他技法更难控制，但你可以“将错就错”，得到一些意想不到的随机效果。

水粉和钢笔

某些时候，你需要为你的设计选择颜色。厚水粉可用于填实某个色块，而稀释的水粉，其绘画效果类似水彩的渲染，不要担心稀释的颜料会溢出轮廓线，随机的效果会让作品别具特色。

循序渐进

当你开始学习绘制时装画时，建议分步骤来练习。例如下图的模特人体，也称为基础模板，就是分为8个步骤绘制完成的。在本章随后的内容中，只要你严格按照每个步骤来画，就能画出与示例相同的模特人体。

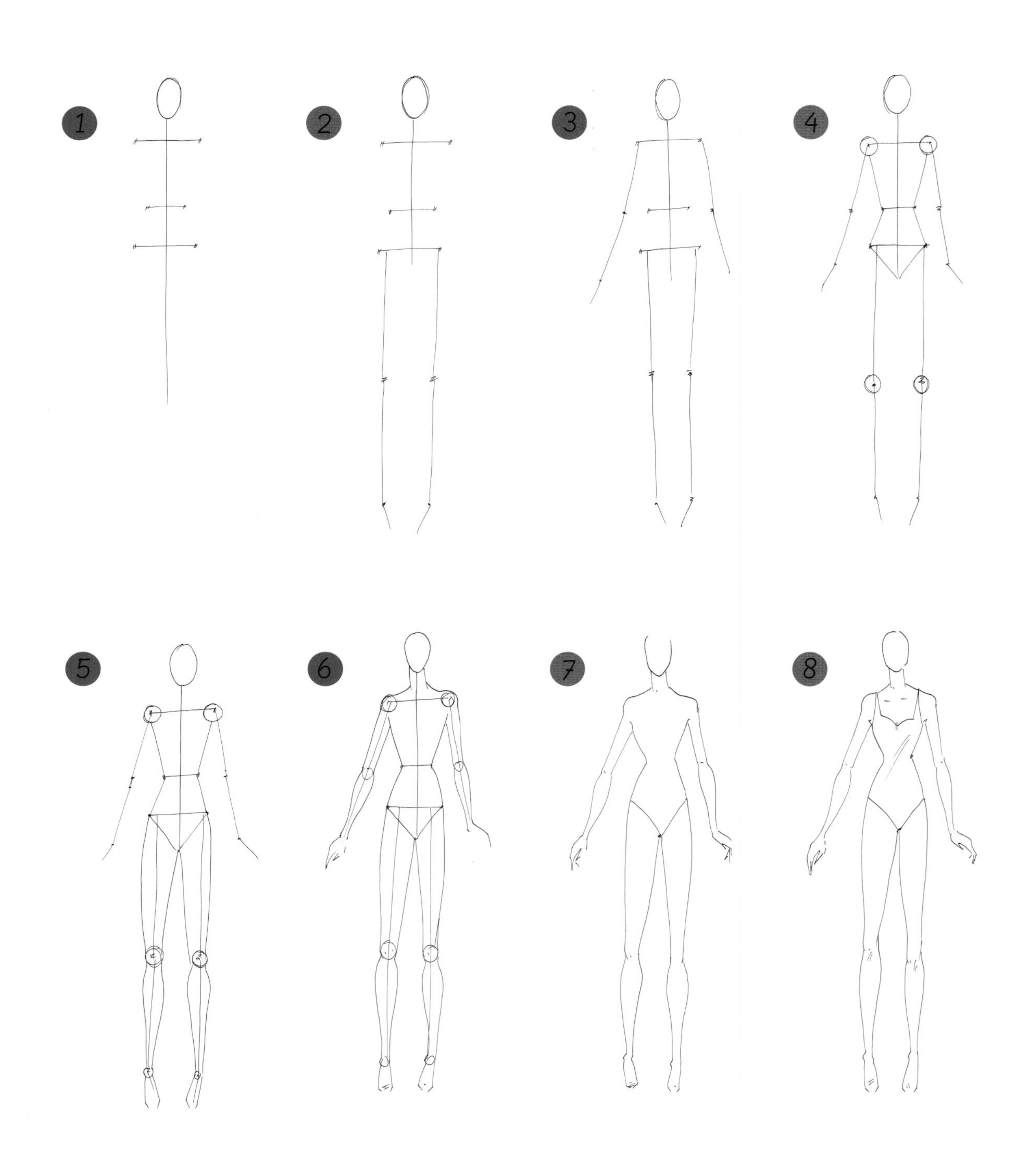

人体比例

你知道大多数普通人的身长比例是7.5个头长吗?在时装画中，人体通常被故意拉长，模特的身长比例从头到脚会超过9个头长。在绘制时装人体时，牢记这一点，这将有助于你保持正确的比例。

观察这张图稿中的比例尺寸。从两侧肩点到肘部的长度是否接近1.5个头长？也试着比较下其他部位的比例。

关节和人体标识

肩点、腰线、臀围线和膝盖是连接人体各个部分的关节点位置，它们对设计师是非常有用的标识。当你能准确地标识出这些关节点，并确定它们之间的正确距离时，你的人体模板看上去才会比例合理。

根据下图中的文字标注，了解人体的其他部位。这些部位在绘制人体时，也是有用的标识。

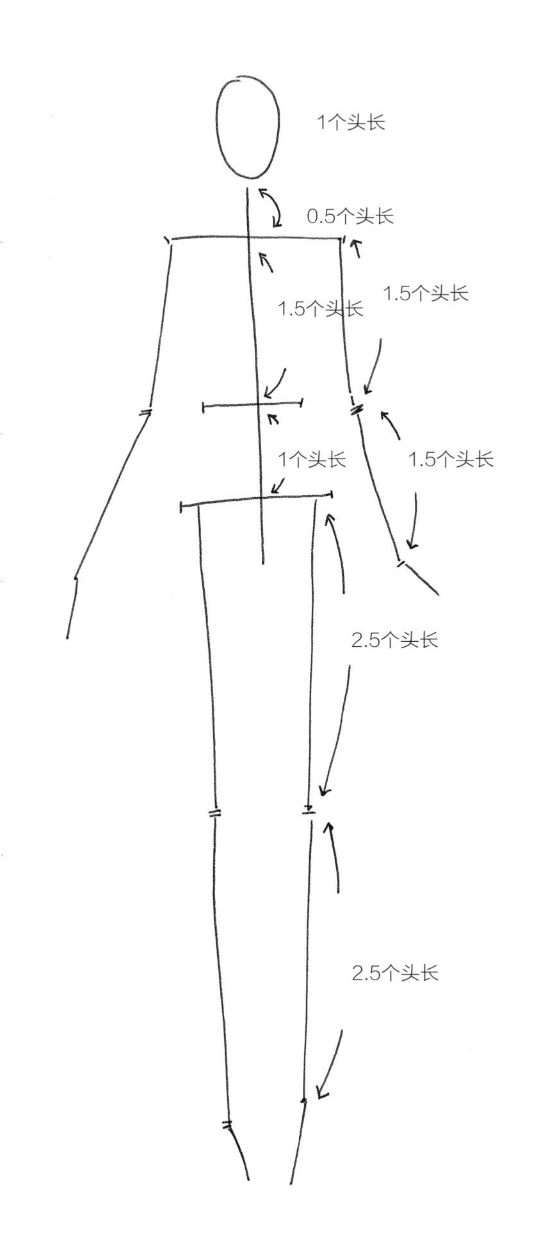

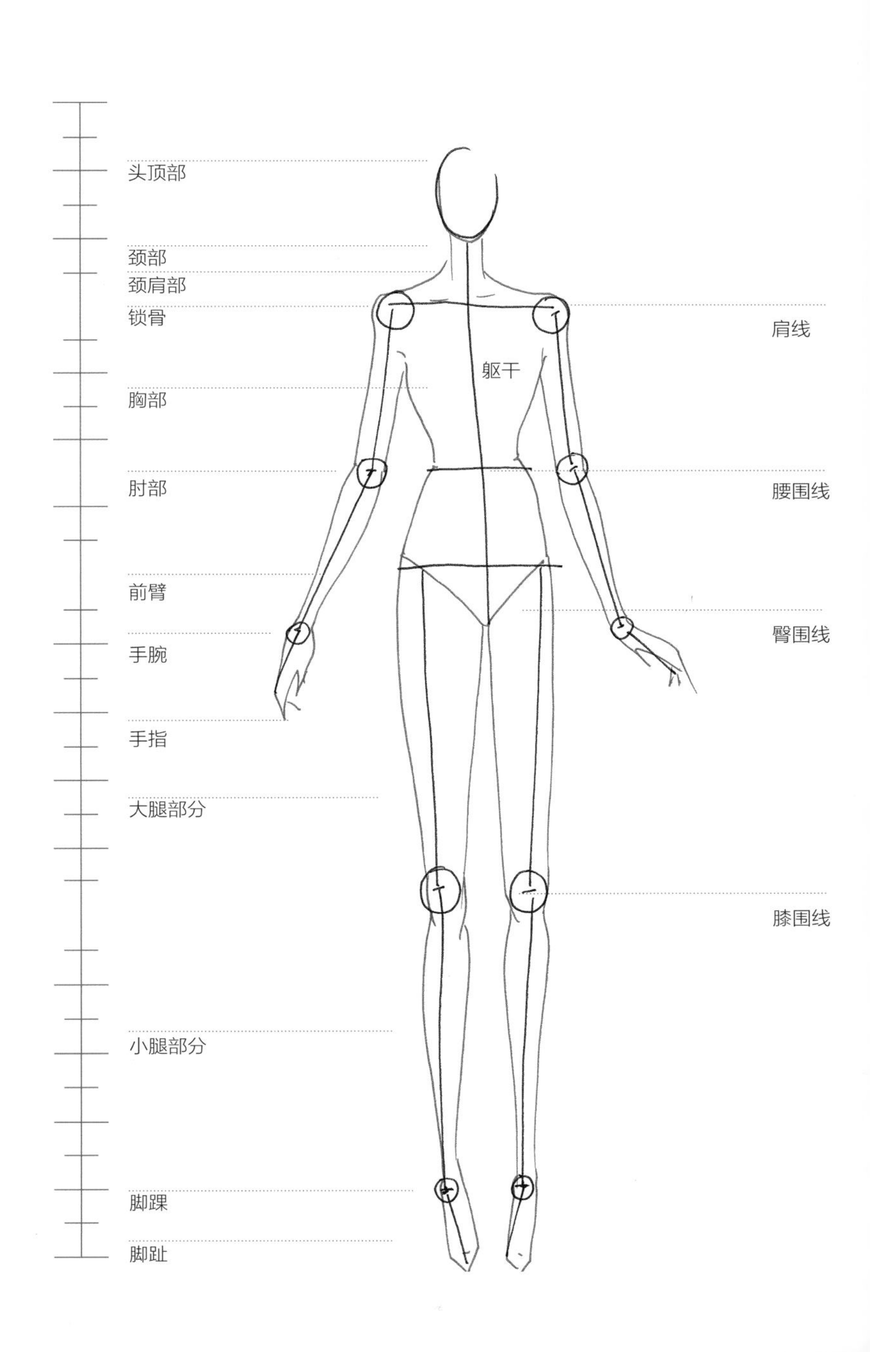

头部和脊椎的绘制

首先绘制头部，把它看成是一颗葡萄。

然后从头部开始，向下绘制一条中线作为脊椎线（或称为轴线），根据这条线绘制人体的其他部分。

接着水平绘制3条线，分别是肩线、腰线和臀围线，颈部的长度至少是半个头长，肩宽是3条线中最宽的一条。

肩线与腰线的距离约为头顶至肩线的距离，腰线宽约为半个全肩宽，腰线以下一个头长的距离是臀围线的位置，臀宽略大于腰宽。

绘制要领

为了确保效果图的比例正确，通常采用以头长作为衡量单位的方法进行比较。操作时，把铅笔头抵在人体头顶处，拇指对齐下巴，在铅笔上量取下头长的尺寸后，就可以作为参照标准了。现在你可以用头长的方法去检验模特各部位的比例是否正确。

腿部的绘制

首先将铅笔放在臀围线内侧，向下绘制两条线，作为大腿基准线。

然后从臀围线向下量取约2.5个头长的距离，做为膝关节位置。

接着从膝关节向下量取同样的长度，作为小腿基准线，小腿基准线底端绘制脚踝关节。

最后用短线绘制全脚长。

绘制要领

学习绘制本页的人体基准线时，应用铅笔进行练习，尽量画得流畅，避免锯齿状的不连贯线条。

1

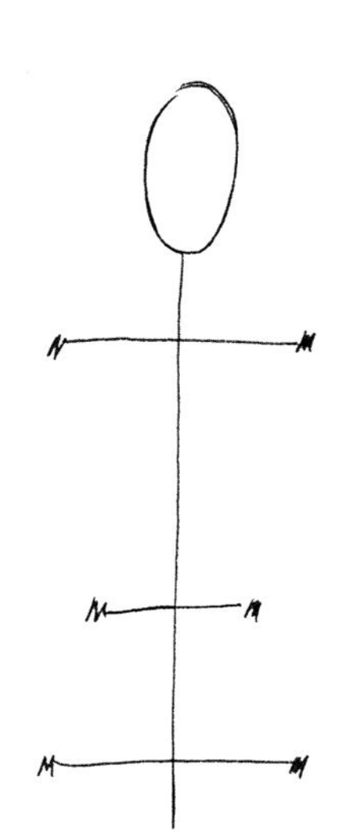

2

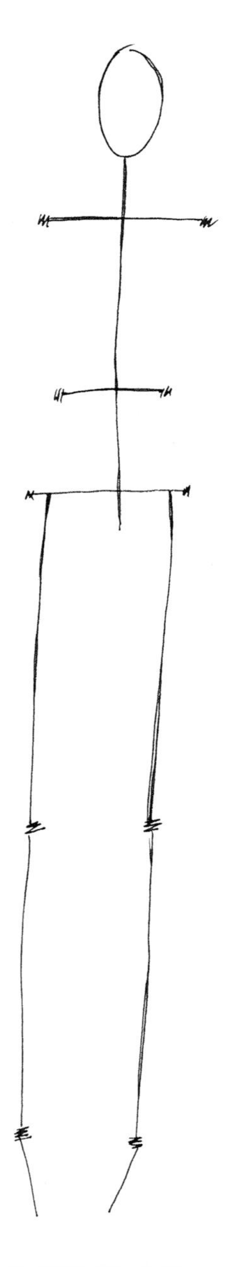

肩线

腰围线

臀围线

膝围线

手臂的绘制

首先从肩点向下，绘制一条平顺的线条长至腰线位置，画一个标记，作为肘关节，另一侧也用同样的方法绘制。

然后从肘关节向下继续用平顺的线条绘出前臂的长度。

接着标记手部腕关节。

最后从腕关节向下绘制一条手长线。

绘制要领

模特的手臂应比你预料的要长一些。观察周围的朋友或家人，比较他们身体各部分的比例。

肩部、膝盖和躯干的绘制

首先用两个小圆绘制两边肩关节，每个小圆约为网球大小。用类似的小圆绘制两边的膝关节。

接着从两侧肩点起，分别向下至腰线两端绘制直线，再从腰线两端继续向下至臀围线两端绘制直线，现在这几条线段组成一个漏斗形躯干，这是人体最主要的构成部分。

最后分别从臀围线的两端，向脊椎线斜向交叉连线成一个三角形，这里形成人体躯干最底部的基本形状。

绘制要领

把模特人体的肩部想象成大衣的衣架，在这个衣架上，你可以“挂”上任何你喜爱的设计作品。

3

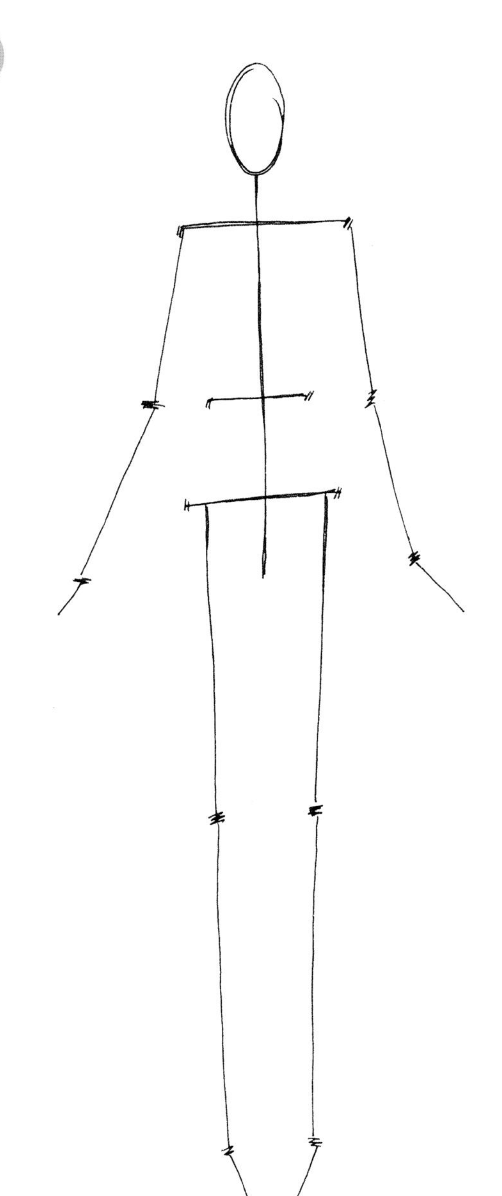

4

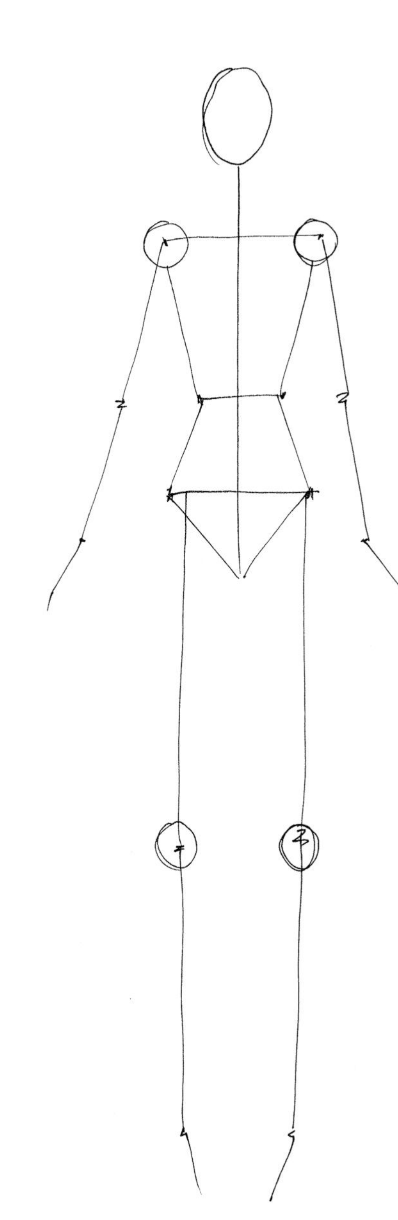

大腿和小腿的绘制

从臀围线的两侧端点，向下绘制流畅的弧线直至膝盖位置，然后从躯干的最底端向下绘制一条线直至膝盖内侧，这两条线组成了大腿的形状。

用两个小圆形来绘制脚踝关节。从膝盖外侧向下直至脚踝外侧画出小腿的外侧形状。用相似的线条从膝盖内侧直至脚踝内侧画出小腿的内侧线条，现在你完成了小腿的绘制。

绘制要领

小腿的绘制需要多次练习。注意小腿不要画得比大腿粗。

脖颈和手臂的绘制

从头部开始向下绘制两条线作为颈部，再向左右两边各画两条弧线作为肩线。

在肘部位置画上两个小圆表示肘关节。从肩膀的外侧到肘关节的外侧画一条线，再从肩膀的内侧到肘关节的内侧画一条线，这两条线组成了上臂的形状。

从肘关节外侧到腕关节外侧画一条弧线，从肘关节内侧到腕关节内侧画另一条弧线，两条线组成了前臂的形状。

绘制要领

在镜子里，观察自己的颈部，与肩部进行比较。当你绘制前臂时，可以研究自己的前臂，了解它是如何逐渐变细并连接到手腕的。

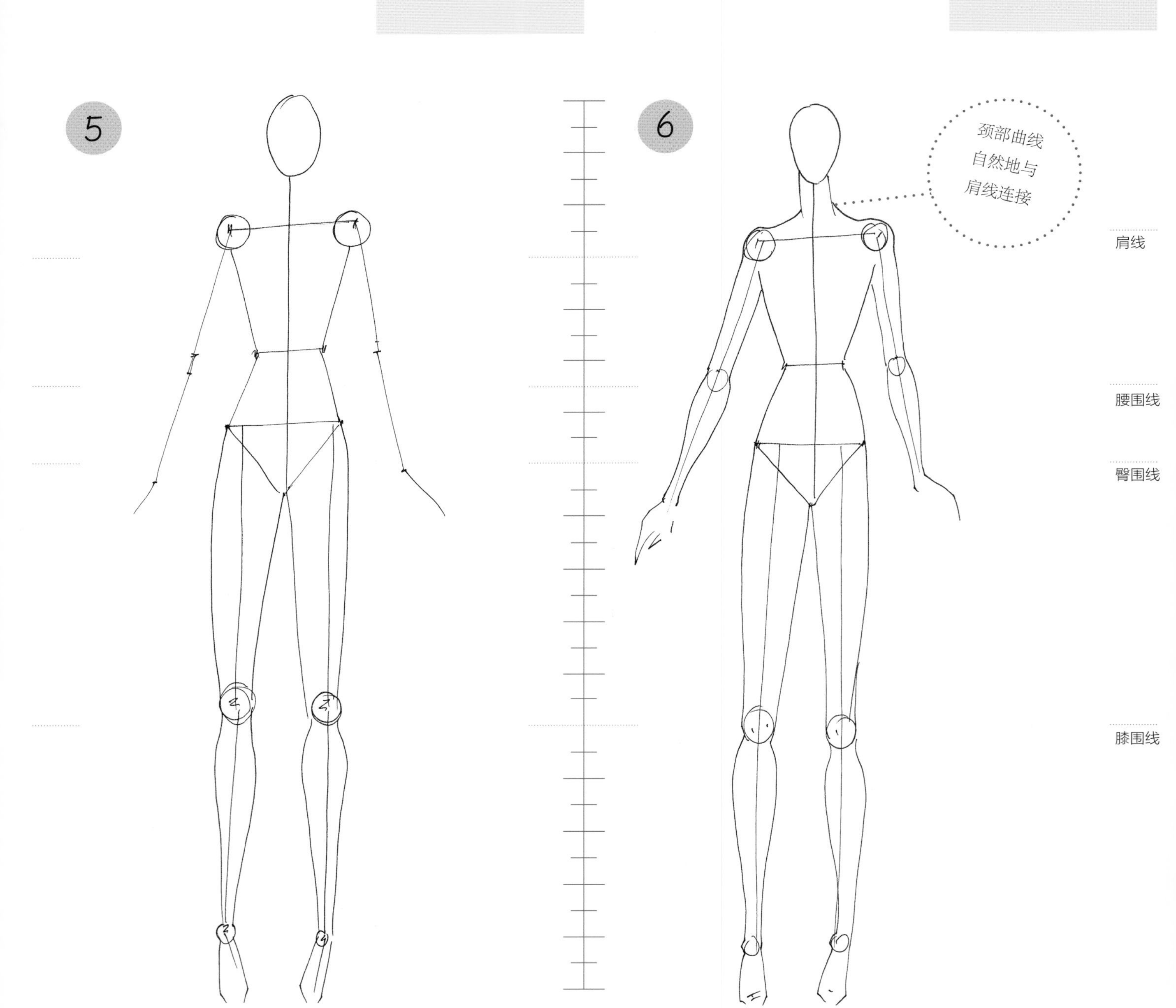

外轮廓线的绘制

绘制到这一步时，你可以擦除所有的辅助线，只留下人体的基本外形线。

准备一张描图纸或薄透的白纸，放在步骤6的人体草图上，描摹下人体的外形线。

绘制要领

记住，学习绘制人体的最好方法是一遍一遍的练习。

如想快速画稿，你可以在人体草图上覆盖一张画纸，然后在画纸上沿着人体体型直接绘制服装。

细节的刻画

现在可以给你的人体着装了，最简单的服装是泳装或紧身衣。

为了表现出面料在人体上的形态，应适当增加一些动态线条或受力线，例如在腰间画上一些褶痕线。

在各关节处刻画细节，在膝盖下方画上阴影线，表现出膝盖凸起的状态，在颈部下方用两段小弧线表现出锁骨的位置和形状。

绘制要领

简略绘制五官，搭配合适的发型，完成整个人体的绘制。本书第41页展示了绘制脸部的方法，但不是所有的时装设计师都会描绘脸部细节，所以你也可以不画。

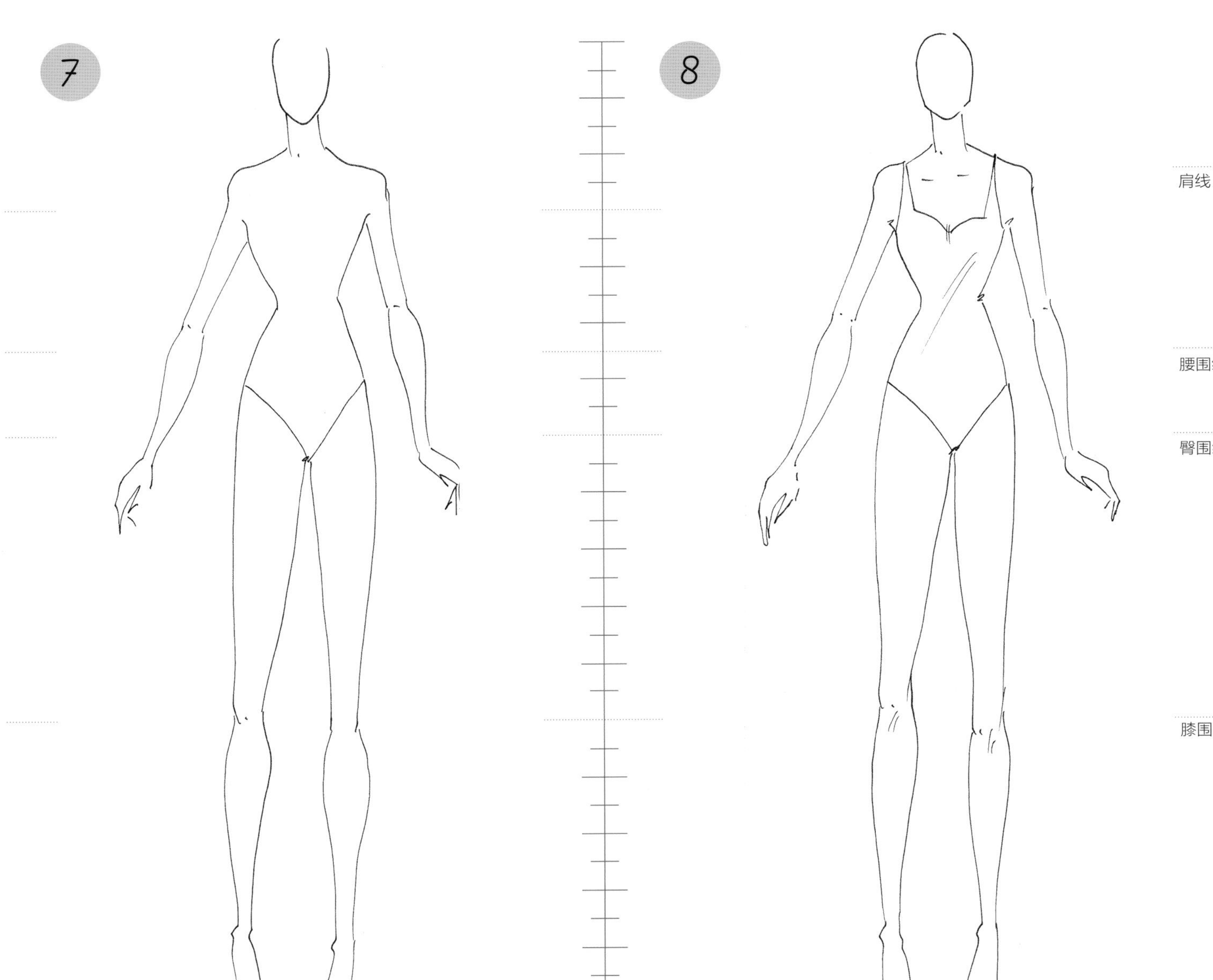

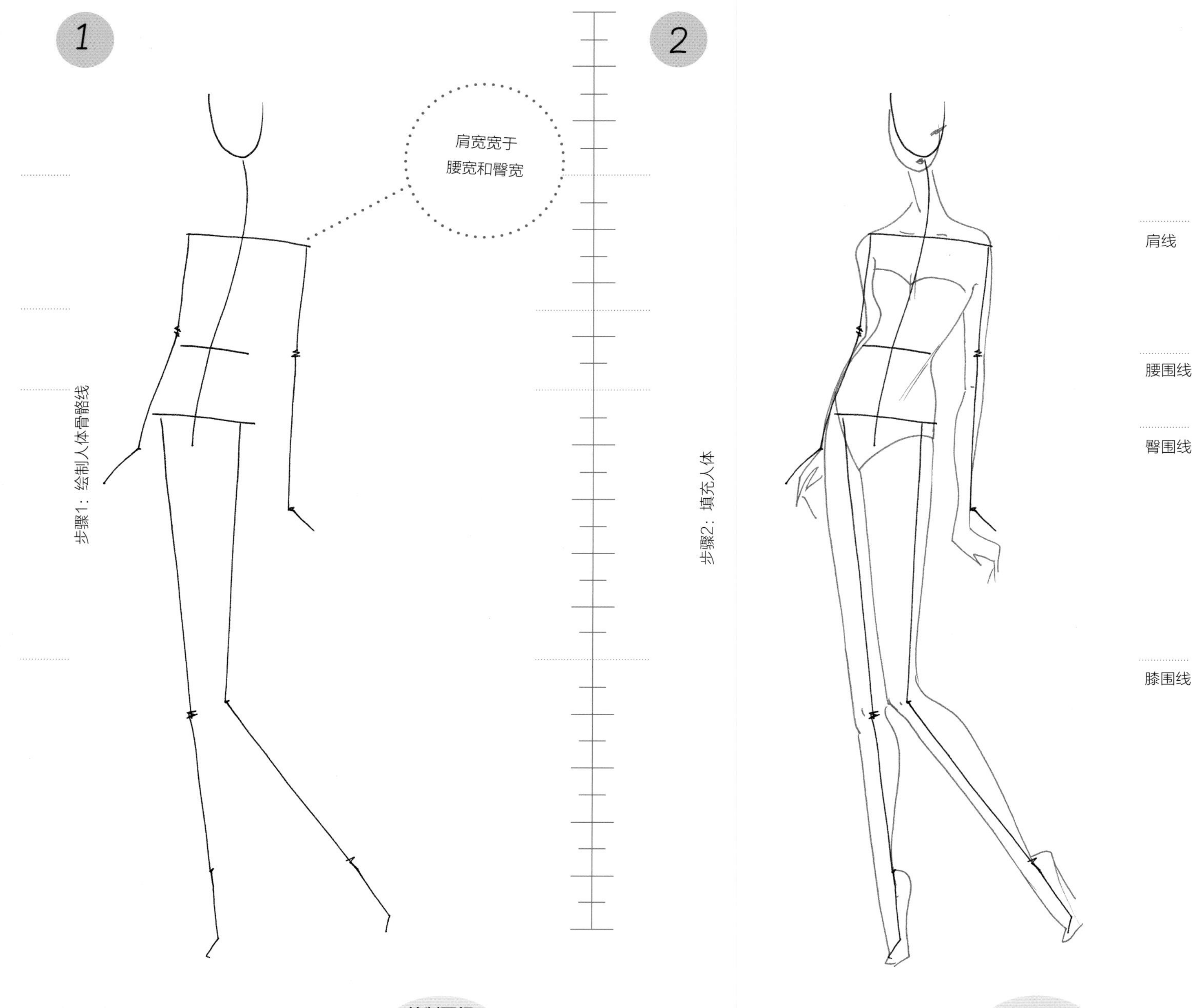

站立姿势：步骤1

当你掌握了基本人体的绘制方法，就可以尝试变换不同的模特姿势来丰富你的设计。

绘制这个站立姿势时，从椭圆形头部和稍微弯曲的脊椎线开始画，在脊椎线上，分别绘制倾斜的肩线、腰线和臀围线，向下画一条线作为左大腿基准线，标记膝关节位置，再画另一条大腿基准线，让两个膝关节彼此靠近，继续向下分别画小腿基准线直至脚踝关节。

从肩线两端向下绘制上臂和前臂基准线，两条线等长，然后标记肘关节和腕关节，画上手长线和脚长线。

绘制要领

注意人体的比例。这里，脊椎线的长度至少是3倍头长，每条腿的长度至少是5倍头长。

站立姿势：步骤2

从肩线两端开始，用曲线绘制人体躯干，经过腰线一直连接到臀围线的两端；再从臀围线两端分别向下绘制一条弧线，弧线相交形成躯干的底部（腹股沟）。

绘制大腿的外侧：为直立的腿画一条外侧线直接连到脚部，前腿的外侧位于两条大腿之间。从膝弯到脚踝画两条匀称的小腿曲线，脚踝画成圆弧形，足跟与地面有一个高跟的距离。

从头部下方绘制两条漂亮的弧线作为颈部，连接颈肩部分。

绘制要领

绘制时，要一直注意比较各部分结构的关系，例如小腿应该画得比大腿细。记住，四肢的外形线应呈流畅的弧线形。

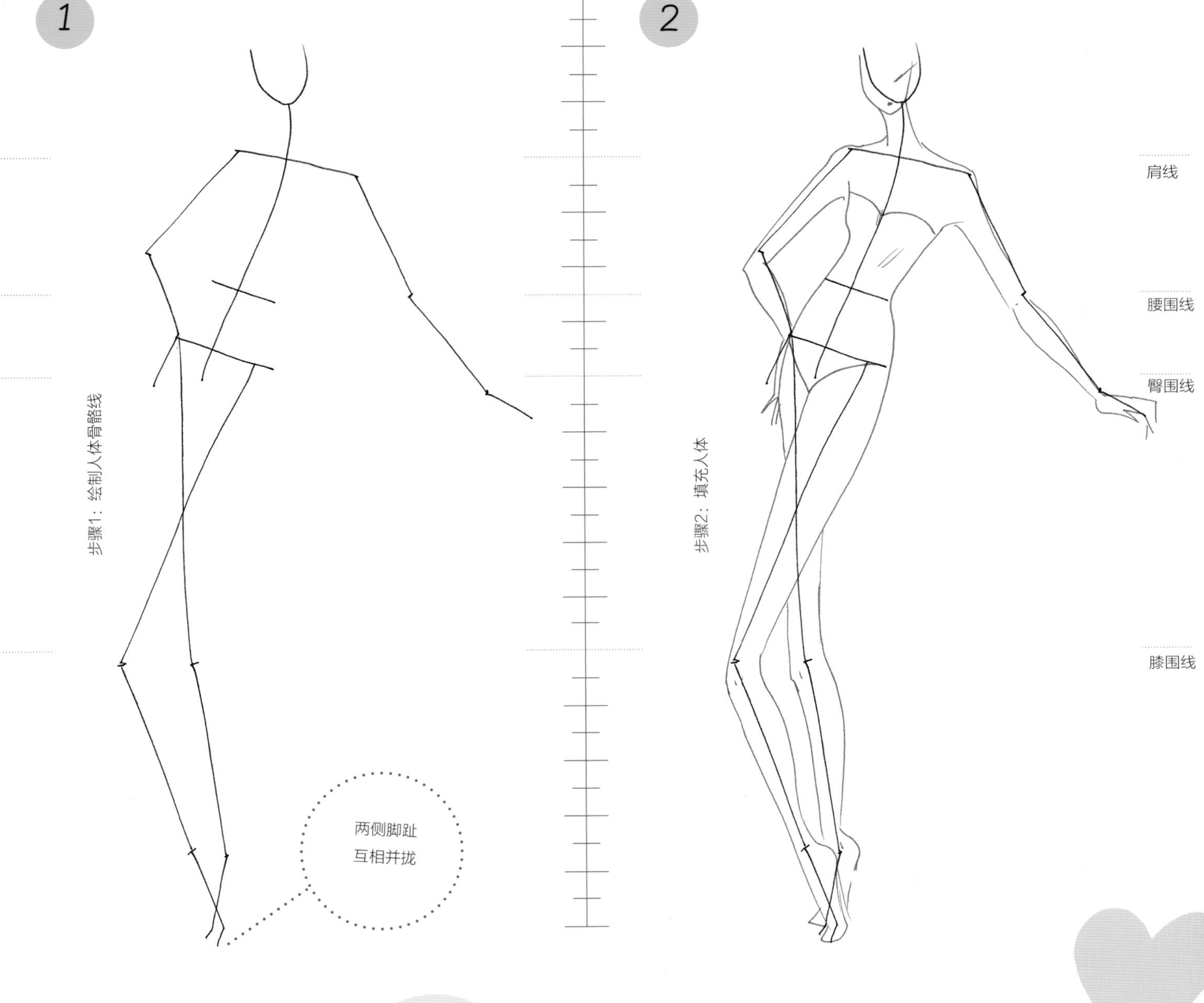

斜立姿势：步骤1

绘制一个椭圆形头部，从头部向下绘制略为弯曲的脊椎线，在脊椎线上绘制倾斜的肩线、腰线和臀围线。

从臀围线抬起的一端画一条线，直至脚部，作为后腿的基准线，标记膝盖和脚踝关节；再从臀围线较低的一端到膝关节处画一条线，作为前腿的基准线，从前腿的膝关节直至踝关节，画一条小腿基准线。

从肩线抬起的一端向下绘制弯曲的手臂基准线，然后从另一端画向外伸展的手臂基准线，分别标记肘关节和腕关节。

绘制要领

翻阅时尚杂志，收集一些你感觉不错的模特姿势。临摹这些人体姿势，画出服装下的脊椎线、肩线、腰线和臀围线等基准线，在绘制时装手稿时，可以作为人体动态模板来使用。

斜立姿势：步骤2

从肩线两端向下用弧线绘制人体躯干，经过腰线两端，连至臀围线的两端，从臀围线两侧向下画两条弧线相交，表现出人体躯干底端（腹股沟）的形状。

用弧线绘制前腿的大腿、小腿和脚踝的轮廓或形状，然后再绘制后腿的各部分结构。

从头部向下绘制两条漂亮的弧线，画出颈部的曲线和颈肩连接部分，最后绘制两条手臂的形状。

脚的结构

脚背
脚踝
脚趾
脚跟
足弓
脚拇指

牢记脚的长度约为一个头长。脚踝处呈圆弧形，脚跟呈圆球形，位于脚踝下方，脚背呈三角形，脚趾由若干个小椭圆形组成，足弓是脚底的弯曲拱形，拇指处是脚部最宽的地方。

两种角度下的足部形状

正面绘制脚部形状：用一个小圆画出踝关节，然后用椭圆形画出脚的基本形状。侧面绘制脚部：将脚部结构简化成4个部分：脚踝、足跟、脚背和脚趾部分，然后分别进行绘制。

绘制要领

当你开始设计时，选择最容易进行设计的模特姿势：正面人体，脚尖向前。

1

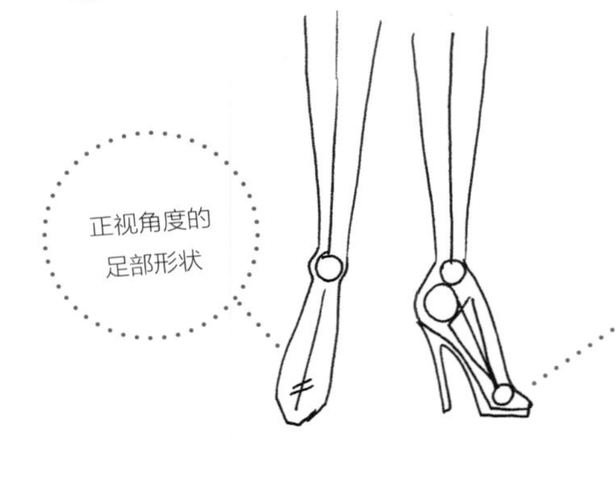

手的尺寸

和画脚一样，你也需要找到一种快速简便的方式来表现手形。认真对待手的比例：模特拉长的手常常要比模特的脸还长，手掌和手指的长度都约为0.5个头长。

绘制要领

从不同角度练习绘制手的形状，注意手腕粗细的变化。

3

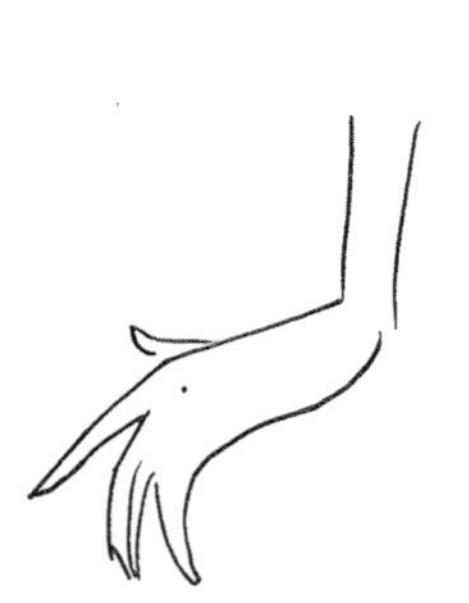

手的位置

手尽量画得简单一些，有些细节，例如指关节或指甲不需要深入刻画。仔细考虑手放置的位置：是搭在臀部上，还是插在口袋里，或者是指向身体一侧……这都有助于突出你的设计特点。

绘制要领

绘制模特手持配饰，例如拿着包袋，可以丰富设计稿的画面内容。

4

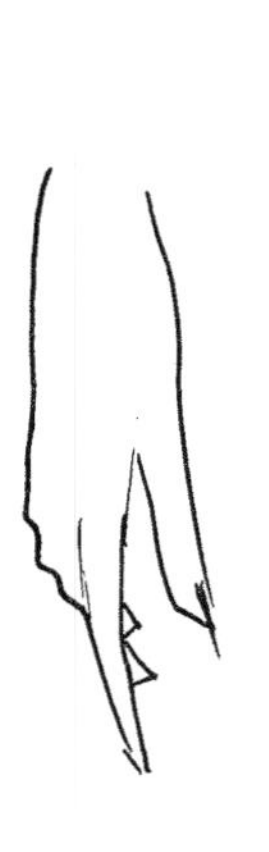

脸部五官

首先绘制一个椭圆形，作为头部的基本形状。

想像一条水平线和一条垂直线，互相交叉穿过头部的中心，另一条水平线平分脸部的下方。根据这几条辅助线来定位眼睛、鼻子和嘴唇。

绘制要领

绘制侧转的头部时，应适当调整水平线和垂直线的角度，以确保五官的位置准确。

标准脸型

脸部绘制应尽量简略，这样不会分散服装的注意力。练习画眼睛、眉毛和嘴唇：你可以只用一两根线条来表示大致的五官，也可以什么都不画。

绘制要领

分别从侧视角度和3/4侧视角度观察脸部和五官的形状变化，也注意头倾向一侧时，五官形状的变化。

1

2

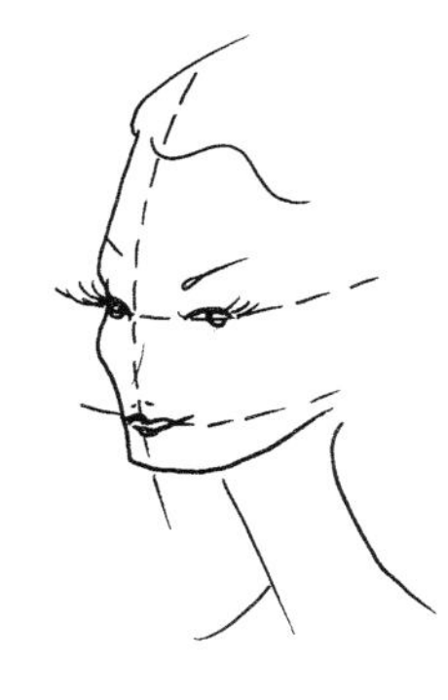

3

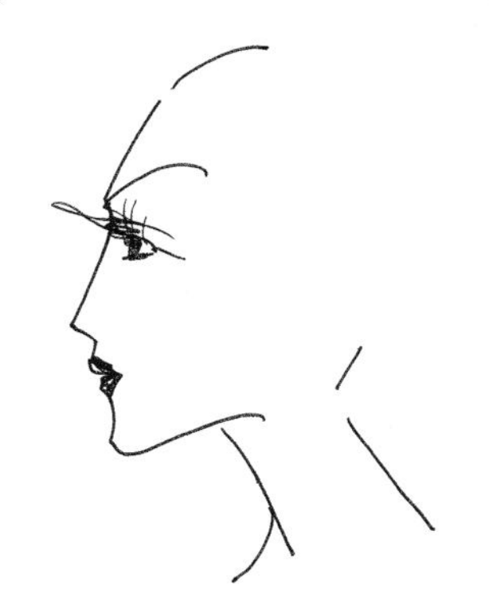

4

波波头和马尾辫

绘制时装画时，你需要把发型当成一个固体来画，可以把它想像成戴在头上的塑料头盔。绘制时，先围绕头部一圈画发型的外形线，发际线通常是位于头顶向下1/4处。

绘制要领

什么发型会适合你的服装设计呢？临摹并收集你喜欢的发型。

波浪发和束发

绘制卷曲的发型时，先从发型的外轮廓入手，然后在发型内部画上几组波浪形发缕即可，不必填满整个发型。绘制更复杂的发型时，也是先把它们简化成基本型，然后再增加几缕发丝，表现出发型的方向。

绘制要领

思考如何绘制这两款发型的轮廓线，注意发型上几乎没有直线。

5

6

7

8

从哪里开始设计

从连衣裙到大衣和配饰，服装可以被分成很多不同的种类。本页接下来的内容展示了12种不同类型的服装大类。初次设计时，你可能只想去模仿经典款式，当你绘画技巧越来越熟练时，你就可以创立自己的风格，设计出原创作品并组成时装系列。

服装的结构

了解服装各部分结构的名称很有必要，或许你已经掌握了一些专业术语。下面的两张图稿中，列举了部分常见的专业名称。

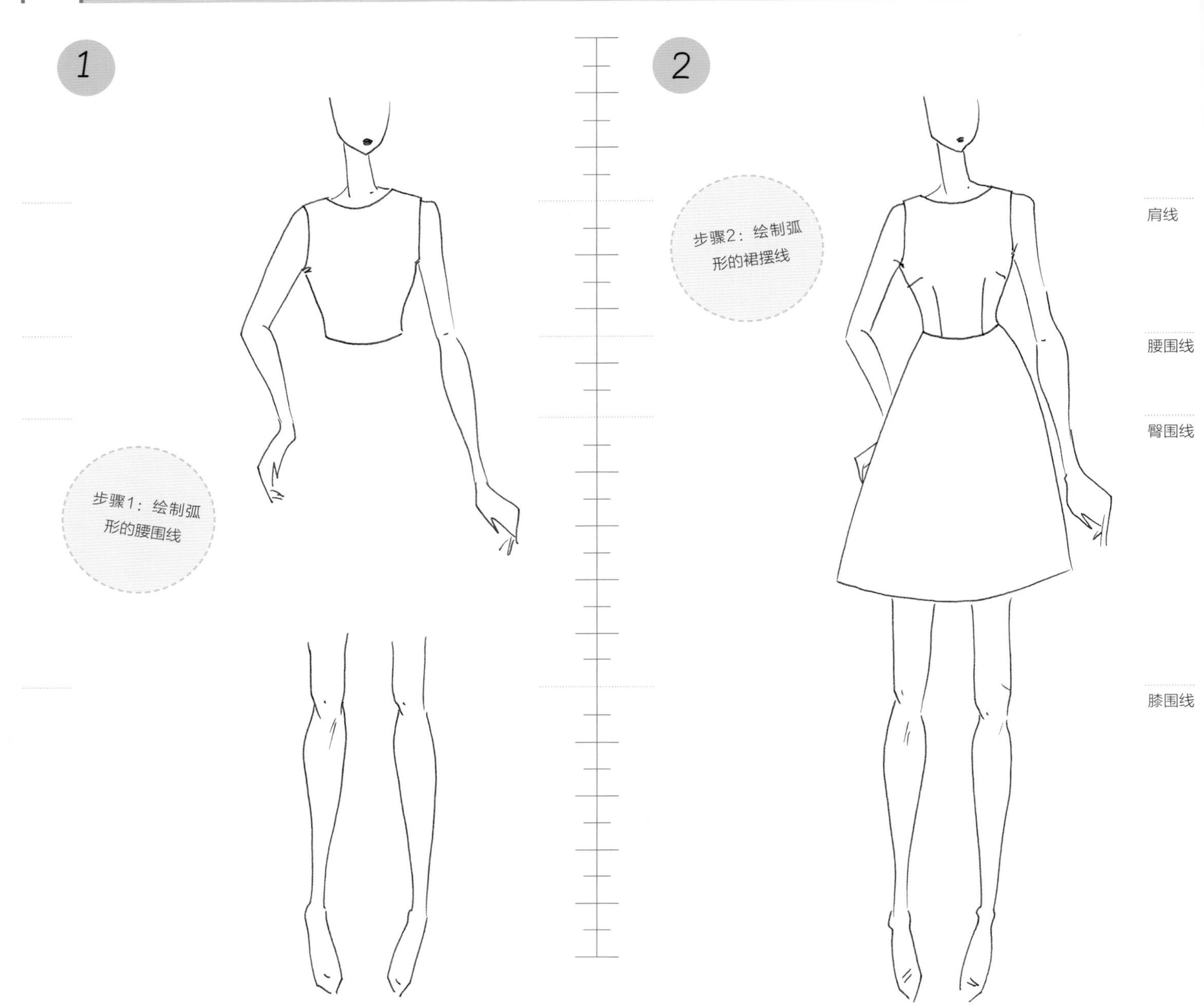

基本款连衣裙1

在你开始设计前，先练习绘制这种基本款连衣裙。它能让你理解，你的设计在模特人体或基本模型上将会呈现怎样的状态。

首先绘制简单的圆领。沿着人体肩膀绘制肩缝线，画一条弧线作为裙腰线，从腰线向上到腋点画出上身的衣形线。

从腋点向上到肩点，绘制两边的袖窿形状。

绘制要领

时装画都是从基本人体开始画起的。你可以在设计开始前，画一个新的模特，也可以复制前面用过的人体模板。如果你正在描图的话，不要画出被面料遮住的身体部位。

基本款连衣裙2

现在在腰部画上4个省道，塑造出合体的上身形状。

从腰部开始画裙片，不是所有的裙子都紧身合体，但是在你学习绘画时，应尽量画得合体些，这有助于你了解人体腰部的准确位置。这款连衣裙的裙型呈现简洁的宽摆造型，这被称为 A字型。

裙摆用圆顺的弧线连接。

绘制要领

练习绘制不同造型的连衣裙。你可以尝试把基本款设计成非常宽松或非常紧身的连衣裙。

3

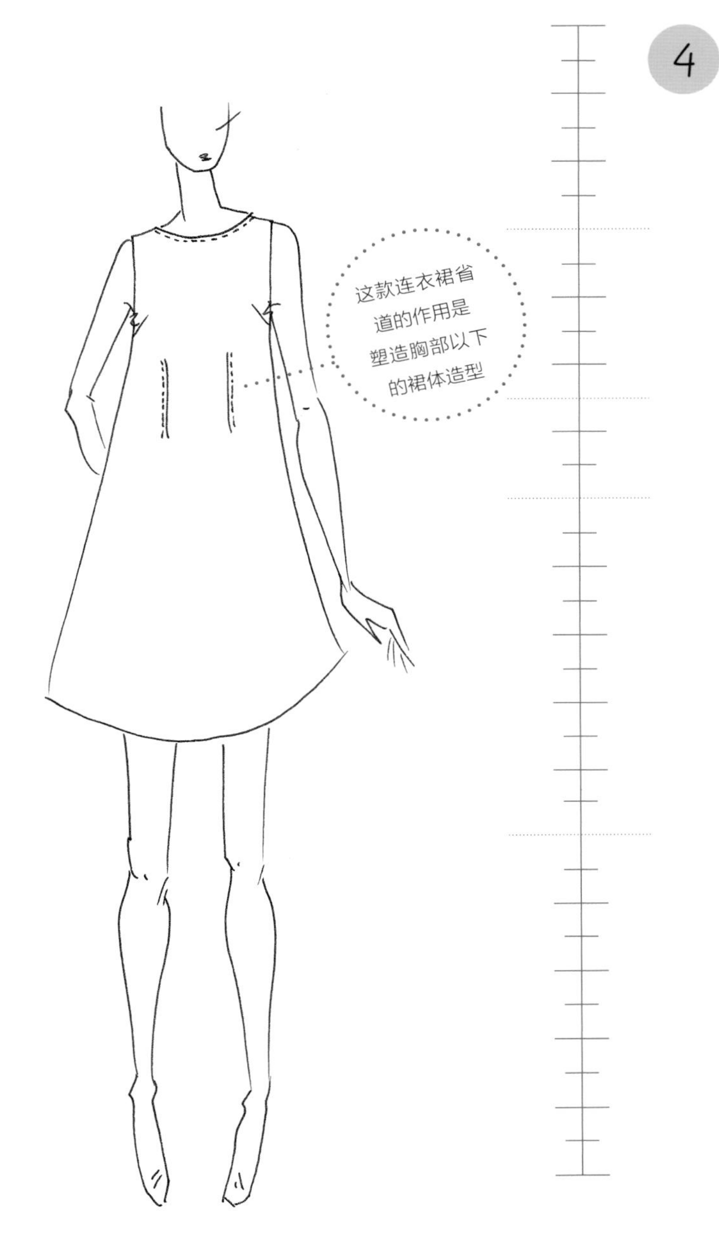

4

肩线

腰围线

臀围线

膝围线

A字型连衣裙

这是一种基本款连衣裙，裙子下摆略展开。

首先绘制领围线和袖窿的形状。

然后从袖窿底点向下绘制裙子的外形线，裙摆向外展开，另一侧用同样的方法绘制完成。

接着在袖窿底部绘制胸省，腰部位置绘制腰省。

最后用圆顺的弧线绘制裙摆。

绘制要领

如果能绘制出服装是如何被裁剪缝制在一起并贴合人体体型的工艺细节是很不错的。省道是服装造型的一种结构设计方法。

低腰连衣裙

这是另一种基本款的连衣裙，但这条裙子腰线较低。

首先绘制V字形领围线，用一条弧线从上臂的一端连接到另一端画出下移的低腰节线，裙子的腰部紧贴人体体型线。

然后绘制收腰的两个省道。

绘制要领

尝试通过改变上身的长度，变化裙子的轮廓或外形线。尝试变化裙型：设计成直线造型或宽摆造型，并调整腰线的位置。

束腰连衣裙

首先绘制勺形领围线，在领围线下方画上花边。

接着绘制裙子上半身的外形线，并画上腰带。

然后绘制蓬起的裙片，裙长至膝盖处。

最后绘制弧形的下摆，下摆装饰有花边。

绘制要领

花边是个很不错的细节设计，可用于强调领围线和下摆线的形状。绘制时注意画出花边在肩部和下摆立起的形状，这样更有立体感。

帝国线连衣裙（高腰裙）

首先绘制勺形领围线，画两个泡泡袖，袖顶略高出肩点。

然后绘制上身的外形线，上身长至胸部以下位置。

接着从上下身之间的分割结构线向下绘制A型裙，为了使裙子看上很蓬松，在裙片上画上若干线条，表现出面料的折痕。

最后使用波浪曲线绘制裙摆。

绘制要领

这款裙子之所以被称为“帝国线”，源自法国约瑟芬王后，是她首次将这款连衣裙推向大众。若想了解有关帝国线连衣裙的更多内容，可查阅18世纪和19世纪代表性服饰的相关资料。

7

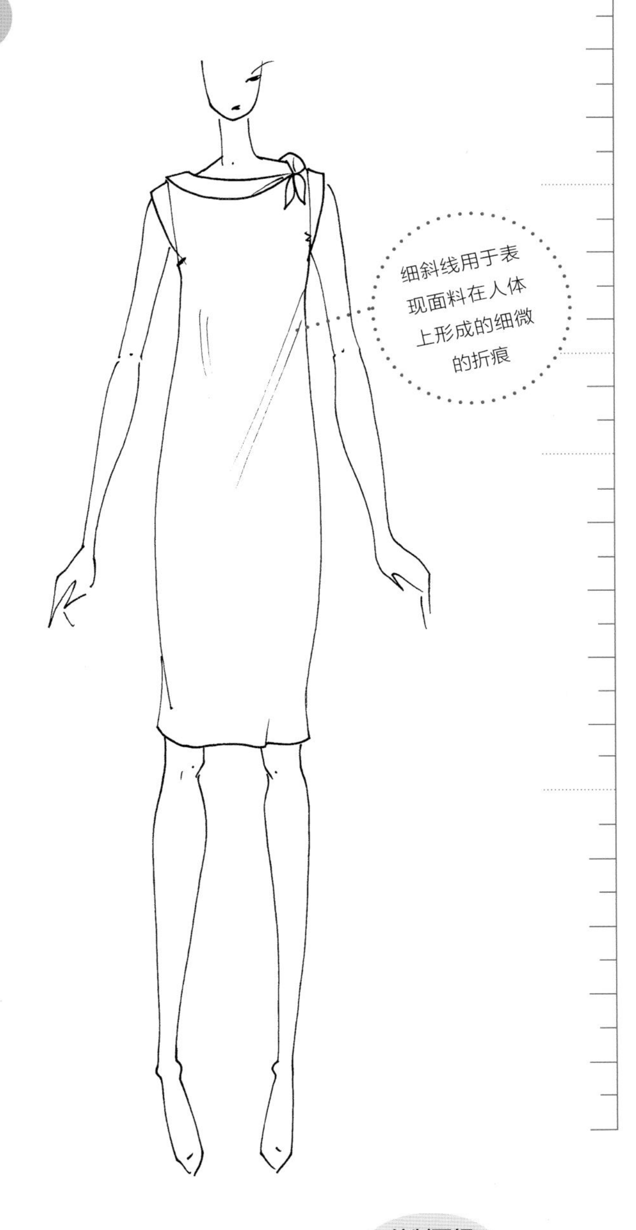

无腰连衣裙

首先沿着锁骨绘制一条纵贯左右肩线的领围线，在领口一侧画上一个扎结作为领口的闭合件。

然后从肩点向下绘制裙长，长至膝围线处，裙型从领口向下垂至裙摆，裙身造型简洁。

接着用略为起伏的波浪形曲线绘制下摆，

最后在两侧肩点位置分别画上一小块超短袖片。

绘制要领

这款连衣裙有着极为简洁的外形线（或称为造型线），也被称为紧身裙或布袋裙，在20世纪50年代非常流行。若想了解更多有关紧身裙的内容，可参看巴黎世家的设计作品。

绘画练习：裙摆的绘制

如果能刻画出裙装上的褶裥和折痕，裙装看上去就更加立体逼真。

1.从腰带向下绘制线条，表现出褶皱或裥的位置方向。

2.连接裙摆，使用柔和的曲线描绘褶裥，下摆的曲线随着褶裥高低均匀地起伏。

3.如需设计一个花边裙摆，可以在裙子的下摆上加一圈花边，花边是另外缝制上的，花边上画上褶裥，表现出面料折叠后被缝制的形状。裙摆上也画上一些褶裥。

4.裙子采用斜向裁剪（或称为斜丝缕），裙子在底摆处展开，裙子上部分则较合体，裙上的褶裥靠近裙底，用弯曲起伏的曲线连接成裙摆。本书第48页的款式8将介绍更多的斜裁内容。

斜裁连衣裙

首先从两边的肩部中点分别画两条肩带，向下直至胸部上方。

然后在两条肩带之间绘制一条弧形线作为领围线。将肩带向腋下弯曲，形成袖窿形状。

最后沿着人体的自然曲线绘制连衣裙的外形线，裙摆展开。

绘制要领

斜裁连衣裙是指使用斜丝缕面料缝制而成的裙子，这种裙子弹性良好，裙型也更加合体，并能提供更多的运动量。

尝试用斜裁技法进行服装设计。

收腰连衣裙

首先从一侧肩部至另一侧肩部绘制一条线形成领围线。

接着绘制袖窿，从肩线的两侧端点分别向下画直线形成袖窿形状。

最后绘制裙子的两侧外形线，沿着模特人体的胳膊形状绘制紧身的袖型。

绘制要领

明缉线是服装表面上起装饰作用的缝缉线，这是一种增加局部设计效果的好方法，常用于装饰领围线、袖克夫和下摆等部位。

衬衫连衣裙

绘制领围线时，先在颈部画一个窄小的V字形，V字底端紧贴在颈窝下方，沿着V字形画衬衫领的各个部分。

接着绘制大身的外形线：衬衫形上半身和沿着人体曲线的裙型下半身，裙型略为宽松。

然后从V字形领口的底端向下绘制一条长线直至裙摆作为门襟线，从领底一直到下半身裙子的中部沿着门襟线，均匀地画上钮扣。

最后绘制腰部扎系的细腰带和袖片。

绘制要领

思考下，如何通过改变细节，例如腰带和钮扣，对这条基本款衬衫裙进行设计变化。如果这条连衣裙的裙体部分变大，将会是什么感觉？

包裹式连衣裙

首先从左边领子开始绘制。先画领子的外形线，然后是领内线，领围线斜向向下连到右侧腰围线处，形成包裹式的上装门襟。

然后用同样方式绘制另一侧的领子，左右领围线形成一个V字形。

接着绘制肩线，画上袖窿，沿着袖窿线向下连接到腰围线上。

最后绘制裙型线，裙摆较宽，再画上腰带和窄袖，完成整个造型的绘制。

绘制要领

若想了解更多有关包裹式裙子的创意设计，可参看美国设计师黛安·冯芙丝汀宝的作品。这种随意、舒适的宽松风格是她作品的主要特点。

包裙

首先在裙腰处绘制一条细细的腰带，向下画出开合的内外腰头和系带，然后绘制裙子两边的侧缝，从系带处斜向向下画一条前搭门襟；最后绘制下摆的两条前后弧线。

绘制要领

为了表现出裙子的两层结构，前裙片可以采用前搭式斜门襟设计。

郁金香型裙

绘制时，先画一条宽腰带，从腰带的右侧向下画一条斜向线直到另一侧的裙摆位置；沿着人体的自然曲线，绘制两侧的裙型线；最后在裙摆处斜线连接各条结构线。

绘制要领

裙底端的裙里部分用阴影绘制，表现出与裙面的差别。

1

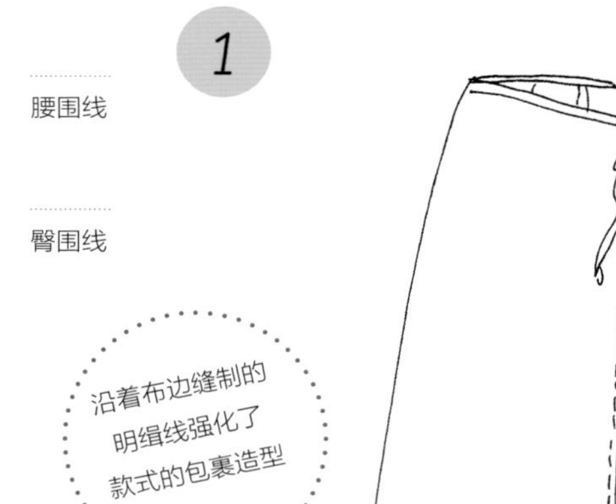

膝围线

2

小巧的钮扣整齐排列可以提高腰带的设计感

腰围线

臀围线

膝围线

褶裥裙

绘制时，首先画出腰带的形状，然后从腰带向下整齐均匀地画出一排排褶裥，并在抬起的腿部位置画出相应的折痕。最后在裙摆处画出褶裥的锯齿形边缘，刻画出整条裙子的立体感。

绘制要领

根据面料的质地设计褶裥的宽窄。通常情况下，面料越厚，褶裥越宽。

钟型裙

绘制的时候，首先画一条简洁的弧形腰带，腰带两端向下绘制裙子的外形线，裙型呈吊钟型，然后用一条波浪起伏的弧线绘制裙摆，表现出裙子蓬起的状态。

绘制要领

如想设计不同造型的钟型裙，可以尝试收窄钟型裙的裙摆。

3

腰围线

臀围线

腰围线

臀围线

膝围线

5

加裆裙

绘制时，先画高腰节和长裙的外形线，长裙紧贴着臀部一直向下长至脚踝位置，裙摆自膝盖线下小腿中部逐渐展开。从裙底向上绘制插入的裆布，裙摆用起伏的曲线描绘，表现出立体裆布的体积感。

绘制要领

这条裙子的名称源自“裆布”，裆布是一种三角形的裁片。给服装添加裆布，特别像礼服裙、衬衫和手套之类的紧身服饰，是增加活动松量的一种常用方法。

绘画练习：不同的裙长设计

经典的裙型有很多种，例如整圆裙、A字裙、铅笔裙和褶裥裙等，你只需修改这些经典的裙型，或把它们拼装在一起就可以变化出各种新款式。

本书第50页的图例2郁金香型裙，就是将包裹式设计加入紧身铅笔裙而形成的新裙型，你也可以把郁金香型裙与钟型裙（如第50页的款式4）组合，设计成更加丰满的大郁金香型裙。如果想要设计风琴褶裥裙，可以用示例3褶裥裙的基本型，在前片中部加上一块平面裁片即可。

可以通过修改裙子长度和腰带形状改变裙子的主要设计特点。

你也可以先变化基本裙型，再进行组合设计，来观察你到底能得到多少种款式。

超短袖T恤衫

首先沿着脖颈底部绘制一条短直的领围线，领围线向肩部两侧延展至肩点外，形成肩线。

然后绘制袖窿形状，袖窿呈落肩形，袖窿上画上两层三角形袖片。

最后从袖窿向下绘制T恤衫的两侧衣形线，再用略有起伏的线条连接衣摆，形成箱型的上装造型。

绘制要领

思考下，可以用哪些造型来搭配这件T恤衫。这个示例中直身裙具有与上装相似的箱型造型，如果用其他款式的下装搭配，例如吊钟裙或宽松裤，会产生怎样的效果呢?

小立领衬衫

首先绘制一条窄立领，在领中部向下至胸部上方画一条窄开口，作为领口门襟。

然后绘制袖窿线，向下继续画出衬衫两侧的衣形线，款式贴合人体形状，造型略宽松。

最后绘制宽松的袖片和袖克夫，立领上画上钮扣和钮洞，领围线和下摆用明缉线装饰。

绘制要领

当设计师设计衬衫时，应思考穿着的场合：是休闲场合和大热天穿的这种宽松式衬衫呢？还是正式场合穿的合体衬衫?

基本款钮扣衬衫

首先围绕颈部绘制衬衫领，领子与脖子之间留有空隙，表现出领子不完全合体的硬挺形状。

然后从左领围线开始向下直至腰部位置，绘制一条衬衫的门襟线，门襟线左边画上嵌条，再画右领和嵌条，左右领口形成V字形。

接着绘制略呈弧形的袖窿，再画出宽松长袖和袖克夫。

最后绘制衬衫的两边衣形线。别忘记在衣片上画上面料折皱形成的线段。

绘制要领

练习在肩线和袖窿上绘制明缉线，强化这些部位的结构线。在门襟上设计钮扣，钮扣也可以藏在门襟下方。记住，即便是实用性的细节设计，同时也可以具有装饰性。

包裹式衬衫

首先绘制翻领的左领口，沿着左领口斜向向下直至腰部右侧画一条门襟线，再绘制翻领的右领口，与左领口形成V字形。

接着分别绘制衬衫的左右两侧衣形线，腰部画上一条抽褶起来的腰带，臀部上方扎系成大蝴蝶结。腰部上方勾画面料的褶裥线，表现出衬衫腰部被扎系的状态。

最后绘制袖片，宽松的袖型搭配这种款式的衬衫很协调。

绘制要领

腰部一侧的大蝴蝶结，是这款衬衫最突出的设计点。为了将设计重心放在蝴蝶结上，最好选用简洁的裙子来搭配这款衬衫。

圆领套头衫

首先绘制一条弧线作为领围线，然后绘制肩线和袖窿弧线。

沿着人体形状从袖窿线开始向下直到臀部位置，绘制针织衫的衣形线。

最后绘制短袖和下摆上的细节设计。

绘制要领

设计针织衫时特别要注意领围线，领围线的变化常常是一件针织衫的主要设计点。

两件套针织衫

为图1的圆领套头衫增加一件开衫，但是领口需要设计搭配。用细罗纹绘制领围线、袖克夫和下摆。罗纹会让这些部位更有弹性，款式也不易变形。

绘制要领

这款开衫上的钮扣可以看成另一个设计点。思考下，你喜欢什么样的两件套?

V型领套头衫

V型领是这款经典套头衫的主要特点。V型领套头衫的绘制步骤与圆领针织衫相同，区别是领围线呈V字的形状。绘制时，在领口、袖克夫和下摆等处加上一圈罗纹。

绘制要领

这款套头衫采用的是七分长袖，这是为了不遮住手镯的位置，更好地展现配饰的形状。

高领套头衫

这款针织衫有个高高的翻折式立领，也称为高翻领。普通套头衫的领子更软些，也没有那么高。这款高领套头衫的绘制方法和图3的V型领套头衫相似，区别是服装的外形更加柔软和宽松。

绘制要领

如需了解更多这种款式的相关内容，可查阅20世纪60年代的流行时尚，当时的艺术形象都是选择穿着这种休闲高翻领，而不是严肃的正装。

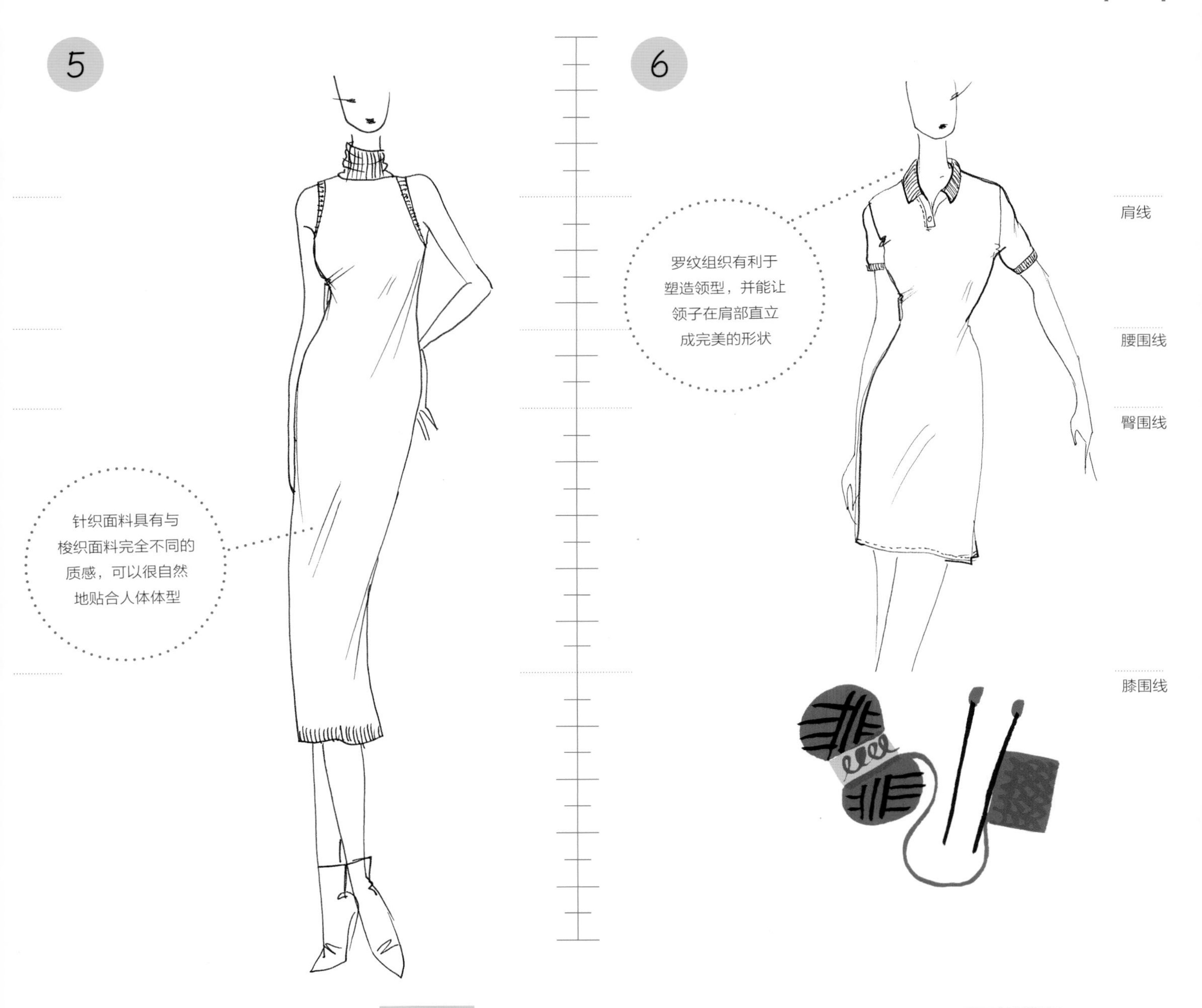

无袖针织连衣裙

通常人们只在寒冷天气会选择穿着针织连衣裙，针织连衣裙也多数是用保暖的粗纱织造而成，所以上图这款无袖连衣裙有一点打破常规的设计。

首先绘制高翻领（保罗领），然后画袖窿，袖窿斜向连接到腋点，露出肩部的形状。

然后沿着人体体型线绘制连衣裙的外形线，款式不紧不松，合体修身。

最后用针织罗纹绘制领口、袖窿和下摆等处，表现出针织衫的材质特点。

绘制要领

这条简单的连衣裙还能进行怎样的设计变化呢？加上一条宽腰带也许还不错，或者改用其他的袖型试试？

保罗衫连衣裙

这是V形领的改良版本，加入了翻领和门襟的设计。首先绘制领子，小V字形领口下画上一条短门襟。然后绘制肩线、袖窿，沿着人体曲线柔和地画出连衣裙的外形线。

接着绘制短袖，袖长至上臂中部。

最后刻画领子、袖口、门襟和下摆上的细节设计。

绘制要领

不要让你的速写稿太过复杂，但也不能遗漏任何必要的设计点。这款连衣裙上，领子和袖口上的罗纹必不可少，因为罗纹的设计奠定了这款服装的基本风格。

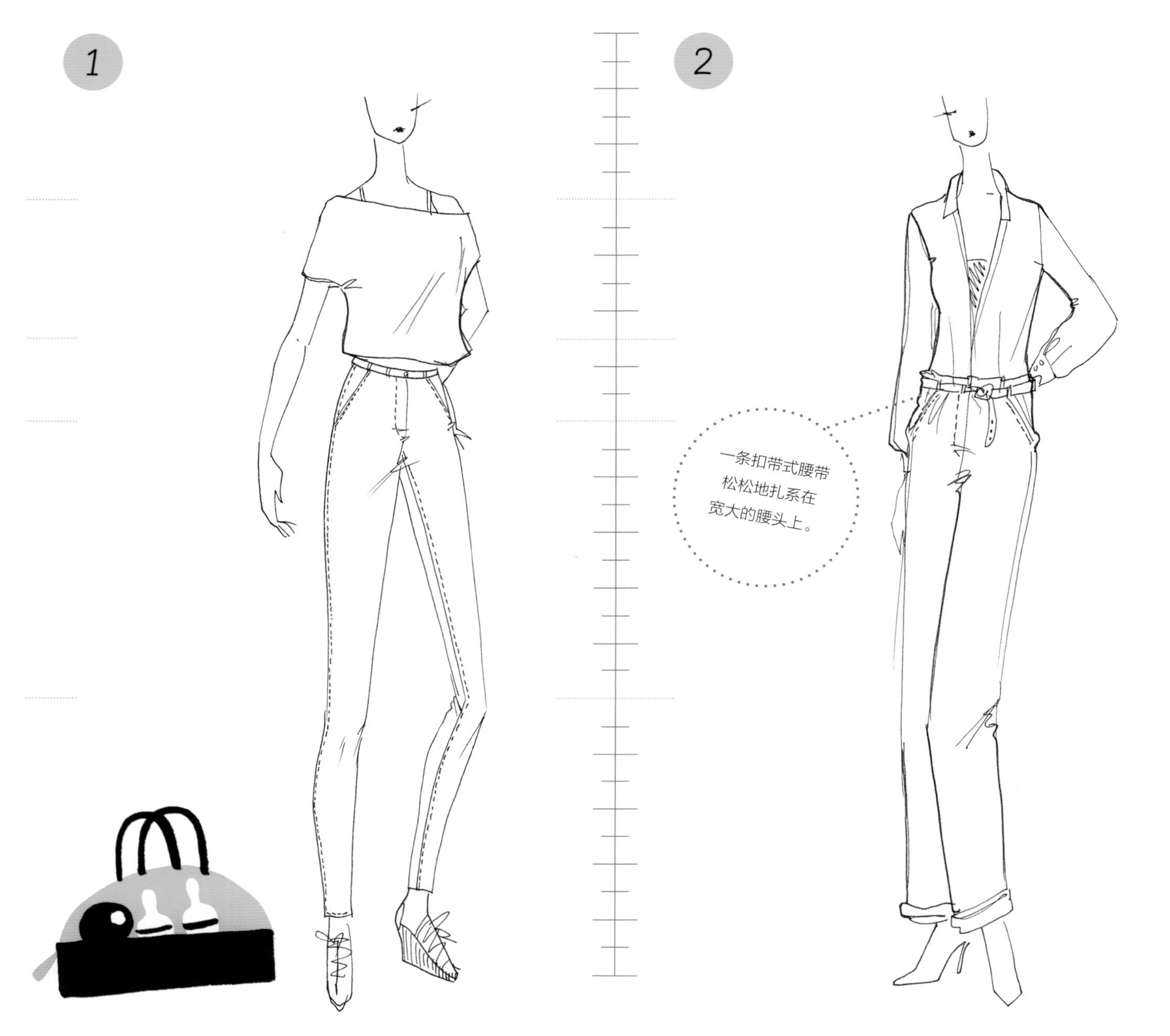

紧身牛仔裤

首先绘制腰带，用两条弧线画出腰带紧贴人体的形状。然后继续沿着人体形状绘制左边裤腿，先画外侧的裤型线，再画内侧的裤型线，用同样的方法绘制另一条裤腿。

接着绘制口袋和裤子上的拼缝线：前门襟线、外侧裤缝线和内侧裤缝线，并用明缉线进行装饰。

绘制要领

铆钉和明缉线是典型的牛仔服的设计要素。它们适用于拼合结实的牛仔布，但它们的外观也具有装饰性，所以充分利用这个特点来进行设计吧。

男友风格牛仔裤

这条牛仔裤的形状与紧身牛仔裤相似，但更加宽松。首先在人体正常腰节的下方绘制一条略为起伏的裤腰线，在臀部画出宽松的裤型，然后从腰头起，画两条斜线作为斜插袋的袋口线。

接着绘制裤腿，裤腿上先画出裤侧缝线，然后再画脚口的折边，最后用明缉线装饰袋口和前门襟。

绘制要领

绘制时，两条裤腿尽量画得挺直、宽松。“男友风格牛仔裤”这个名字就意味着它看上去有男裤的设计特点。

3

七分裤

首先绘制一个高腰头，沿着人体体型向下画出裤子的外形线。设定裤子的长度，在裤脚口画上一个侧开口，提供更多的运动量。

这种裤子很少用牛仔布制作。牛仔裤上的明缉线是起加固作用的，所以这条裤子上的明缉线只是用来装饰的。

最后根据裤腿的粗细，在裤脚口画上细节设计，例如钮扣等。

绘制要领

根据你的设计主题为你的七分裤想一个特别的名字。给它搭配一条宽松的毛衫，形成外形上的对比。

绘画练习：不同的裤子形状

从20世纪30年代起，电影明星们推动了许多裤型的流行，这些裤型有细腿裤、七分裤、锥形裤、褶裥裤、宫廷裤、马裤、灯笼裤、靴裤、系踝裤、喇叭裤、球弹裤、牛津布袋裤、紧身长裤、绑腿裤、滑雪裤和慢跑裤等。研究这些不同的裤型，找出你比较喜欢的款型。

在开始绘制之前，先思考下裤子的造型或外形，它们是为什么人而设计的。例如上面左图的设计：这种马裤是为了骑马者设计的，所以裤型在臀部位置的尺寸较宽，脚部却逐渐收细；比较起来，右图的箱型裤型就显得非常宽松舒适，适合用做日常装的设计。

高腰裤

首先在人体正常腰节上方绘制一条裤腰线，正好位于胸线下方，从腰线向下绘制省道，刻画出腰线和臀部合体的裤型。

接着沿人体臀部形状绘制裤型，继续向下画出宽裤腿，在两腿之间绘制裤子的内缝线，再用弧线柔和地连接起裤脚口。

最后沿着腰头的中缝线绘制一排钮扣，强化裤子的高腰节设计。

绘制要领

设计时需牢记，裤腿越肥，脚口线弧度越大，绘制时要避免裤脚呈直线。

阔腿裤

首先绘制裤腰头线，从腰线向下流畅地画出裤型线，想象面料蓬起在人体上的感觉，画出宽肥的裤子造型，下摆用宽弧线连接。

然后绘制斜插袋，并用明缉线装饰袋口。

绘制要领

如需了解这款裤型的设计灵感，可参看著名好莱坞女星凯瑟琳·赫本和可可·香奈儿的设计作品照片。这两位女性在当时都推动了女裤的流行。

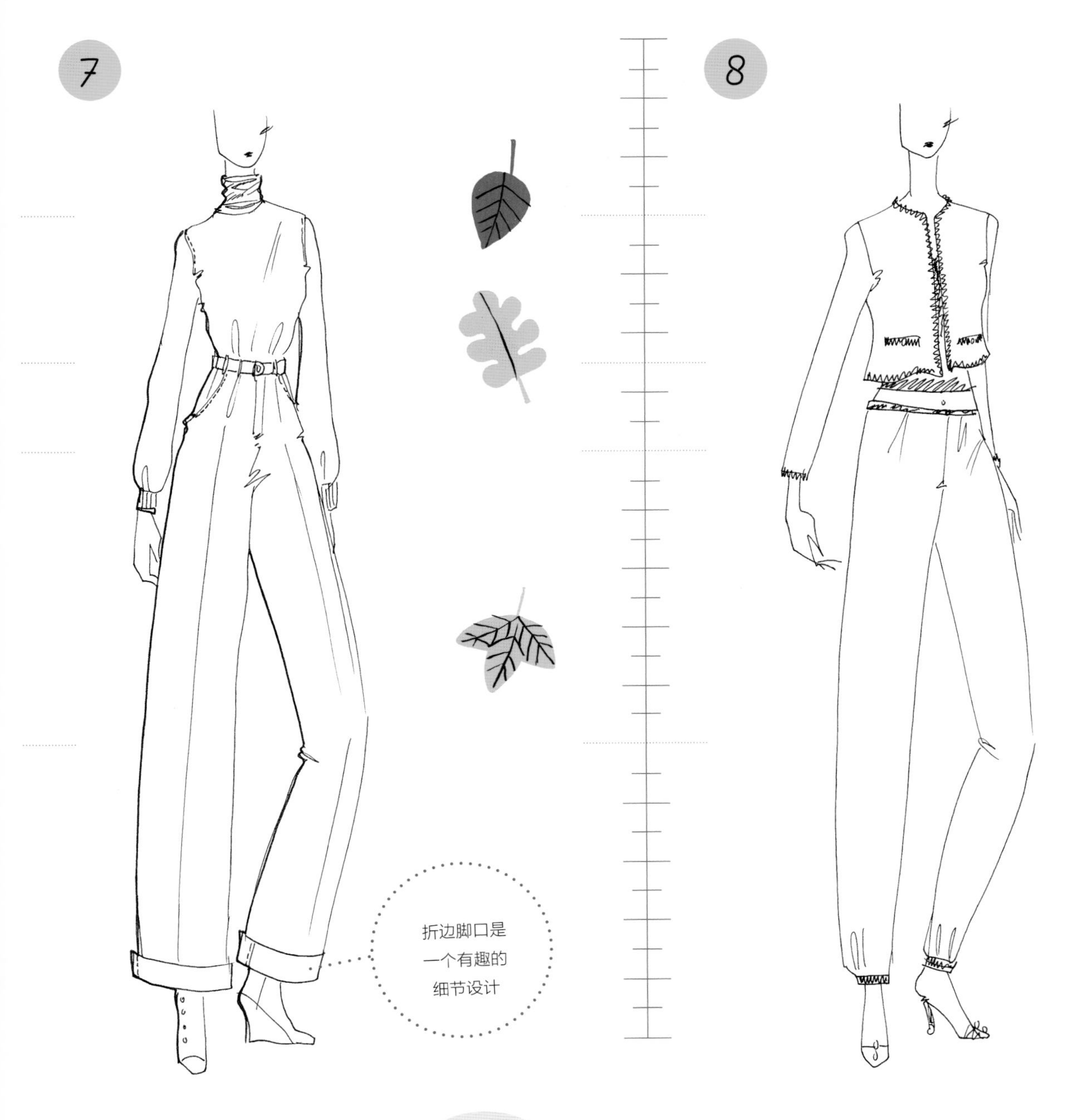

经典款长裤

这条经典款长裤造型有着合体的腰带，还配有腰襻。这种裤型一般先从腰带画起，向下绘制裤腿时不要忘记画斜插袋。

然后在裤腰的前中部绘制裤门襟，腰节下方画上两条裥，这会增加每条裤腿的宽度。再在裤脚口画上折边，完成整条裤型线的绘制。

最后绘制扎系的腰带，腰带从裤襻中穿过，围绕腰部一圈，外观整洁又干净利落。

绘制要领

当绘制裤腿折边时，一定要注意折边应画得比裤腿宽一些，表现出面料被翻折向上的立体形状。

低腰裤

低腰和褶裥收口的裤脚是这款裤型的主要特点。

首先在人体正常腰节线下方绘制裤腰线，然后绘制两条裤腿，裤脚口在脚踝处被收拢。

最后在两条裤腿的脚踝处画上细碎的褶线，表现出面料抽缩的形状。

绘制要领

上图的模特姿势很适合表现裤子的造型。3/4侧视的右腿和弯曲的膝盖可以展示裤子的结构。此外，你还能看到面料在膝弯处形成的折痕。

运动短裤

这种宽松的短裤很适合运动时候穿。绘制时，首先在人体腰节线的下方位置画出腰头形状，然后绘制短裤的外形线，别忘了在侧缝底部设计一个V字形刻口，这个细节设计提供了更多的运动量。

绘制要领

想象下运动短裤没有功能性牵绳的外观形态。这会让你明白：即使是实用性细节设计也会有装饰作用。

毛边牛仔裤

这条短裤是由一条长牛仔裤裁切而成的，外形线与左边运动短裤类似，但是裤脚口是平直的。绘制时，注意在裤型上面画上圆弧形口袋、裤门襟和钮扣闭合件。

绘制要领

毛边牛仔裤的裤长可以是任何长度。尝试设计一款裤长在膝盖上方的毛边牛仔裤。

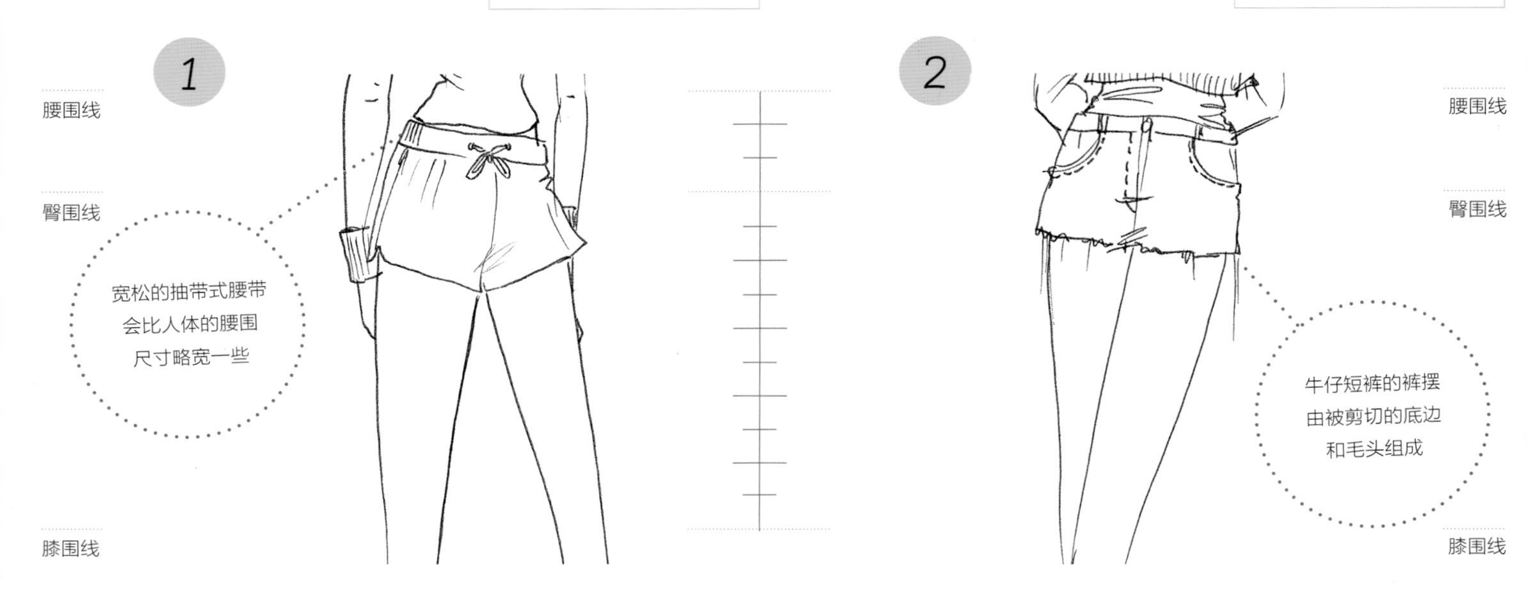

百慕大短裤

这款裤装最早是被驻扎在热带的英国军队穿着的，后来在百慕大流行起来，这就是百慕大短裤这个裤名的来历。这种裤型沿袭了经典长裤的外型，并且前裤正中设计有挺缝线。

绘制要领

对于这种简洁的款式，你如何变化才能增加些趣味感呢？也许可以试试用鲜艳的印花面料来设计。

工装（防护装）短裤

对于时装类的服装而言，细节设计更多的是为了装饰而不是为了实用。这款短裤的特点是裤子上设计有两种不同的口袋，下摆、腰部都用牵带作为设计点。

绘制要领

实用的“防护装”大口袋是这种裤型的主要设计特点。

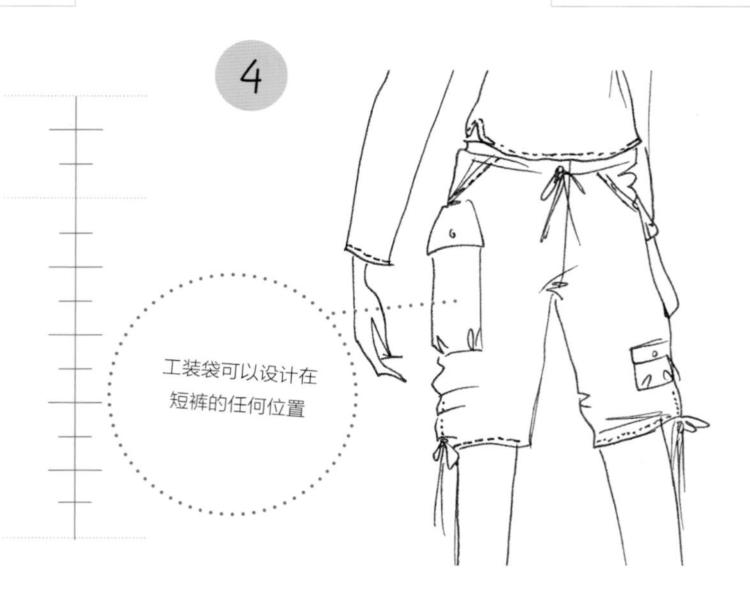

女裙裤

可以把女裙裤看成是有两个裤腿的裙子。首先绘制腰部两侧的口袋和A字型裤型，然后画内侧的裤边线，裤脚用弧线连接起来，显示出女裙裤的裤片结构。

绘制要领

参照本书第44页介绍的基本款裙装的绘制方法，可以帮助你更好地描绘这款女裙裤的A字型造型。

自行车（中）裤

首先绘制裤子的高腰头，沿着人体自然线条绘制一条紧身的裤型线，然后绘制裤中线和腰线上的省道，外观整洁合体。注意下摆上的侧开口，这使得穿着者运动起来更方便。

绘制要领

为设计命名时，应选用具有号召力和吸引力的名字，例如这款“自行车裤”的中裤，就是源自它曾被第一位女性自行车手穿着。

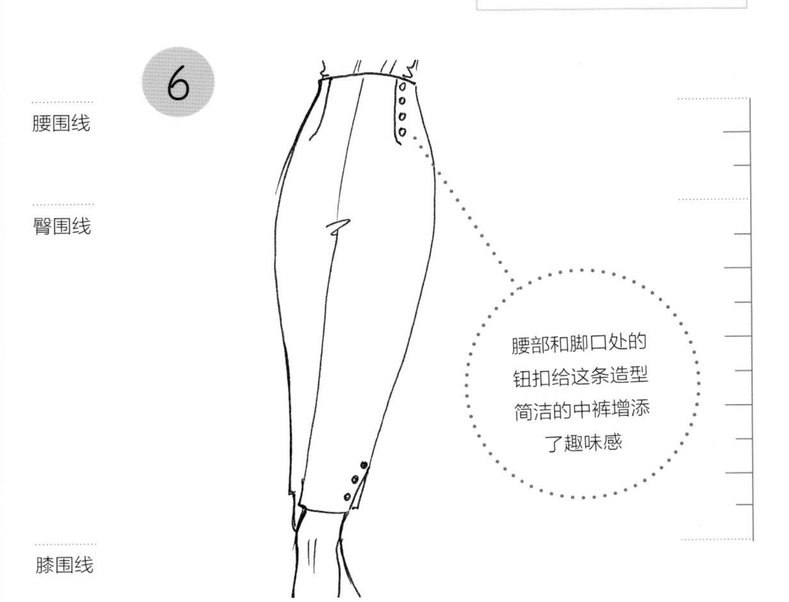

绘画练习：细节的变化

这里两款短裤之所以看上去不同，是因为它们裤长、腰节和款式细节有差异。思考下，如何通过变化这些设计元素进行裤型的设计。也考虑一下你是准备设计休闲短裤，还是运动短裤，或是正式场合的正装裤。

上面的两款裤型，有着相似的外形，但裤长和细节设计让它们有着不一样的“感觉”。

这款造型简洁的热裤，外形超短，并有折边脚口的设计，可作为日常休闲的便装。只要拉长裤腿，加上高腰节、钮扣、明缉线和缎带，热裤就变成了造型更复杂的高腰短裤，外观看上去也更加正式。

双排扣西装

首先绘制有刻口的翻驳领，先画上领面部分，再画翻领部分。

然后从左侧翻领向下画一条线至下摆处，形成上装的门襟线。接着绘制肩线和袖窿，并画出西装的大身结构。

最后绘制袖片，画上两侧双嵌线袋和钮扣等细节。

绘制要领

如想获得完美的合体造型，需要使用鱼眼省。制作鱼眼省时，你要先在面料上裁切一个钻石形洞眼，然后将洞眼的边缘拼合在一起，并紧紧地缝合起来，成为鱼眼省。

青果领西装

青果领西装适合正式的礼节性场合。首先绘制左边领型，沿着领围线向下画出前门襟，再绘制另一侧领型。因为青果领是一种平坦翻领，所以领围线均匀圆顺，没有戗驳领的刻口设计。

接着绘制肩线，肩线略宽于人体的正常肩宽，画出袖窿形状，并向下延长形成宽松的衣形线。

最后绘制袖子和钮扣。

绘制要领

青果领常选用与大身不同的面料制作而成。用阴影来绘制不同的面料。

3

骑马套装

这套西装常常与一些运动项目联系在一起，例如马术。

绘制时，先画衣领的两个结构部分，沿着左领围线向下画出前门襟，然后绘制肩线和大身，包括修身合体的胸省和腰部的鱼眼省。

接着绘制紧身合体的袖型，前门襟上画上单排扣，不对称口袋是一个重要的设计点：用袋盖和双嵌线来表现。

绘制要领

使用阴影绘制上领面的丝绒部分，表现出与大身呢料的不同质感。

绘制练习：单排扣还是双排扣？

这里示例了两种门襟款式供参考。一种是两粒式单排扣设计，另一种是六粒式双排扣设计。你可以多找一些钮扣设计的资料，比较下几粒扣最适合你的款式设计。

西装下摆的形状也要多加比较，再进行设计。第一张图展示了一个斜切的下摆，第二张双排扣则有一个方形下摆，但你也可以把它设计成圆弧下摆。

不要忘记：女装和男装门襟闭合的方向是不同的，传统的女装是右襟压左襟的闭合方式，而男装刚好相反，这已经成为行业的习惯做法，但没人记得为什么这么做！

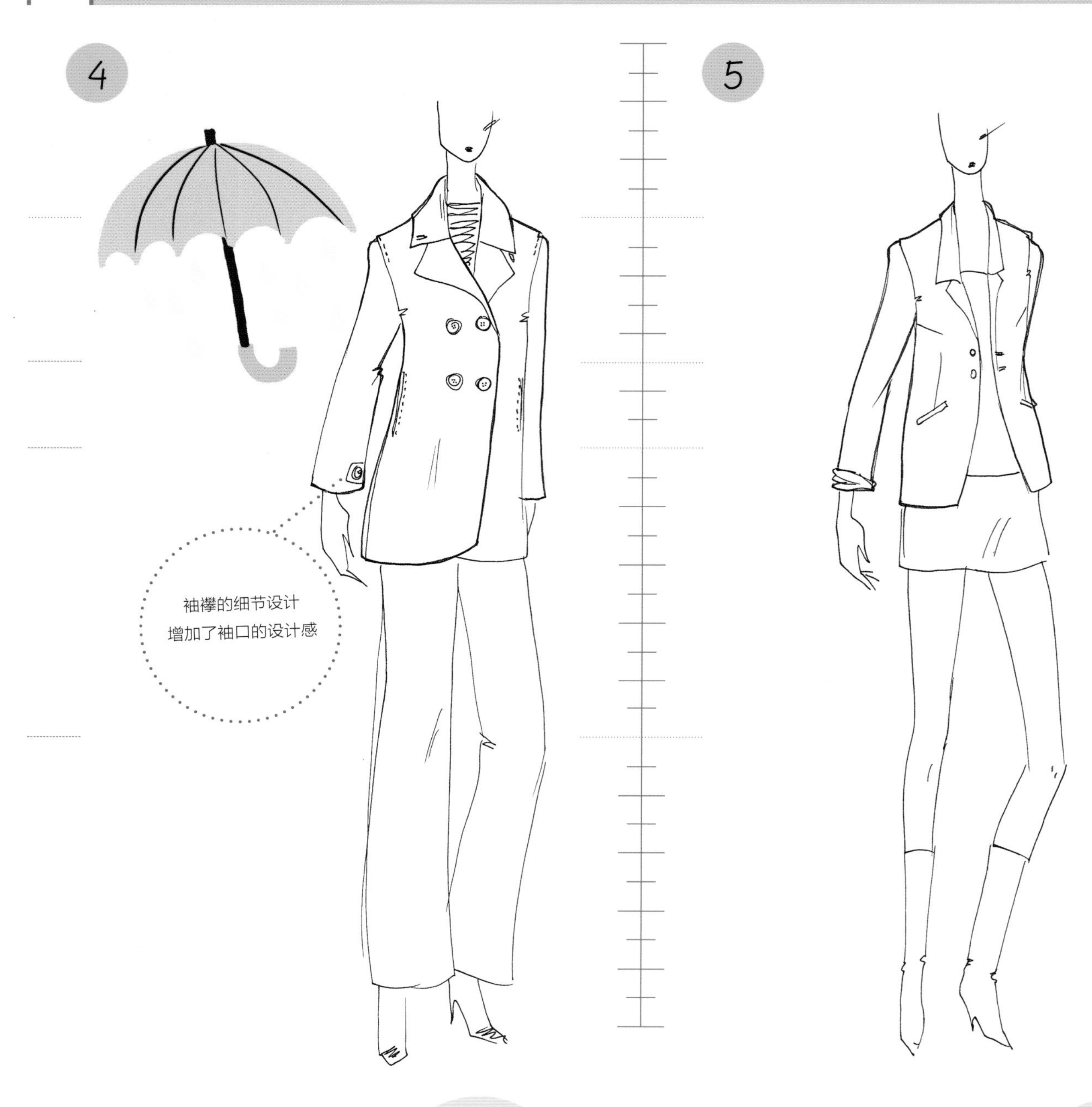

水兵外套（短大衣）

水兵外套最初是水手和渔夫的工作服。款式通常是双排扣的箱型造型。宽大的领子也很实用，可以翻折后扣紧领口，抵御严寒。

绘制时，先画领子部分，领面尽量画得宽一些，然后绘制大身挺直的外形线。

接着绘制袖子，袖口略宽松。最后绘制细节设计，例如口袋上的缉线和大钮扣等。

绘制要领

为了体现外套的经典风格，选择有锚形图案或一些其他的航海设计的钮扣。

男朋友风格夹克

这款外套常常是敞开门襟穿的，目的是为了塑造一个帅酷的休闲形象。

绘制时，首先画驳领的刻口和翻领部分，沿着翻领围线向下直至臀部位置画出前门襟。

接着绘制袖窿、两边侧缝线和袖片，在腰线位置画上口袋、两粒小钮扣和钮洞。

胸部和腰部的短省使得夹克的外形略微有点修身合体。

绘制要领

这款夹克是休闲西装，袖口翻起的穿法使得款式看上去更加放松和自由，可用短裤或短牛仔裤与之搭配。

波蕾若外套

首先绘制一个小巧合体的立领，领口垂直向下形成前门襟，接着绘制肩线，然后画袖窿，袖窿向下形成外套的衣形线，最后绘制紧身的袖型。

绘制要领

波蕾若外套常常与晚礼服裙搭配，为了让整套晚礼服更加华丽夺目，可以在波蕾若外套上缝制钉珠和刺绣。

蝙蝠袖上装

这款蝙蝠袖上装的袖子和大身是由同一块面料裁制而成的。首先沿着人体肩部、胳膊的形状绘制上装的外形线，然后绘制袖底。袖底部画上褶裥，表现出面料被收拢在宽腰带中的状态。

绘制要领

为了塑造更美的体型，可以选择蝙蝠袖的设计，它可以通过服装的肩、腰宽的对比，使得腰围看上去更加纤细。

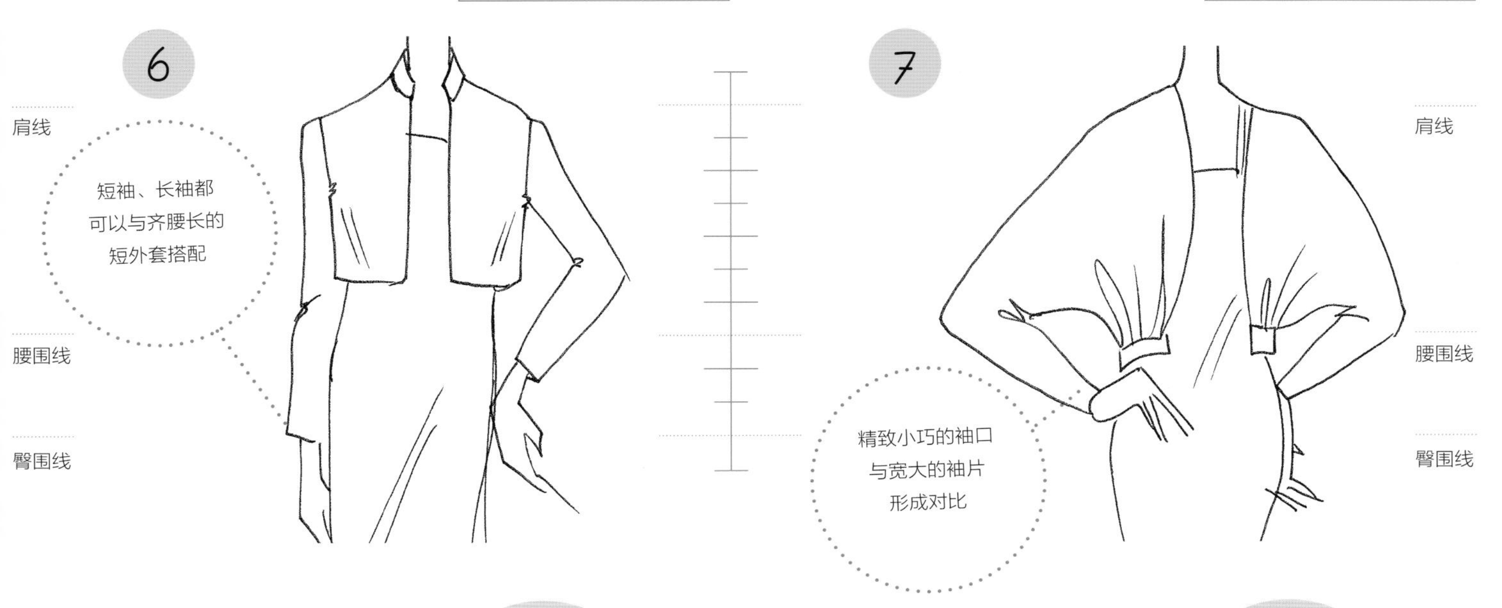

宽摆外套

首先绘制领子，画肩线和袖窿，用一个小的标记标识出面料在袖窿上扩展的位置。然后绘制两侧展开的衣形线，衣长至臀部位置，接着绘制前门襟和波浪形下摆，最后绘制袖片、口袋和钮扣。

绘制要领

下摆画到多宽没关系，下摆上的折线数能表现出你的下摆到底有多宽。

机车夹克

这款机车夹克是典型的皮装，结构上有许多细节设计。绘制时，先画领子，然后画袖窿和大身。最后再画上一些细节塑造出完整的形象：斜拉链的领口，短拉链袖口，以及皮带扣式下摆。

绘制要领

皮革服装常由小片皮革拼缝而成，所以皮革服装常比普通服装有更多的拼缝线。在设计皮革服装时，应充分利用这个特点。

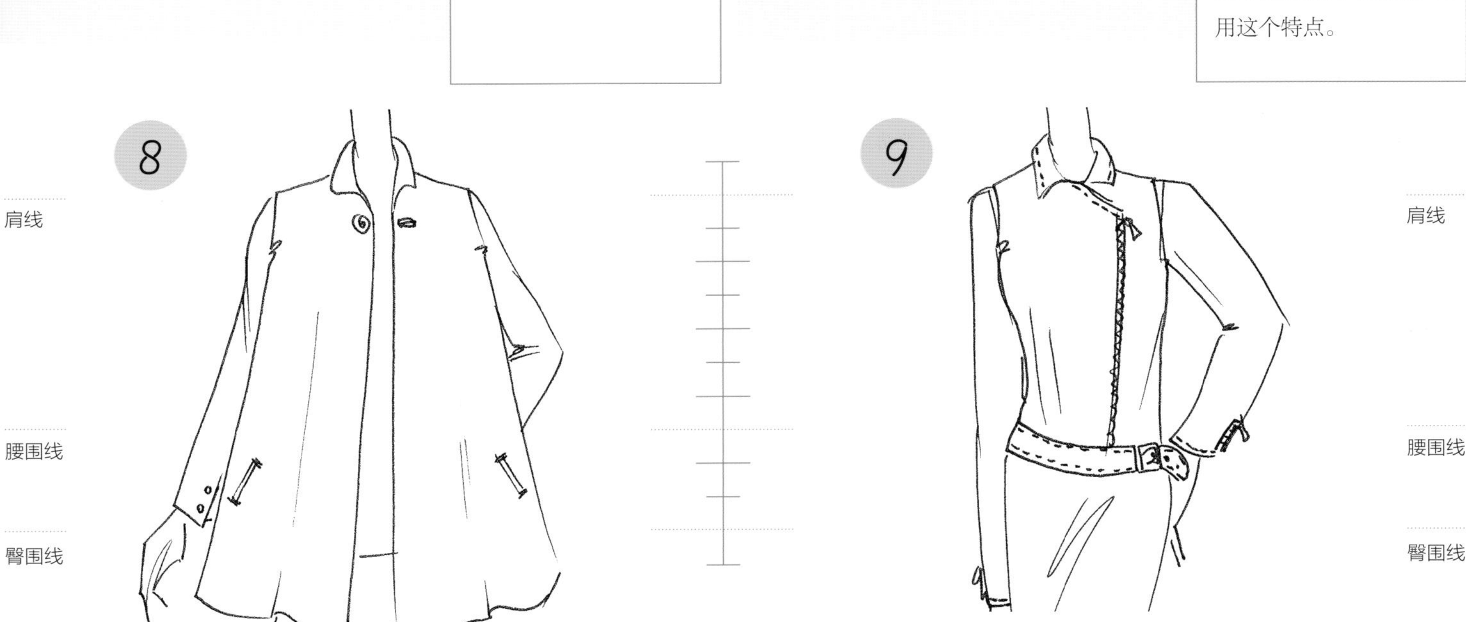

切斯特菲尔德大衣

首先绘制两部分组成的驳领，先画一个深V形领围线，然后画翻领（或称为驳领），再画出肩线。

接着绘制大衣的外形线，大衣的腰部和臀部紧身合体，衣摆从膝围线以下逐渐展开。如果你喜欢的话，你可以让大衣的下半身更长一些。

最后绘制袖片，画上钮扣和臀围线上的口袋等细节。

绘制要领

切斯特菲尔德大衣通常设计成丝绒领面，门襟既可以是单排扣，也可以是双排扣设计。如需更多的相关内容可参看本书第63页。

漏斗领大衣

首先用一条圆弧线围绕领部绘制一款立领。领口两侧各画一个省道，塑造出漏斗形的领型。

然后从立领中心至臀部位置向下绘制一条直线，作为前门襟，再画左肩线和低袖窿，向下画出大衣的外形线，并与中心闭合件连接。用同样的方法绘制大衣的右侧部分。

最后绘制袖片，并在口袋和闭合件等处画上细节设计。

绘制要领

这款大衣采用嵌缝式内口袋和拉链式门襟。尝试门襟设计中使用其他类型的闭合件，例如钮扣或按扣。阴影绘制的地方表示这块部位是由丝绒制作而成。

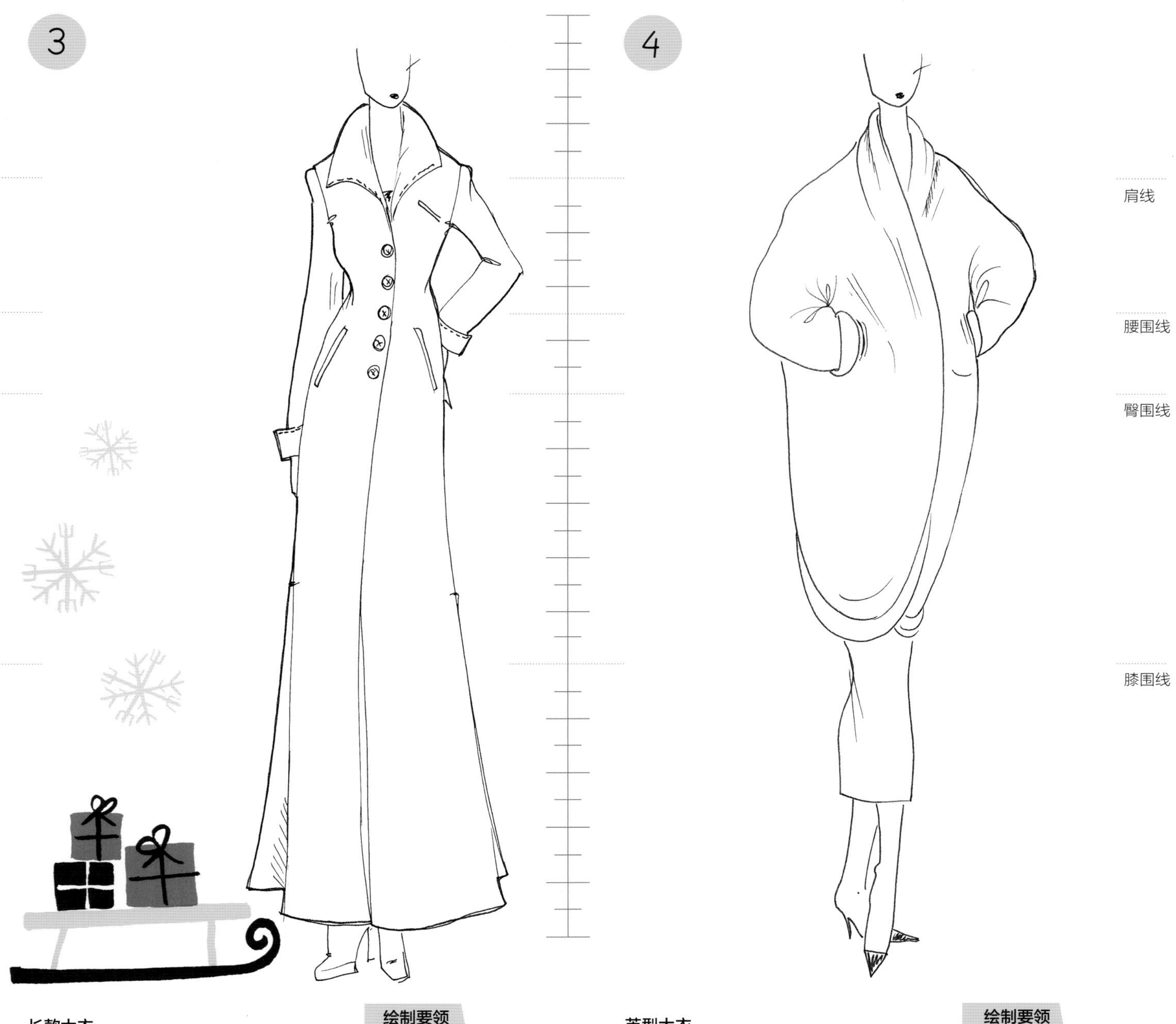

长款大衣

首先在靠近下巴的颈侧处绘制立起的领面，然后绘制弧形的领边线，再画领面内部细节，领围线沿着大衣中心向下一直连到大衣的下摆处，大衣长至脚踝位置。用同样的方法绘制另一侧领型。

接着绘制大衣的衣身造型：腰部较合体，大衣摆向两侧展开。

最后绘制袖子和其他细节。

绘制要领

这件长款大衣的特点很有趣：深口袋，宽大保暖的领子和袖克夫，还有肩章或肩襻等细节设计。

茧型大衣

这件大衣没有闭合件。绘制时，先画领围线，从领围线向下画一条细长的S形弧线位于大身的中部。大衣外形领部较紧，下摆略松。

从后脖开始围绕颈部绘制柔软的领子，然后画肩线和袖臂，两侧衣形线连成两个弧形下摆。

最后在大衣上绘制一些曲线条，表现拉伸后面料产生的皱痕。

绘制要领

浑圆形、舒适的茧型大衣搭配紧身的铅笔裙或细腿裤，外形上形成鲜明的大小对比。

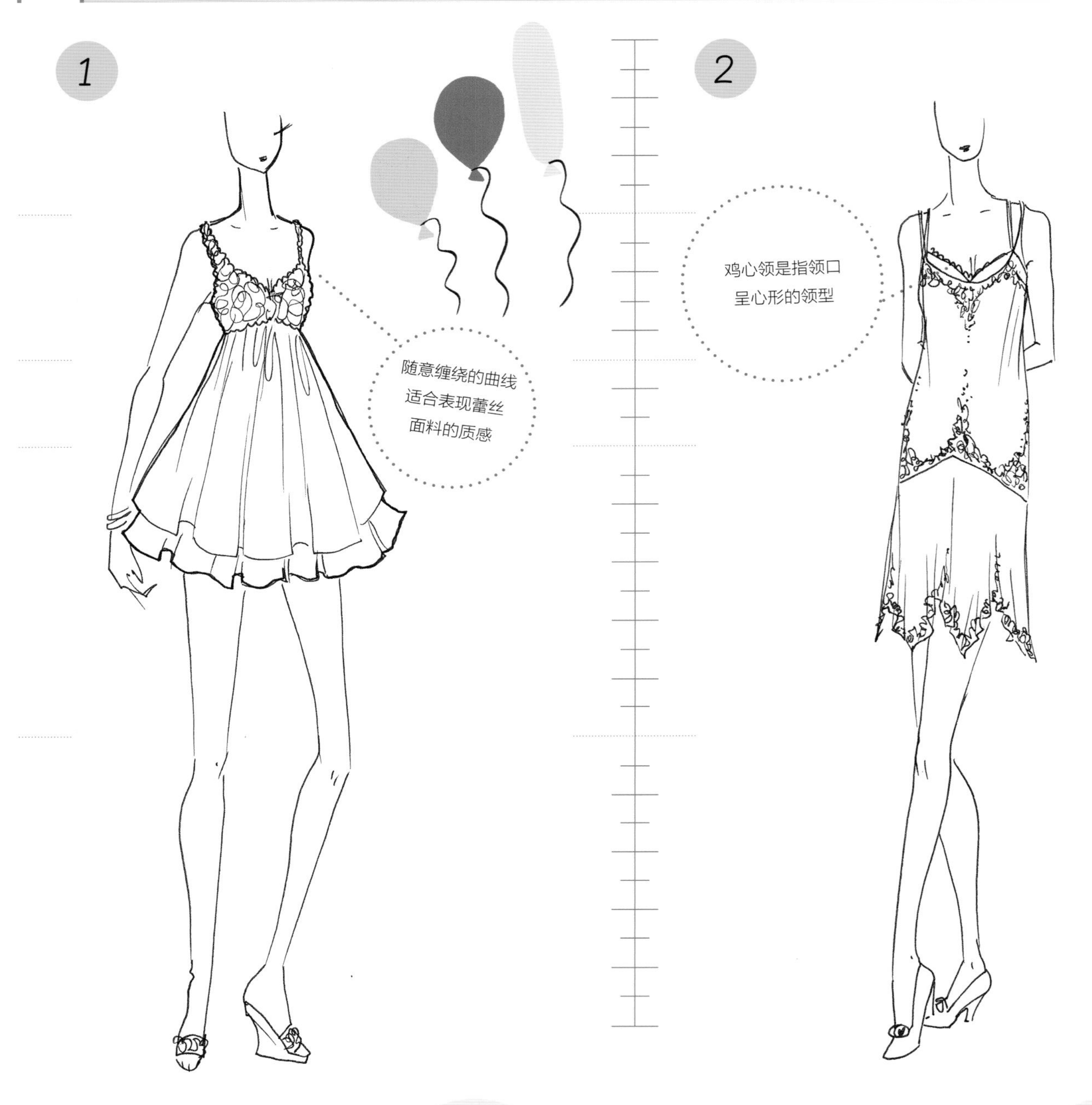

蕾丝连衣裙

首先绘制裙子的大身部分：从肩带开始，画一个心形的领围线，向下绘制大身的衣形线和胸围线下的结构分割线。

接着从分割线向下绘制裙片的褶裥线，表现出面料抽褶后的形状。

最后用不均匀的曲线绘制上面一层裙摆，裙片上画若干条纵向褶裥，再用同样的方法画出下一层裙摆，完成整条裙子的绘制。

绘制要领

这款造型可爱的连衣裙是少女们理想的派对服装。如果你把这条裙子的上身和下半身都拉长，风格将会变成怎样的呢？这条裙子适合其他年龄段的女性吗？可以在其他场合穿吗？

“名媛风”礼服裙

首先从肩部内侧向下绘制两条肩带，直至胸部上方。两条肩带之间画一条勺形领围线，领围线弯曲延长至腋下形成袖窿，然后在领围线上方画衬裙的心形领围线。

接着绘制裙子的外形线，裙摆画成高低起伏的“手帕”形。

最后用杂乱缠绕的细线勾画领围线、臀部和下摆等处的刺绣图案。

绘制要领

20世纪20年代，流行起颇有戏剧感的服饰：下摆提高，腰围线下落，“男孩子气”的削瘦造型成为潮流，穿着这些设计大胆的服装的女孩们被称呼为“名媛”。如需了解更多相关内容，可查阅20世纪20年代的流行资料。

3

4

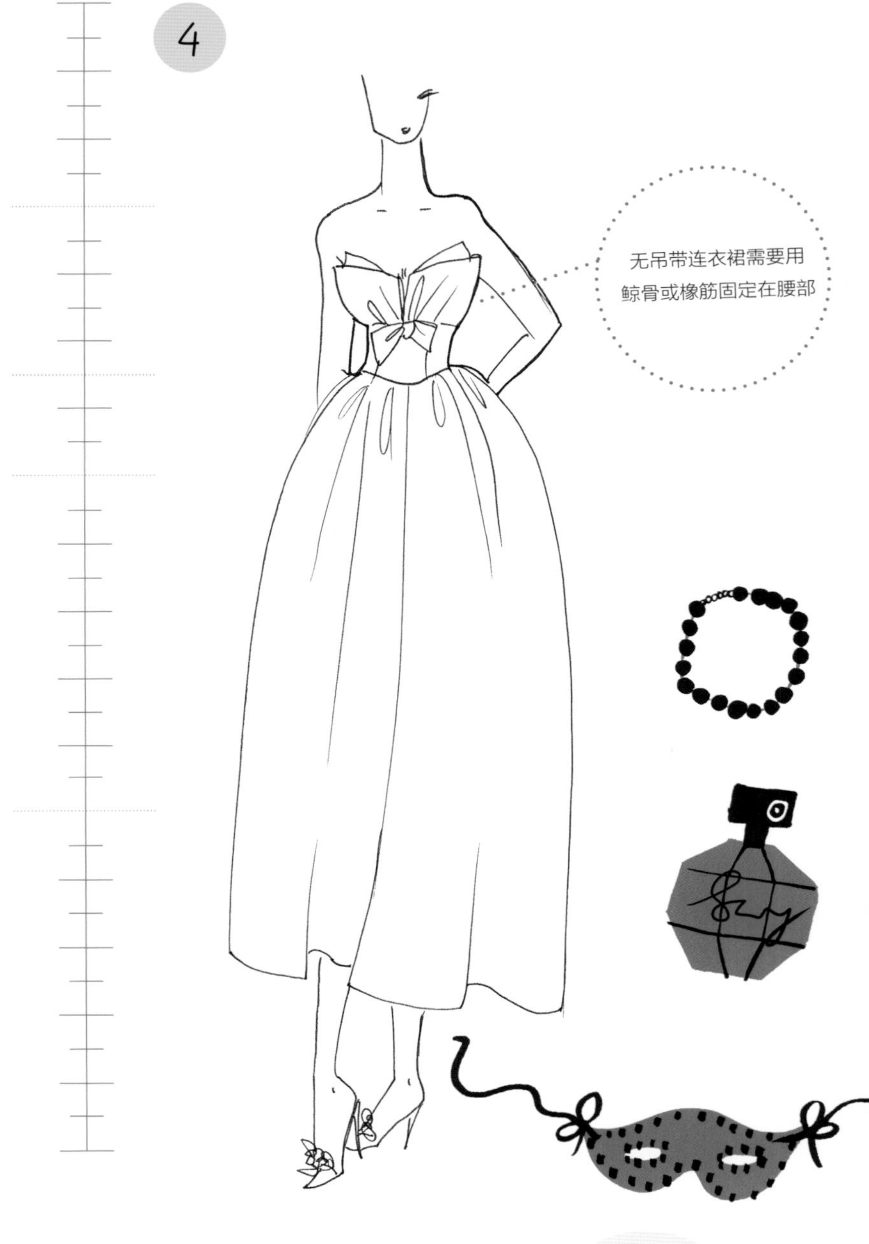

鸡尾酒小礼服裙

首先从双肩的中部到腰部位置向下绘制一个深V形，画略向上抬起的肩线，接着画袖窿，袖窿线条一直向下连到腰线位置。

然后绘制一条紧身宽腰带，腰带下画裙型：裙子在臀部有立体宽褶，裙子向下垂至膝围线上。

最后在腰部用阴影绘制细长椭圆形，表现出面料抽褶后皱缩的形状。

绘制要领

思考一条裙子或套装的各个结构部分应如何搭配组合在一起。这款裙装的设计中，臀部的裙宽与宽肩彼此呼应，互相平衡，使得中间的腰围看起来更加纤细。

无吊带礼服裙

首先用两条线绘制低领围线，线条在胸部中间相连，画两个褶裥在胸片上面，塑造出紧身的上身形状。

然后绘制大身的侧缝线和宽腰带，画一个束结作为细节装饰。

接着绘制蓬起裙型，画出裙子在人体上立起的感觉，最后不要忘记勾画大身和裙子上的线条，表现出面料归拢到腰带里的形状。

绘制要领

绘制正式晚礼服时，需要仔细考虑裙长的尺寸，晚礼服裙或舞会礼服裙通常是裙长及地，芭蕾舞裙一般裙长至脚踝上方，下午茶小礼服裙长多长至小腿中部。

船型领

法国女装设计师可可·香奈儿使得船型领在女装中流行起来。她从法国水手穿的宽领衫中获得设计灵感。绘制时，从一侧肩到另一侧肩，画一条浅浅的弧线作为领围线，刚好位于锁骨的上方。

绘制要领

传统的法国水手穿的船领上缝制有横条纹。尝试将这个元素加入到你的设计中。

鸡心领

首先从两边肩线的中部向下绘制一条外弧线，直至胸部的上方位置，然后弧线与心形领围线相连，领围线的中点位于胸围线上，最后绘制肩带的外侧，领口底部画上纵向的乳沟线。

绘制要领

尝试设计不同的肩带，例如颈部吊带或非常细的“意式面条”式肩带。

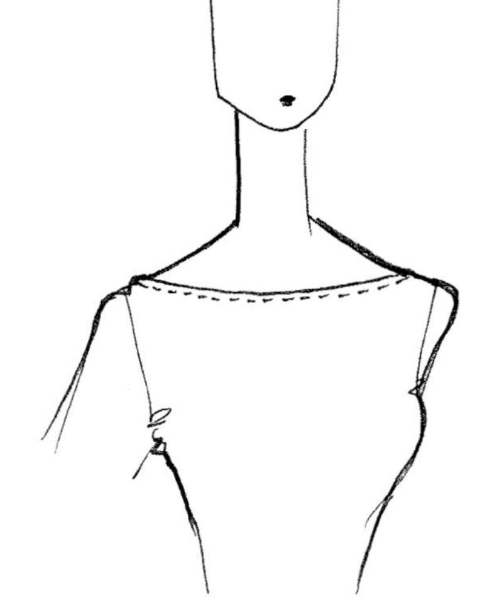

2

落肩领

首先绘制一条浅浅的弧线，从一侧肩下方开始连到另一侧接近手臂的位置；再在人体颈根围线和胸线之间画一条弧线作为领围线，用这两条线塑造出落肩领的形状。

绘制要领

如果设计需要的话，可以尝试在领子上加一些细节，例如领围线上画个花边或蝴蝶结。

垂褶领

从领的一侧开始绘制一条长弧线直到胸围线下，然后再弯转到另一侧肩部；以同样的方式重复绘制褶领内部的褶裥，最后在胸围线上画上一条水平直线。

绘制要领

在领口处画上大量的褶裥线条，表现出领子层叠的堆褶效果。

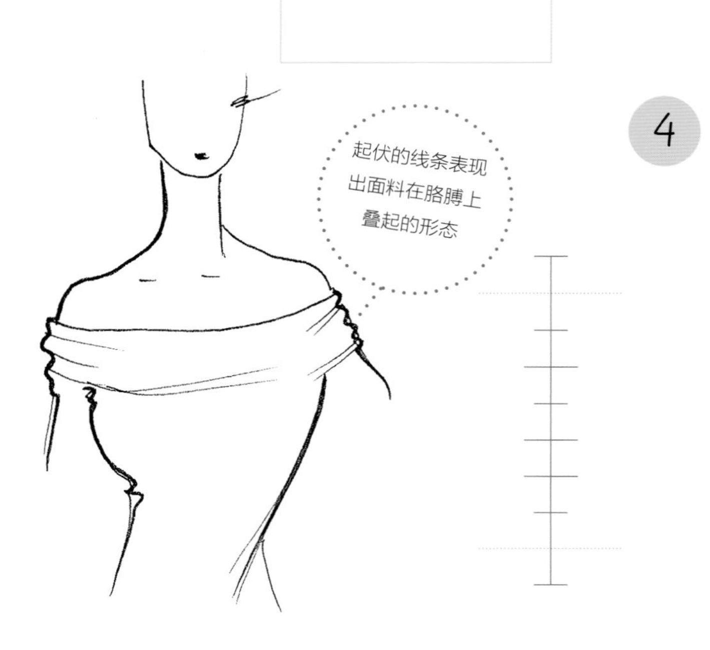

4

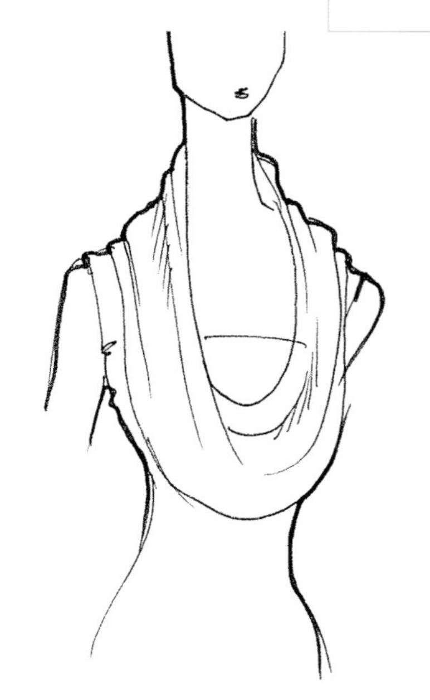

中式领

首先绘制立领的两侧领面，然后画圆顺领围线，向内弯转至脖颈中部，形成一个小V字形。从V字形向下画两条平行线段形成前门襟，最后绘制肩线、袖窿、钮扣和中式盘扣。

绘制要领

尝试设计一款传统的中式斜襟，斜襟从立领底的中部开始，穿过胸部斜向开至一侧的袖窿底端。

彼得潘领

这种领型起源于20世纪初一部电影女主角彼得潘的剧服。绘制时，先画一侧的领围线，连至脖颈的中部，然后画圆弧形的领面和领边线；用同样的方法画另一侧领型，完成整个领型的绘制。

绘制要领

这种圆形的小宽领常用于童装的设计。它与简洁的衬衫或连衣裙搭配组合，效果也不错。

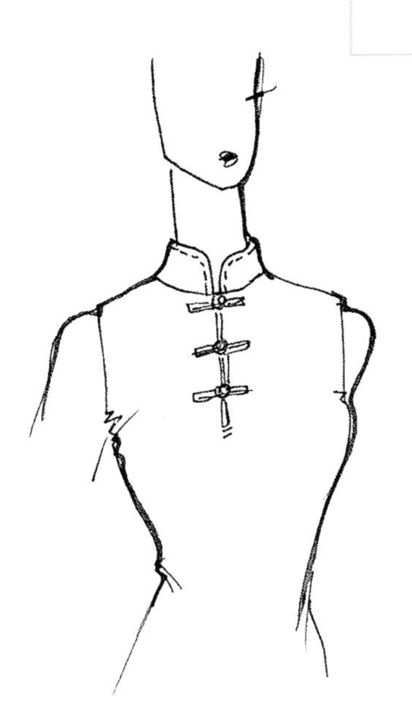

肩线

腰围线

6

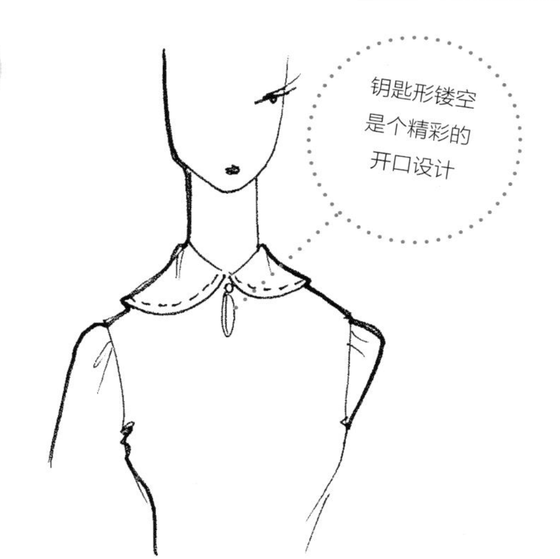

肩线

腰围线

皱褶领

皱褶领可以为服装增添女性的妩媚感。首先绘制褶裥与颈部接触的不规则领口，然后绘制肩线，画两条不均匀的波浪线作为领边线，领边线之间画上起伏的褶皱，褶皱边画上短垂线表现出领子的立体感。

绘制要领

为什么不把皱褶领和泡泡袖组合在一起呢？或者与直袖组合，形成繁简对比的设计效果。

束带领

绘制时，首先在颈底部画一条不均匀的宽领围线，领围线下方画上两条牵带，然后用两个小圆绘制牵带带口的位置和形状，每条牵带顶端画上带结或扣珠，最后绘制肩线和袖窿形状。

绘制要领

束带领最常用于运动服设计，常与连衫帽组合搭配。

肩线

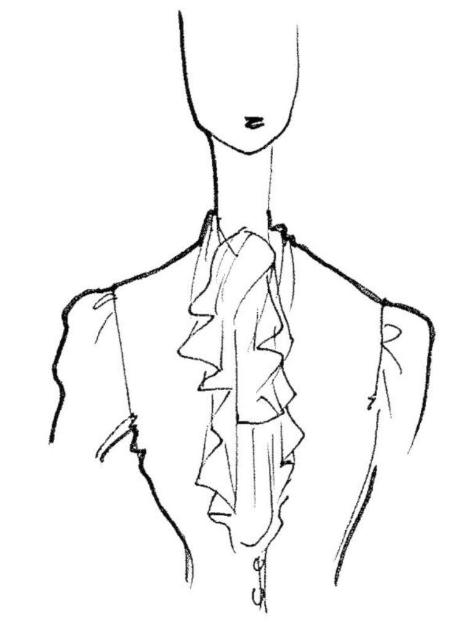

腰围线

肩线

腰围线

贴袋

贴袋是一种三边贴缝在服装表面的口袋。绘制这种口袋时，先画袋盖和袋面部分，然后再画口袋的侧边，表现出口袋的立体高度，最后，在袋盖的中部画上钮扣闭合件。

绘制要领

贴袋设计在军服和工装中很常见。如果你想要粗犷、实用的外观效果，可以采用这种口袋设计。

臀部或前片口袋

从腰线到裤子侧缝线斜向绘制一条弧线作为裤子的袋口。在袋口内侧绘制一个小型四方形内袋，大小袋口绘上明缉线做装饰。

绘制要领

这种口袋主要用于牛仔装的设计，你还能设计得更有特色吗？

1

2

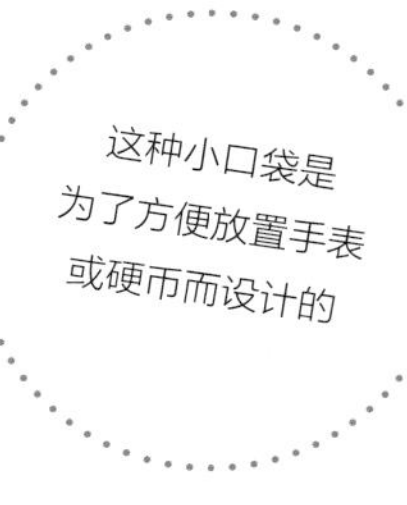

工装口袋

在每条裤腿的正中间，从臀围到大腿画一条线，这条线与臀部外形线平行，根据这条线绘制口袋的底部和侧边，　并在口袋上用明缉线和钮扣作为装饰细节。

绘制要领

尝试变化设计工装袋：例如加一个袋盖，或把不同形状或尺寸的工装袋组合在一个设计中。

带襻的嵌线袋

嵌线袋是用同种或另一种面料做成嵌条缝制在服装上的口袋。绘制这种口袋时，先画一细长条作为上嵌条，在上嵌条的下方中部画一个纽襻，纽襻上有钮扣闭合件，然后在袋襻两侧绘制嵌线袋的下嵌条。

绘制要领

嵌线袋常被设计在外套和大衣的胸部位置，试着设计一款单嵌线口袋。

3

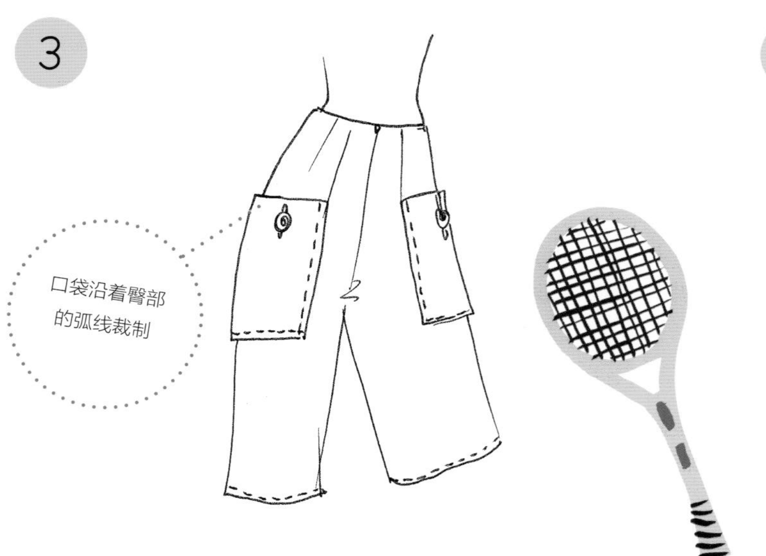

4

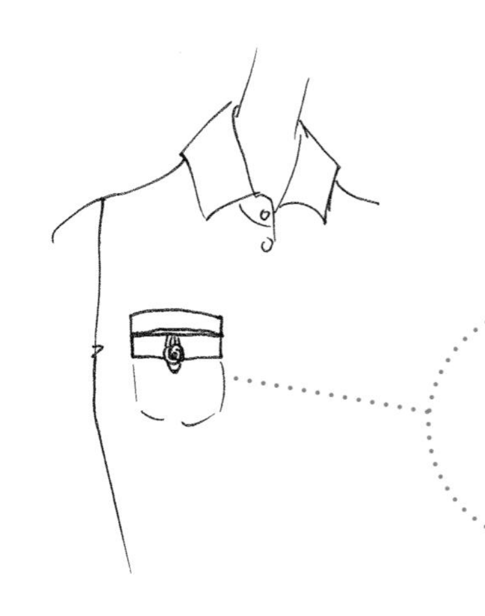

口袋的主要
部分隐藏于
面料下方

衬衫袖口和法式袖克夫

衬衫袖（桶袖口）是最简单的袖克夫中的一款。法式袖克夫（或称为双袖口）是袖口经双层折叠（两层均有钮洞），对齐钮洞后，可以整齐地扣起来。

绘制要领

衬衫袖口在手腕处形成整洁的外观。法式袖克夫的宽度比袖片最下端还要宽一些。

抽褶袖和装饰（法式）袖口

有些克夫有装饰细节，例如牵带式袖口或荷叶边袖口等。绘制这两种款式时，袖片在靠近袖口的位置，应画得宽一些，然后被袖克夫收拢成型。

绘制要领

如果袖克夫被称为装饰袖口，就意味着袖口上另有装饰设计。你可以在哪些款式上用装饰袖克夫呢?

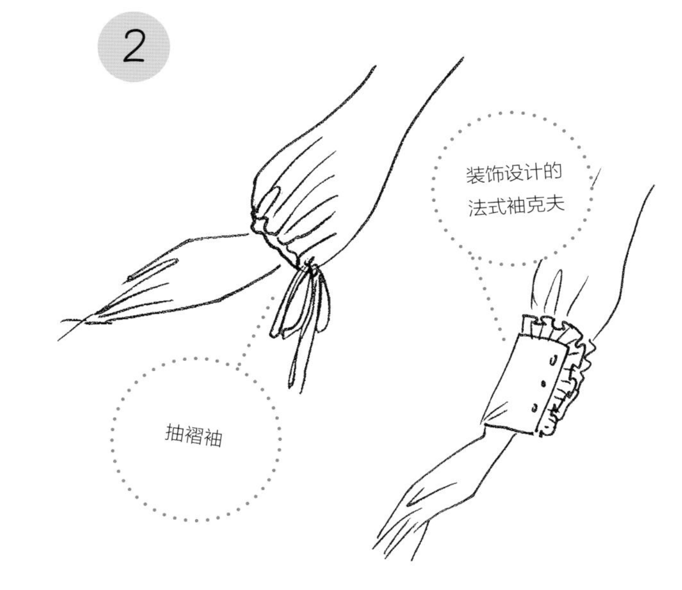

花边袖克夫和拉链袖克夫

花边袖口（克夫）有时会较长，盖住手背。在绘制花边袖口时，线条要尽可能自然流畅，刻画出面料展开的形状。设计简单的紧窄袖口时，可以用拉链来收紧袖口。

绘制要领

拉链常用于机车夹克的设计中。19世纪末期，拉链被发明，1923年，被正式命名为“拉链”。

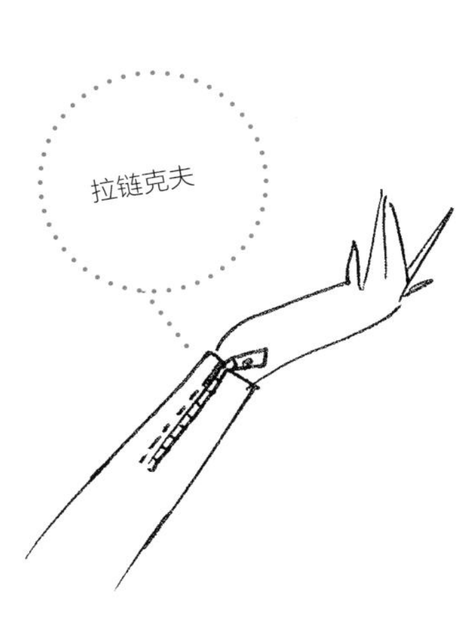

罗纹袖克夫和拇指孔袖克夫

针织服装常使用罗纹袖克夫。罗纹是由富有弹性的罗纹针距排列制成，可以伸缩并紧贴于手腕上。拇指孔袖克夫是袖片长至手掌位置，并在拇指处专门开孔的袖口。

绘制要领

运动衫常常设计成拇指孔袖口。想想看，还有哪些服装款式也可以用这种袖口设计呢?

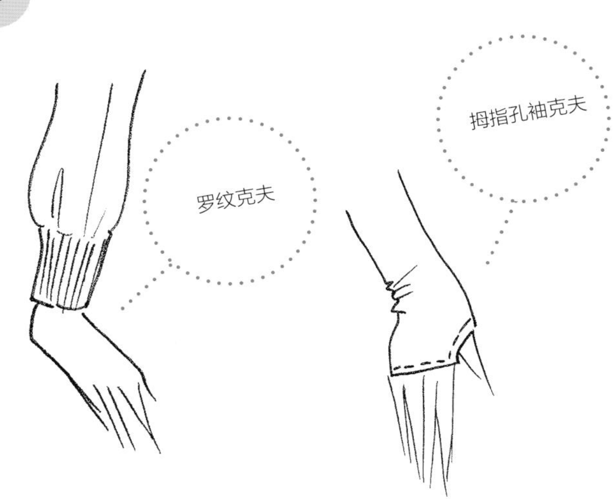

鞋子的各部分结构

虽然鞋子和靴子可以设计成各种形状，但它们的主要构造大致是相同的。上图展示了鞋子的主要结构部分，包括鞋面、鞋跟和鞋底。

在设计鞋子和靴子时，你可以选择各种不同的鞋跟形状。思考你的设计的整体效果（造型），以及各个部位该如何保持平衡。例如，如果你想用一个笨重的坡跟鞋底，那么这种鞋底与笨重的圆头或方头的鞋尖搭配会好一点，而尖细的鞋头则最好与精致的细跟搭配。

踝部系带高跟鞋

绘制时，首先从鞋底画起，把鞋底想象成支撑脚部的平台，然后绘制鞋面和精美裁切的鞋口。最后绘制脚踝部的系带、鞋尖的钮扣细节，以及逆光的阴影部分。

绘制要领

练习绘制人体的脚部、脚踝和小腿形状，思考这些部位与人体其他部分的比例关系。

1

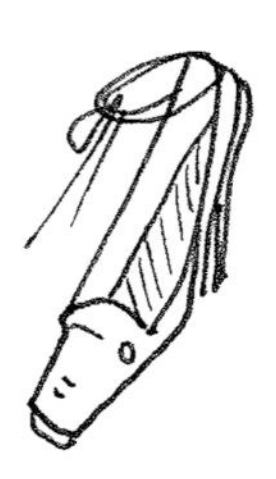

高跟凉鞋

凉鞋的结构通常是鞋面牵带与鞋底相连，可以是高跟或平跟。从侧面绘制凉鞋时，先画出鞋底形状，然后画高跟和鞋面的牵带。画好一只鞋后，再画另外一只。

绘制要领

侧面观察这种凉鞋。注意鞋底在脚趾和足跟之间是如何弯曲成弧形的。

2

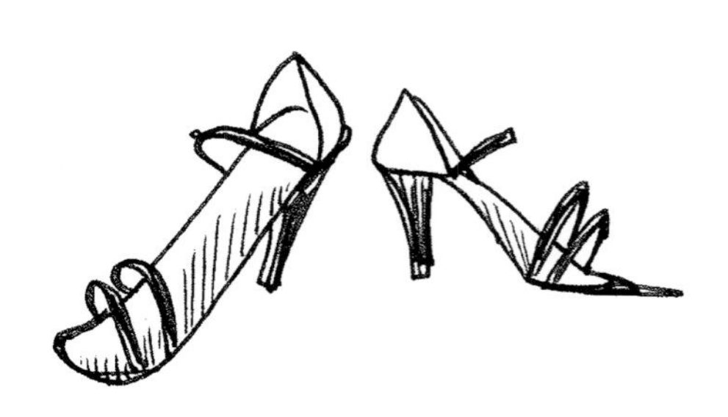

路易十四鞋

首先绘制鞋底，然后画鞋面。鞋面后方呈向前弯的圆弧形。鞋跟适度向前方倾斜，形成别致的弯曲造型。最后绘制鞋面上的花边装饰。

绘制要领

这款鞋子取名自法国国王路易十四，他曾喜爱穿着同款的鞋子。想象一款以你命名的鞋子，它会是什么样子?

3

奥赛便鞋

这种奥赛便鞋的鞋帮是敞开式的，会露出两侧的脚板。绘制时，首先画出鞋底和高跟，然后画鞋面部分，在鞋尖和鞋后帮之间留出较大的间隙。

绘制要领

便鞋可以配有各种各样的鞋跟：粗跟、木屐或弧形马蹄跟、细金属跟或平跟。

4

乐福（平底）便鞋

平底鞋有很多种，从芭蕾舞鞋、娃娃便鞋到拖鞋种类繁多。乐福便鞋是一种实用、休闲的鞋子。首先沿着脚底的弓形用柔和的坡形线条绘制鞋底形状，然后绘制鞋面和低跟。

绘制要领

20世纪50年代，美国学生中开始流行一种把便士藏在便鞋鞋面上的游戏，“便士乐福鞋”因此而诞生。

5

露趾坡跟鞋

坡跟鞋从视觉上拉长了人腿的比例，人体因此而显得更高、更瘦。首先绘制坡跟鞋的平底和楔形坡跟，然后绘制宽带装饰的露趾鞋面。

绘制要领

另一种流行的坡跟鞋是夏季的高跟帆布鞋。这种踝部系带的坡跟鞋使用帆布制作鞋面，并用麻绳编织成鞋底。思考下，你还可以用什么面料来设计坡跟鞋?

6

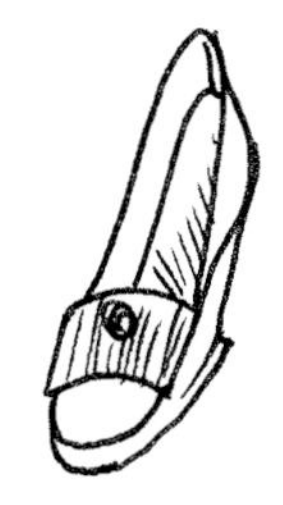

楔形坡跟鞋

绘制时，先画一个弧形的鞋底上缘，用于支撑脚底，然后画坡跟形状，从鞋尖下方向后连接到鞋底中部，鞋跟斜切成凹弧形，最后画上系带及逆光的阴影等细节。

绘制要领

查阅中世纪的木制鞋的资料图片，可以发现，这些特制鞋底要比普通鞋厚，其目的是便于人们在泥泞的马路上行走。20世纪70年代的迪斯科厚底鞋也有着类似的造型。

1

摇摆鞋

绘制时，首先画出鞋底的上缘，然后画弧形的防水台鞋底，鞋底两端翘起，行走时会前后摇晃。这款鞋子最初设计的是使用皮制的细带绑在脚踝处加以固定，类似芭蕾舞鞋的绑法。

绘制要领

这款鞋子是薇薇安·韦斯特伍德为她一场发布会专门设计的。也许你也能设计一种新款鞋子来搭配自己的服装设计。

2

被切掉一块的后跟是这款鞋子的主要设计特点

高跟及踝靴

细高跟是一种尖细跟，名字源于意大利语“匕首”。绘制时，先画一个与地面成锐角形的鞋底，在脚踝下方的鞋底绘制细高跟，鞋面用弧线连接，向上连成低鞋帮，然后绘制鞋口拉链和鞋跟上的马刺装饰。

绘制要领

鞋子设计师莫罗·伯拉尼克发明了一种鞋跟，他取名为“针尖”。想想看，有没有什么东西也能激发你的设计灵感？

3

尖细的鞋头与细高跟搭配风格协调一致

露趾及踝靴

从侧面绘制：先用两条线画出鞋底，在鞋底后方，画上粗重的鞋跟，再绘制鞋跟上的鞋帮，圆弧形鞋帮包住足跟，一直延伸到脚踝位置，最后画上拉链和露趾鞋尖。

绘制要领

时尚的设计要旨是：趣味性重于实用性。通常情况下，靴子应比鞋子更具有防护性，但这双靴子却采用露趾的鞋尖设计。

4

阴影表现的是鞋子上的逆光部分

高帮运动鞋

这款鞋子最初是为棒球运动员设计的，鞋帮较高，也能保护到脚踝以上的部分。绘制时，首先画橡胶制的鞋底，然后是鞋面和鞋跟处的弧形防护层，鞋跟防护层位于脚踝位置。

绘制要领

可以考虑在帆布鞋上印上色块或图案，与你的服装系列组合搭配。

5

这种运动鞋
的鞋头和鞋跟处
有防护设计

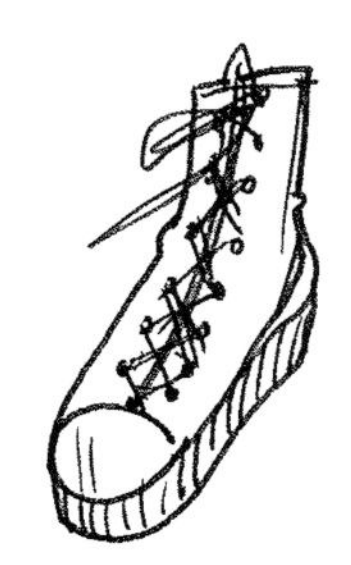

雪地靴

首先绘制坚实的平底，然后绘制鞋跟和鞋子的后半部分，用圆弧线条画鞋头部分，再向上绘制短直的鞋帮，画上钮扣，使用鸟窝的形状表现鞋口的毛皮。

绘制要领

设计师们都热爱旅行，喜欢从世界各地和不同风俗中获得创意。什么地方的人会穿着这样的靴子？这地方吸引你去探险么？

6

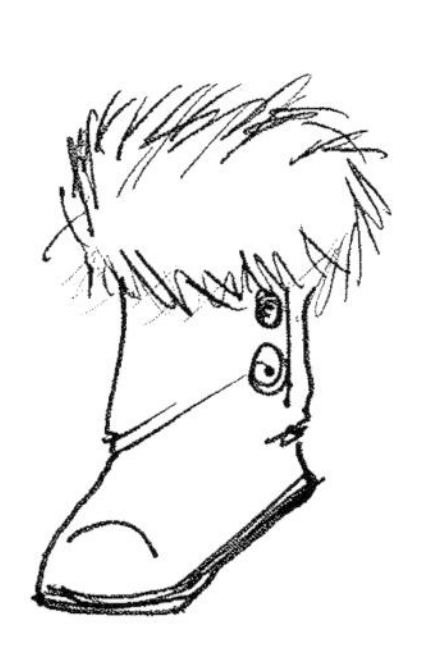

及膝懒人靴

首先绘制鞋底，设计靴子的高度并画出靴帮的形状，然后绘制鞋面上的折皱，表现出不平整的外观，最后在靴底和鞋身上的折痕处绘制立体感阴影。

绘制要领

设计师和品牌的标识符号常常会印制在鞋子上，例如品牌的标识图案或色彩设计被制作成鞋底，这样做的目的是使他们的产品具有高识别度。

7

角斗士凉鞋（绑带鞋）

这种鞋子在21世纪初开始流行。绘制时，先画鞋底，再画鞋面，鞋跟上绘制绑条形鞋帮，包裹住脚踝，长至小腿中部。鞋头和鞋帮上画上绑条和系带。

绘制要领

古代的图像资料也可以给设计师们提供设计思路。这款鞋子与罗马的马赛克画像中的古代士兵的鞋子很相似。

8

懒人包

懒人包或“流浪汉”包有一个月亮形外观和肩带。首先绘制两边的包带，包带向下逐渐变宽，直至包底部，然后在底部用一条柔和线条连接包底，在包带之间画上拉链，完成整个包袋的绘制。

绘制要领

将懒人包改成手袋：在懒人包的包口位置画一个扣钩，扣钩下画上些许碎褶裥，表现出手袋蓬起的形状。

信封袋式包

首先在这款包的上包盖位置绘制一个三角形，三角形两边等长，连接到包中部；接着画包袋的两边袋侧和底部，然后是内三角形的下包盖，最后绘制闭合件和包襻等细节。

绘制要领

采用与信封袋相似的基本长方形来绘制链条包的形状。包的中部位置加上一条宽褶结，一条金属链条连接包头的两端。

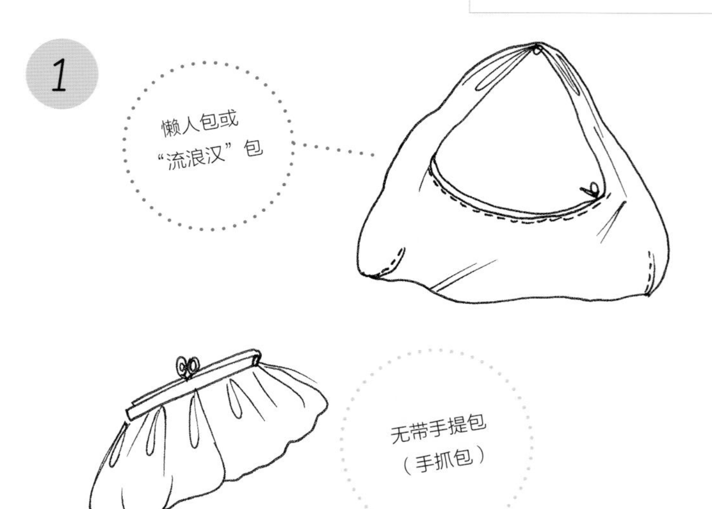

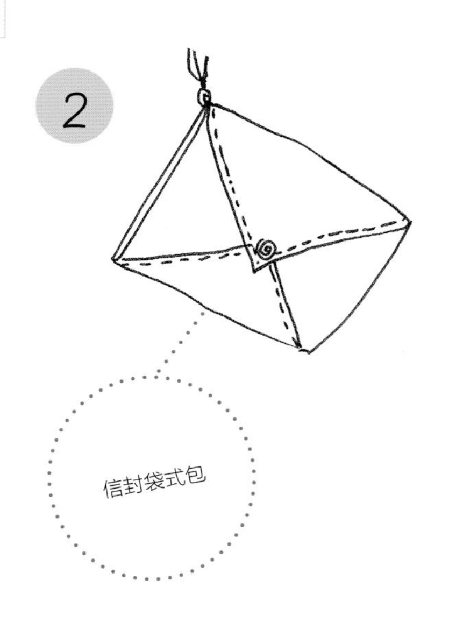

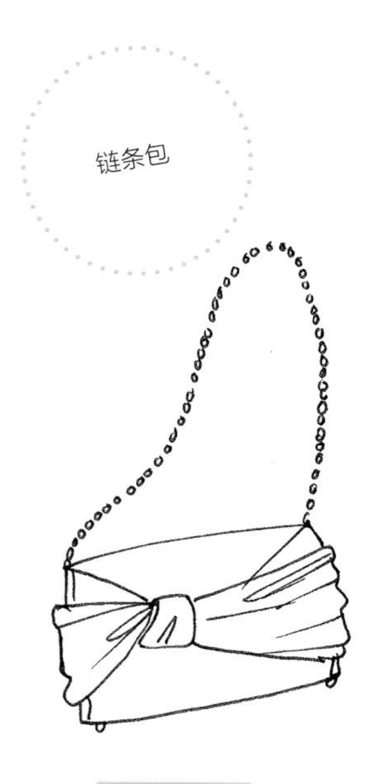

结构型包

从侧视角度绘制结构型包，画出包的宽度、高度和长度。因为是从侧面绘制，所以各个线条之间形成不同的夹角。最后绘制手柄、闭合件，以及底部保护皮革的铆钉等细节。

绘制要领

比较结构型包和荷袋包，它们有哪些相似之处？有哪些不同之处？

手提编织包

绘制时，把这款包想象成一组拼装起来的几何形：中部是一个长方形，两侧是两个三角形，手提带是半圆形，底座是细条长方形；包上再画上编织纹路或格子纹路，加上手柄，包边再画上缉线，包口搭配皮制的搭扣。

绘制要领

超大包可以给整体服饰增加戏剧性的装饰效果。仔细观察，下图的大手提包与编织包有哪些不同之处？

钟型女帽和软呢帽

比较这两种帽型：钟型帽有一条紧窄的头带，宽边低帽檐压在一只眼睛上；而圆帽顶软呢帽有一圈宽帽边，一条窄帽檐遮住部分脸部，顶部有一个凹折痕。

绘制要领

练习绘制向上和向下翻折的帽檐，向上翻折的帽檐应显露出更多的脸部细节。

1

针织毛绒帽和无檐帽

首先绘制基本头型，沿着额头绘制帽边，锯齿形的是毛绒帽，弧线形的是无檐帽。头部两侧沿着基本头型向上直至帽顶画帽身，毛绒帽顶画上针织绒球，无檐帽上画上细褶线。

绘制要领

记住绘制这两款帽型时，帽檐至少位于头部发际线以上一半的位置。

2

绘画练习：配饰

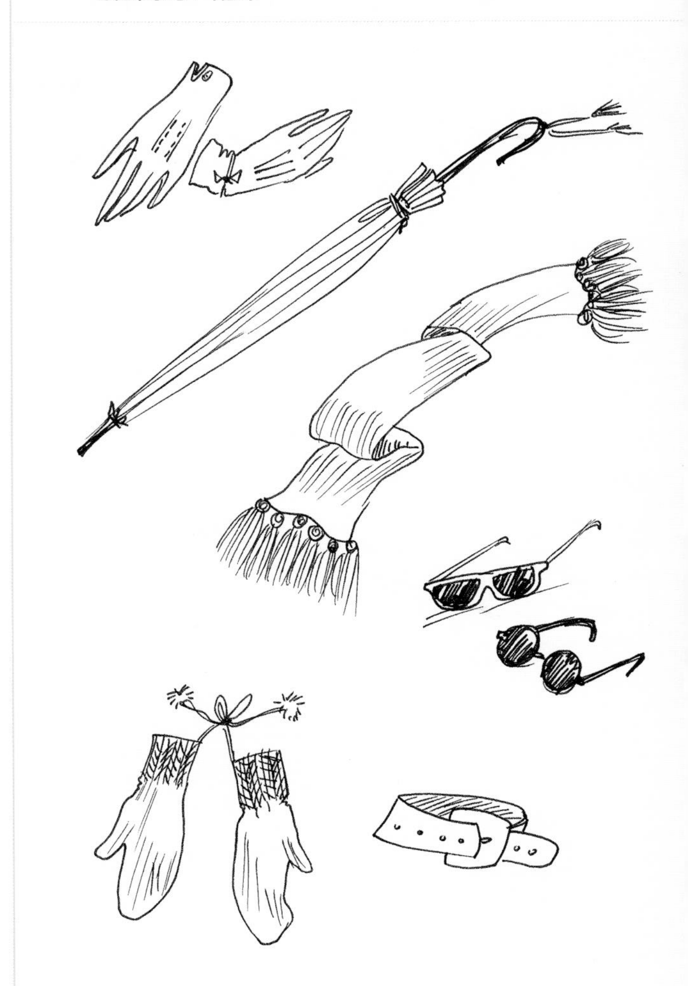

手套、围巾、珠宝、太阳眼镜、雨伞、腰带、长袜、短袜和鞋子，这些配饰都有助于塑造一个完整的服饰形象。这些配饰通常都是单独销售的，而不是作为某件服饰的部件销售，因为如果那样做的话，销售成本就太高了。

配饰上的细节表现很重要，所以绘画时应使用削尖的铅笔细腻地进行刻画和表现。仔细观察自己收藏的配饰，了解它们的结构特征。

也许你还可以设计一些新型的配饰，随着科技的进步，你可能想为一些新出现的用品设计配饰，例如电脑和手机之类的工业产品。

先做重要的事情

在你可以开始设计前，你需要确定自己已掌握模特人体或基本模型的绘画技巧。速写稿必须从人体绘画开始，这是服装设计的起点。一旦你塑造出完美的人体，就可以进行下一步的设计构思与艺术创作。

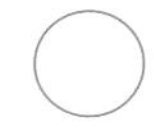

时尚设计师常常每天花费数小时练习绘画，提高他们的表现技艺，并获得灵感和形成自己的风格。根据本书第34～41页介绍的绘图步骤，一遍遍地练习，不久你就能画出自己的模特人体，这里提供了几个学习的技巧：

有计划地绘画训练

学习桑德拉·罗德斯找寻设计灵感的方法，尝试**每天手绘一幅速写稿**。

保持耐心

要想学好绘画，需要**投入时间**不断地练习，所以要有耐心。记住，本书的访谈设计师中大多是自学成才的，例如英国服装设计师诺曼·哈特奈尔，他童年时体弱多病，所以他用大部分躺在床上的时间学习绘画，相关内容可参看本书第20～21页的设计师访谈。

坚持练习

刚开始在公众场合绘画时，你可能会感到尴尬，但**请不要放弃**，一旦你掌握了绘制人体的方法和技巧，你就能从绘画中获得真正的乐趣。

留出时间

你可以为绘画练习制定规范的学习计划。你能在家里**创建自己的时装学校**，并邀请朋友们一起来练习么?

创建自己的风格

你如何通过模特人体**表现自己的风格**呢? 你可以让模特看上去像欣赏的某人，也可以像你自己。学习顶尖设计师的手稿，借鉴他们表现人体脸部、发型和妆容的方式，这是他们形成自己独特风格的关键。

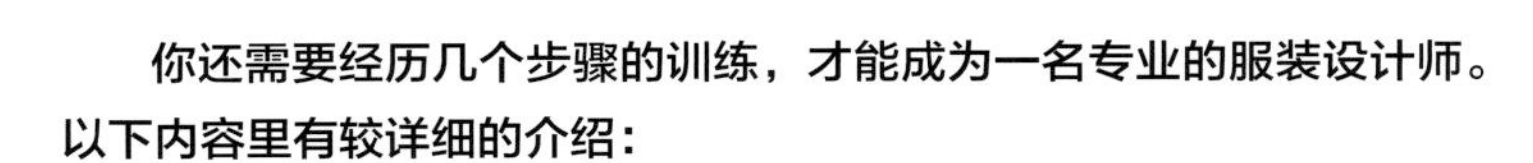

你还需要经历几个步骤的训练，才能成为一名专业的服装设计师。以下内容里有较详细的介绍：

1. 设计概要或设计概念

你的客户会告诉你设计概要的内容。客户是你将要提供设计服务的个人或公司。设计概要是系列设计必须遵循的一套设计指南。

2. 设计调研

你需要研究时尚趋势，收集流行情报、图片和资讯，这些有助于你更好地理解设计概要。准备一个记录各种设计研究的速写本，你可以用它快速记下设计思路，绘制设计构思的草图。

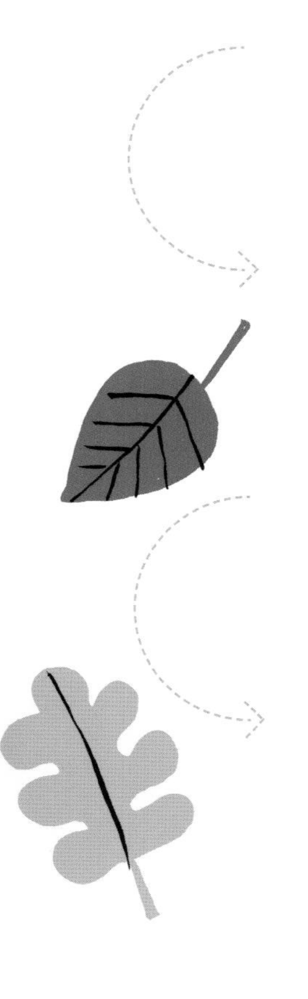

3. 情绪板的制作

情绪板是一种拼贴板，集中展示了你的草稿和构思，它帮助你将这些零碎的素材看成一个整体，并从中识别出关键的设计核心。

4. 系列服装设计的策划

设计系列是一组精心设计并挑选的整体服饰，为参加某个时装周而准备的。

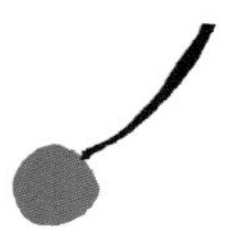

确定消费需求

为自己设计服装是一件有趣的事情，但通常情况下，服装设计师不得不根据客户的喜好来设计，他们有自己特别的需求。作为一个设计师，你将被要求遵循一套设计指南，这是你进行系列设计的基本约束，这种设计指南被称为设计概要。

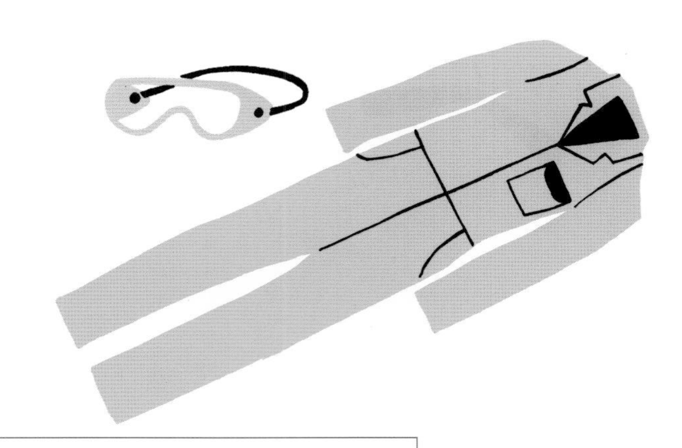

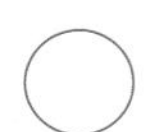

在你拿起铅笔开始设计前，你需要就你将要设计的服装问几个问题，找到设计主题。

目标消费群是谁？谁将会穿着你设计的服装？

- **男性**还是**女性**？
- **单人定制**还是**批量生产**？
- 客户是哪个年龄段的？大概统计就行。他们是**少儿**还是**青少年**？或者是**中年**或**老年**？
- 他们的**生活方式**是怎么样的?他们穿着你的衣服将会做什么？是去办公室上班，还是参加热闹的派对？
- 他们的**尺寸**是怎样的？

你瞄准的是哪块消费市场？高街成衣还是高级定制？

什么是高级定制？

高级定制是顶级时装屋的独创设计作品。通常情况下，高级定制都是由昂贵的面料制作而成的。很多时候，这些服装是由手工缝制而成的，有许多精致的细节设计，每款只有很少的几件。高级定制服装只在时装屋展示，引导着下一季的潮流趋势，是最顶级的一类时装。

什么是高街成衣设计？

高街成衣设计常常会模仿高级定制的基本风格和外观，但使用较为便宜的面料进行大批量制作，并快速销往世界各地。相比高级定制的豪华制作，高街成衣常常会选择便宜的面料，也不苛求款式的精致细节，属于时尚产品中经济实惠型产品。

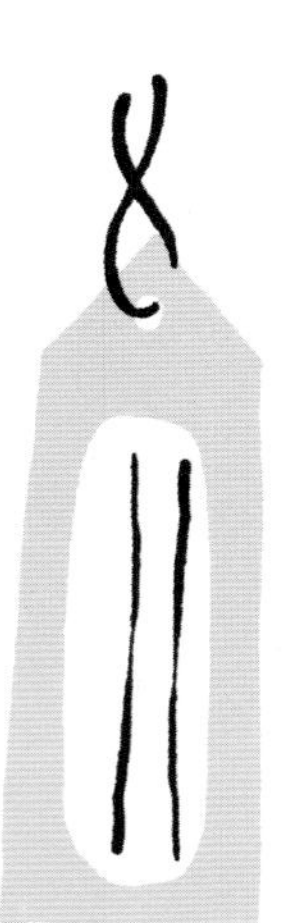

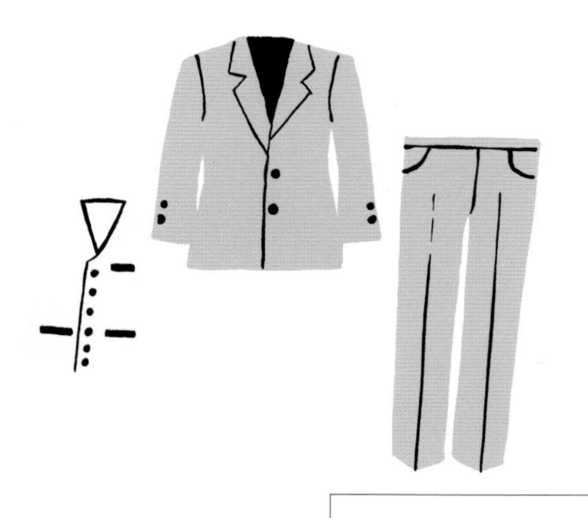

创意主题是什么？

・有没有你必须遵循的设计核心？你可以不受约束，自由自在地做任何设计吗？

在哪个季节发布？是春夏两季还是秋冬两季？

・仔细思考面料的种类和色彩，以适应发售的季节需要。

・你设计的服饰是保暖型的，还是凉爽型的？

什么是价格预算？

思考最后成衣的价格范围，它们将在当地市场上销售，还是在昂贵的专卖店销售？这个答案将促使你思考设计是选用昂贵的面料，例如丝绸，还是选用较便宜的面料，例如棉质运动型面料。

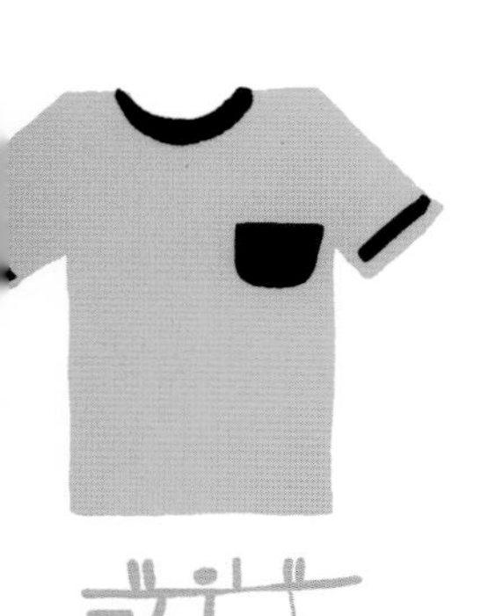

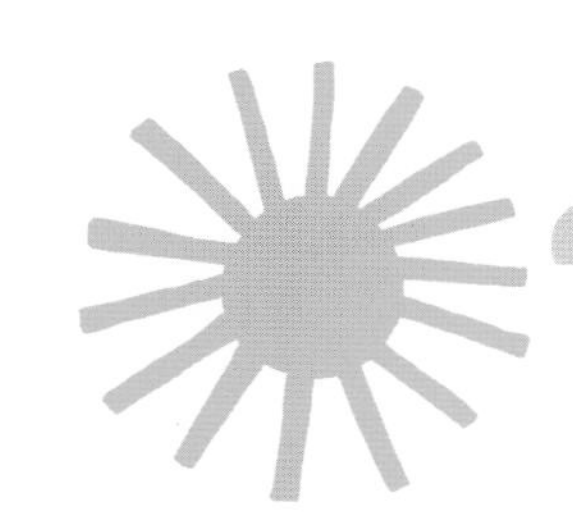

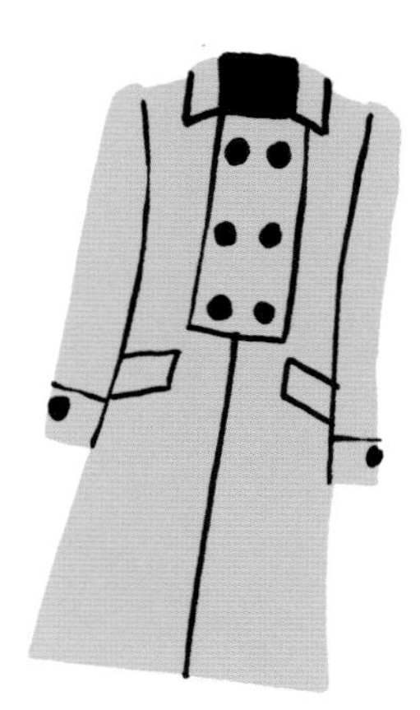

5种不同的设计主题

记住，主题是设计过程中重要的组成部分。设计初期，主题可能极具挑战性，但它可以让你专注一个方向，集中创作思路。主题也能激发你开始设计的热情！现在可以进行主题设计了，你会选择下面哪个方向进行练习呢？

1

都市夜色

创意主题

·一家高街连锁店邀请你设计一系列聚会服装，设计主题是都市夜色，你觉得你的客户应该穿什么样的服饰去彻夜狂欢呢？

目标市场

·青少年和年轻女性

·全码尺寸

·热门的高街服饰连锁店

发布季节

·秋冬两季

面料

·超轻而保暖的冬装面料，适合多层加工，外观精美。

价格预算

·中等价位到轻奢侈品价格。

样衣设计

一系列聚会服装，包括两件连衣裙、两条长裤、三件上装，三件外套或一件大衣，另有一些配饰等。

去哪里找寻灵感呢？去看场老电影吧，那会激发你的奇思妙想。

2

跳跃！

创意主题

·这是一个泳装设计的主题，涵盖了冲浪和海滩时光这两块内容。思考下，你会在海滩上做什么？穿着什么样的服装？

目标市场

·（男女）青少年装

·全码尺寸

·独立的海滩精品时装店

发布季节

·春夏两季

面料

·全棉针织衫，运动型面料，例如尼龙和莱卡。

价格预算

·轻奢侈品价格。

样衣设计

全系列青少年（男女）泳装和海滩运动装，还包括游泳遮布和晚上穿的外套。

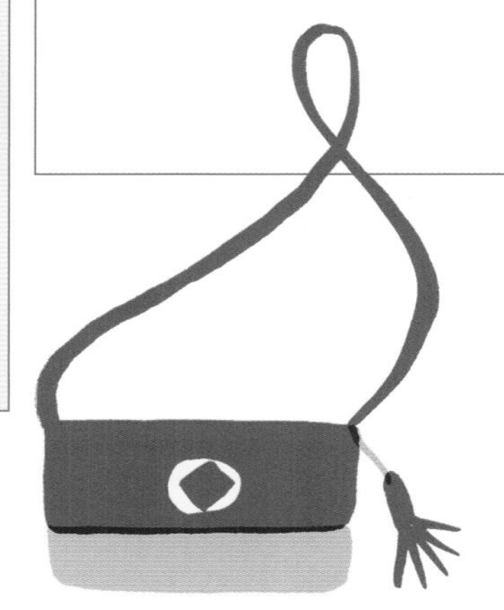

3

电视明星的装扮

创意主题

·你被邀请为一部校园电视剧设计服装，领衔主演的是一群年轻的影坛新秀。思考下如何设计不同的服装来刻画角色形象。

目标市场

·演员名单上的三位男性角色和三位女性角色

·全码尺寸

发布季节

·用于剧中的第一个场景：秋季开学（重返校园）

面料

·尽可能使用各种面料，有助于塑造不同的角色性格。

价格预算

·没有价格约束，因为这些是特殊的仿剧服设计。

样衣设计

分别为三位男性和三位女性设计一整套服饰。

4

婚纱佳人

创意主题

· 在这个系列中，你将为某位新娘度身定制（一次性）一款婚礼服，没有别的新娘再会去穿着，每个新娘都希望在自己的大喜之日里美丽绝伦，所以，设计师们尽情地发挥自己的创意吧！

目标市场

· 定制新娘礼服

发布季节

· 春夏两季

面料

· 丝绸、缎料、雪纺、蕾丝和钉珠，或刺绣面料。

价格预算

· 因为是定制礼服裙，所以价格较高，这也会影响款式的设计。

样衣设计

设计一系列共五件婚礼服（婚纱），采用不同的造型和长度，记住，婚礼服不一定都要及地长。

去哪里寻找灵感呢？是翻新老式婚纱？还是构思一下未来3000年的婚纱风格呢？

5

情迷“小黑裙”

创意主题

· 小黑裙是最经典的款式之一，它永远不会过时。由于小黑裙色彩单一，所以你只能从面料手感和款式造型上寻求突破：手感是粗糙的，还是细腻的呢？造型是紧身的，还是宽松的呢？考虑这两个方向，设计出属于你的小黑裙。

目标市场

· 年轻女性

· 高街的消费者

· 可接受的奢侈品价格（轻奢侈品价格）

· 全码尺寸

发布季节

· 秋冬两季，另外为圣诞节热卖季专门发布一次。

面料

· 任何面料，只要是黑色的。

价格预算

· 高街品牌设计中的中低价位。

样衣设计

8～10款小黑裙的系列设计。

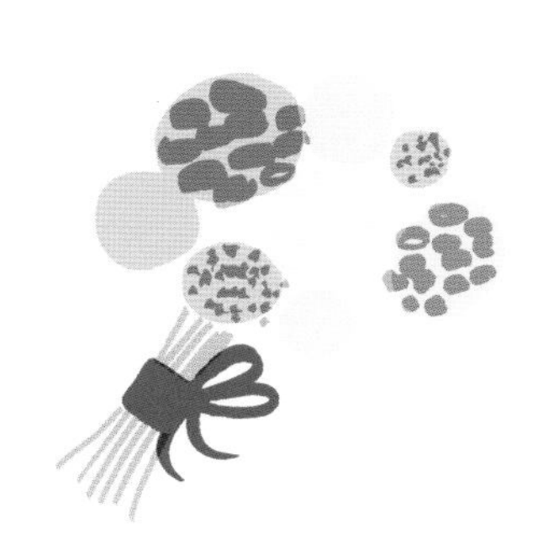

展开设计

现在你已经有了自己的设计主题，接下来你需要找到与主题相关的理念、图像、色彩、面料和图案来进行设计。阅读下面的内容，了解设计调研的渠道和方式。

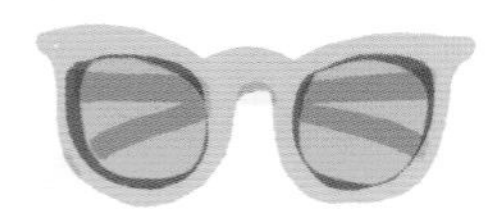

经典回顾

书籍

· 阅读有关**时尚流行**和**服装史**的书籍。从过去的历史中汲取灵感，用现代的手法加以再现，这是非常有趣的事情。

· 参观**图书馆**，更深入地研究服装史，例如了解20世纪初女性是如何开始使用裤装的，她们的生活方式发生了什么样的变化。

博物馆和画廊

· 一些世界上最大的博物馆，是为了收藏艺术家和设计师们的作品而建的。带上**速写本**去参观，临摹吸引你的艺术作品，即便是最小的细节也会对设计有帮助。

为谁而设计?

· 当你在设计时，脑海里是否有一个具体的人物形象？一些服装设计师喜欢通过幻想某个真实的或虚构的人物来激发自己的设计思路。也许你的设计对象也是来自电影、电视剧或书本里的某个你**最喜欢的人物**。

媒体资源

杂志和报纸

剪切那些有趣的**图片**和**新闻故事**，把它们贴在你的速写本里作为设计素材。时尚杂志是一种很好的设计资源，但你也可以从**旅行杂志**或**科学杂志**中受到启发。

网络

网络是一个非常大的资源库。你可以保存一些**你喜欢的网站**，当你有思路时，你就能在这些网站上跟着主题做进一步的设计研究。你可以把喜欢的**图片下载打印**出来，贴在速写本上，或者保存在你的电脑桌面上。

荧幕故事

电影

· 观看电影可以体验**不同时代**和**不同的生活环境**，这种视觉感受可以带给你源源不断的创意。

· 科幻小说改编的电影，可以启发有关**太空时代**的设计思路。

· 历史剧可以帮助你了解历史上的那些**浪漫的人物形象**。

· 租借DVD或蓝光碟片，闲暇时观看，最大的好处是你可以一遍一遍地看，反复观摩你喜欢的片段。

电视剧

· 观看电视剧中人物的**时尚装扮**。

· 观看再现古代服装或现代时装特征的**古装剧**或**纪录片**。

出去走走

创意主题

· 你所置身的大自然和周围万物的形状、颜色、质地都能启发绝妙的创意。

· **蜘蛛网**上精细的网丝结构可能会成为蕾丝上衣的图案。

· **叶子**、**树皮**和**苔藓**的颜色和肌理，可能会给皮草、灯芯绒和丝绒的织物设计带来灵感。

建筑物

· 观察周围**有趣的建筑物**，无论是华丽的还是朴实的，古老的还是时尚的，建筑物的造型和外观都能点燃设计师的创作热情。

· 不要局限于只看周围的建筑物，你也应多翻阅**建筑类书籍**，临摹或复印**建筑物图片**来寻找创意。

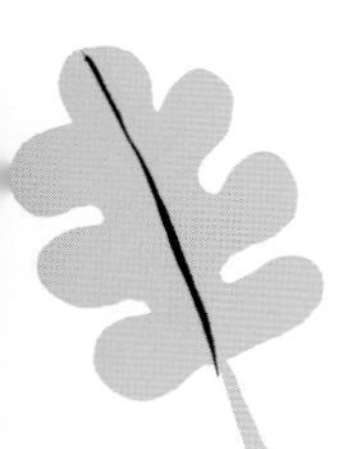

有什么新品?

商店

· 从奢侈品专柜、古董店到慈善零售店和超市，每家商店都是你发现自己喜好的好去处。这些店展示了当季热销和流行的商品。

跟踪潮流趋势

· 观看最新的**时装秀**，跟踪并预测时尚潮流。你可以多看看报纸和杂志上的秀展照片，也可以在电视和网络上看直播。

· 新一季的发布会上都有什么内容？你能发现它们**共同的主题**么？有没有相似的**造型**和**面料**呢?

记录下来!

速写本

· 尽量携带一个记录本或速写本，随时**记录**下那些触动你的事物。经常翻看这些速记，寻找有关设计主题的答案。

照片

· 另一种有用的记录工具是你的**相机**。随身携带一部相机，拍摄下哪些可能带给你创意的任何事物。

· 或者，你也可以用**手机**拍摄。

设计灵感的提炼

一旦你的速写本记满了构思和草图，你就可以开始整理和提炼自己的想法，构思出设计的主题。提炼灵感的常用方法是制作一个情绪板。

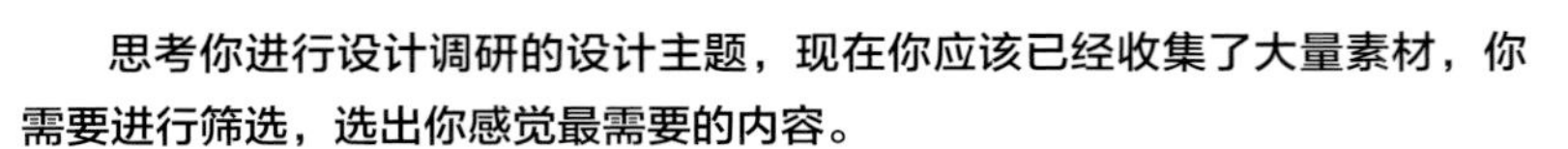

思考你进行设计调研的设计主题，现在你应该已经收集了大量素材，你需要进行筛选，选出你感觉最需要的内容。

什么是情绪板?

情绪板有时被称为是故事板、表达板或概念板，是一种拼贴艺术形式。“拼贴”是指许多不同的资料素材组成一张图像，这些素材被黏贴在同一个背景前。情绪板就是一个拼贴，是将你的不同研究资料拼在同一张板上，它们构建了你的系列设计的主题。

需要准备哪些材料和工具?

· 准备一块A3大小的纸板，如果你有钉板的话，也可以使用；你还需要胶水、图钉和剪刀。

· 收集你已经裁切下来的图片，增加一些面料小样和一些文字说明、色彩样品等，把它们黏贴在一起。

· 你自己的设计草稿：你可以复印速写本上的原稿，或者重画一遍，而不是直接从速写本上撕下来。

如何筛选情绪板的内容?

· 不要马上黏贴任何资料，先把这些拼贴素材进行调整和布局，观察是否能体现出它们之间的内在联系？你的这些不同拼贴之间有什么共同点?你能看出逐渐清晰的设计主题吗?

· 某些形状或外观是不是出现了好几次?

· 相似的色彩和图案之间有什么关系?

情绪板如何布局?

· 当你确定找到主题时，就可以舍弃任何不相干的多余的内容。当思路越来越清晰，设计也就越来越容易。

· 用你感觉最好的方式整理拼贴资料，用剪刀修剪图稿的边缘，然后黏贴或钉在纸板（或钉板）的不同位置。

· 挂起情绪板，或放在你能清楚看到的地方，准备开始设计！

什么是服装系列设计？

服装系列设计是指同一个表现主题下的系列服装的设计与组合。这组服装可能是为某个时装周准备的设计，或者具有相似的图案、色彩和面料等特征。

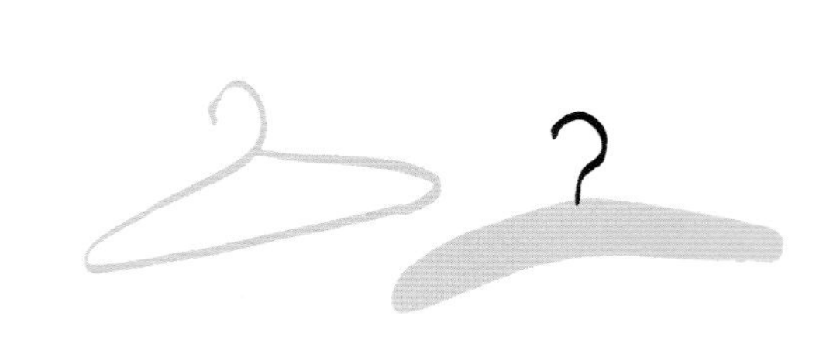

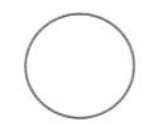

观看制作好的情绪板，理清设计理念和创作主题，然后从这些素材开始设计构思，并逐渐展开设计成系列作品。

如何展开设计思路？

·重新绘制你为情绪板准备的那些设计。有个小窍门：在**同一个页面上**画这些设计。有时你可以一排放上4个或4个以上的款式，在这个重绘过程中，你能轻松地从上一个款式延伸设计出下一个款式。

系列设计中应包含哪些内容？

·每个系列设计都应是个平衡的组合，使用或舍弃哪些设计内容，需要设计师付出大量的时间、精力和耐心去权衡。

·大件的服饰，例如**大衣、外套**或**礼服裙**，在任何系列中都是主打服装，所以设计整合时，确认你准备了足够多的大件服装。

·**上装**和**马甲**，总是与其他服装搭配使用的，所以你可以稍后再设计这类服装。

·为了设计出多种外观和造型，核对系列中的**上、下装**的数量、种类是否搭配妥当，上装有衬衫、针织衫和外套，下装有裙子、长裤和短裤等。

如何知道系列设计已经完成？

·专业设计师从不同的观众那里获得反馈信息，这将帮助他们决定何时才能将设计投产，制作成真正的产品。那么，你可以向谁征询意见呢？你能邀请你周围的朋友来开场**秀展**吗？他们可能会提出建议，帮助你优化设计，并把创意发挥到极致！

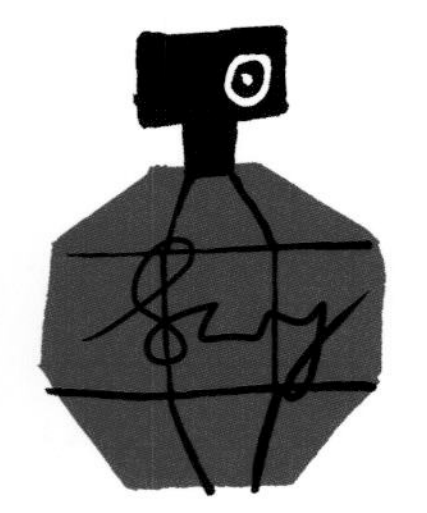

1
上装和
搭配的下装
这组系列设计的灵感来自20世纪80年代的时尚潮流，设计师选择从款式各异的上下装入手开始进行设计。
2
外套和
搭配的短靴
设计好主打服装后，设计师又增加了几件较厚重的服装和配饰，使整个系列作品看起来更加完整和平衡。

进军时尚业

如果你热爱服装设计，并渴望从事这一行业，这里有几个实用性建议，帮助你实现自己的设计梦想。

坚持练习绘画！你画得越多，就越能体现出你严谨的敬业态度。

如何才能坚持拓展设计思路？

· 你应该保留一个**速写本**，并将自己的设计想法**有条理地记录**在其中。

· 坚持**更新知识**，保持与时尚业同步，关注网络的**时尚博客**，经常浏览**时尚网站**去了解最新的时装秀展，并在速写本上记录下你感兴趣的内容。

该如何展示自己的设计？

· 你的作品应有助于你在**时装学院**或时尚行业中获得认可，所以应该认真思考如何表现出你的创意。

· 为自己订购一个**画夹**：一种专业收藏夹，可以将最好的作品归集在其中。认真思考如何**陈列**这些作品，才能展现出最好的效果。你的艺术老师也许能在作品陈列方面给你一些建议。

应该去艺术学院或服装学院学习吗？

很多设计师都曾在艺术学院或时装学院学习过。他们中的许多人认为，这段学习经历对于他们的艺术创造非常重要。如果你已决定从事时尚业，可以先做一些调查，进一步了解相关的学习机构和课程。

· 时尚课程有很多种，从**初学者**的基础课程到**研究生**高阶课程都有。

· 想要了解时尚业是否真的适合自己，为什么不去某个时尚学院，参加个**短期课程班**，试听一下呢？

· 你可以专攻服装设计的某个设计种类，例如女装、针织服装或西装的设计；你也可以研究时尚行业的不同领域，例如时尚传媒业或纸样裁剪技术等。

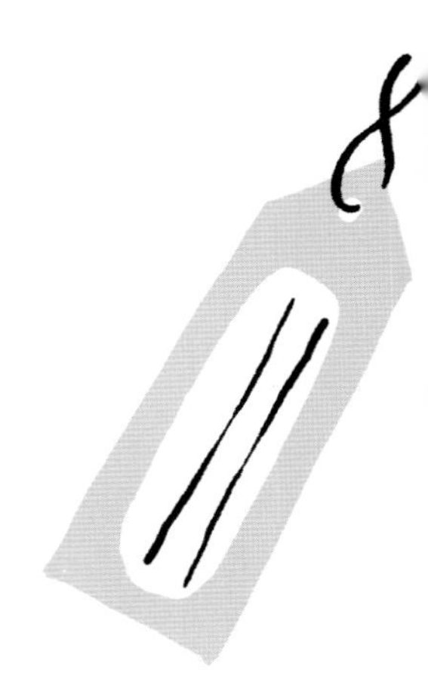

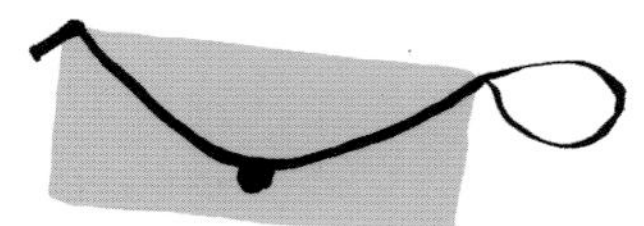
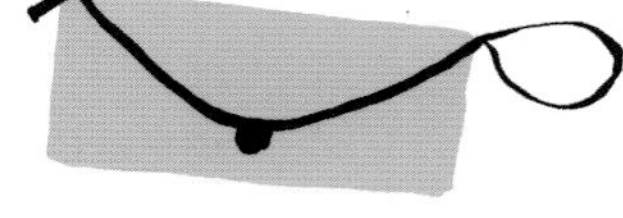
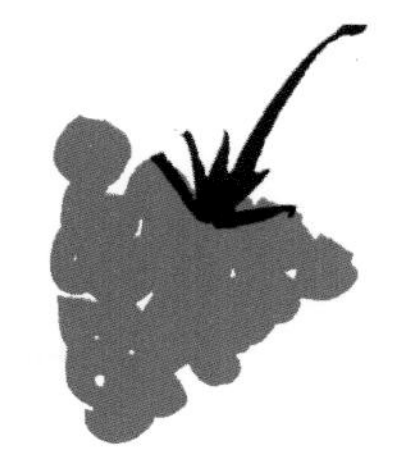

时尚界有很多种不同类型的工作，这里收集整理了几种常见的职业类型。初学者可以通过浏览时尚网站、阅读专业书籍或与时尚从业者交流，了解更多的相关内容。

时尚博客博主（Blogger）

在网络和社交媒体上撰写有关时尚流行和着装风格的评论。许多博主还有其他工作，但有些博主就是以写作时尚博客为生。

买手（Buyer）

为某个商店或卖场选择服装并下订单。

时装设计师（Designer）

设计服装并为某个时尚品牌塑造品牌形象。

时尚编辑（Fashion editor）

为时尚杂志、报纸或网页撰稿和宣传，主要客户为专业设计师或品牌公司。

纸样裁剪师（Pattern cutter）

根据服装设计师手稿，设计并制作所有衣片的纸样。这些纸样将指导后期的裁剪、缝纫成衣等一系列工序。

零售商（Retailer）

出售服装给消费者。零售商可能是品牌公司、零售商，也可能是在线商业网站。

样衣师（Sample cutter）

使用样衣面料（坯布），寻找最佳裁剪方式进行样衣的制作。

造型师（Stylist）

为商场橱窗、时尚广告、服装杂志和报纸提供服饰搭配、时装拍摄和秀展服务。

趋势预测专家（Trend forecaster）

帮助公司确定下一季服装的流行趋势和消费者的购物倾向。

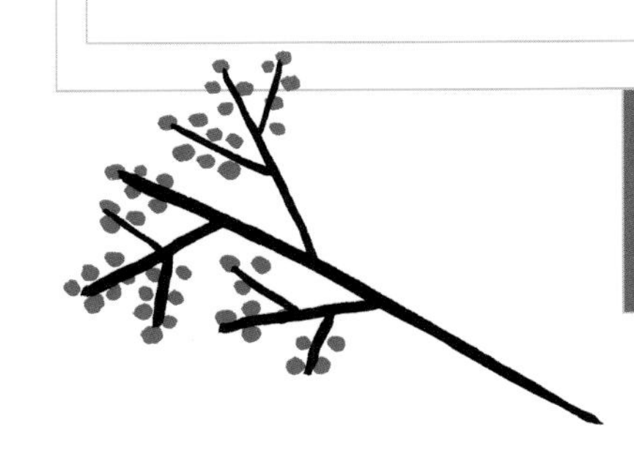

有些时尚英语术语来自于法语的谐音，这是因为在20世纪初期法国巴黎是世界时尚中心的缘故。

如想进一步了解有关艺术创作的相关术语，参见本书第28页的内容。

如想进一步了解时尚行业职业种类的相关术语，参见本书第93页的内容。

设计专业术语

不对称（Asymmetrical）：不对称指的是设计作品的左右两部分不一致。

定制（Bespoke）：为某个客户专门量体、设计、制作的服装。

基准线（Brief）：模板上特别标识的实用而具有指导性的基础线,用于帮助设计师准确快捷地绘制手稿。

拼贴（Collage）：拼贴是指一种艺术表现技法——将不同材质的设计元素进行搭配组合，并黏贴在同一张作品中的表现形式。

发布会（Collection）：设计师为某个时装周筹划组织的系列设计作品，这些作品通常表现的是同一个设计主题、色彩系列或轮廓造型。

计算机辅助设计系统（Computer-aided design，CAD）：使用计算机设计软件进行产品的设计和艺术表现。

当代（Contemporary）：来自同时代的设计，给人以时尚摩登和新鲜感。

高级时装（Couture）：高级时装是指服装界最顶级的奢华服装，一般是专为某位客户度身定制的。高级时装的称呼来自法语高级定制时装，在意大利称为Alta moda。

面料组合（Fabric story）：根据图案、色彩或肌理选择出的一组面料，用于策划同一组系列设计。

时装模特人体（Fashion figure）：一种供时装设计师绘制服装的人体模特。普通人体身长约为7.5个头长，但是时装模特人体身长至少为9个头长。

时尚预测（Fashion forecasting）：时尚预测是指在全球范围内研究并预测时装设计师、消费者将会在下一季选用何种色彩、纺织品和款式。

时装系统（Fashion system）：服装业内有各种不同档次的服装被设计、生产和销售，从高级定制服装到平价服饰构成庞大的产品行业系统。

平面款式图（Flat illustration）：一种表明款式细节和裁剪方式等工艺说明的线稿，常与设计手稿或成衣图同时绘制。

风景画版式（Landscape format）：一种长方形画框格式。这种版式的宽度比高度长。

小黑裙（LBD）：小黑裙Little Black Dress的缩写。小黑裙是指一种小巧、简洁、精致的鸡尾酒裙或小晚礼服裙。

手稿系列（Line-up illustration）：一组服装手稿被有序地组合排列，展示同一个系列的风格特点。

缪斯女神（Muse）：某个真实存在或想象出来的人物形象，具有某种特别的外观或神态，可以给设计师带来艺术灵感。

调色组合（Palette）：设计师为某个系列设计专门挑选的一套色彩组合。

设计作品册（Portfolio）：设计作品册是指时装设计师经过精心整理的作品组合，包含灵感插画、设计作品和情绪板等。作品册通常按设计过程的顺序装订成文件册，也可以做成电子文件展示。作品册展示了设计师整个设计过程：灵感来源、设计构思、表现技法以及最后完整的款式手稿等系列内容。

肖像画版式（Portrait format）：一种长方形画框格式。这种版式的高度比宽度长。

高级成衣（Pret-a-porter）：Pret-a-porter是法语，意思同Ready-to-wear。

高级成衣（Ready-to-wear）：以标准尺码制作和出售的成衣。20世纪60年代时装屋推出的一类较廉价的服装，用以替代当时的高级定制服装，现在这类服装已经成为设计师品牌的主要服装种类，与高级定制具有同等的市场地位。

原创稿（Roughs）：设计师在最初创意构思期间绘制的设计手稿。

廓型（Silhouette）：廓型是指服装外轮廓呈现的主要造型或线条。

服装结构术语

配饰（Accessories）：配饰是用于搭配服装，完善整体风格效果的装饰品，例如腰带、珠宝和围巾等。

大身（Bodice）：服装对应人体躯干部分的上半身结构，通常是指从颈部至腰部之间的这部分服装结构。

胸围（Bust）：人体的胸部围度尺寸或服装上胸部位置的围度尺寸。

胸围线（Bustline）：胸部最丰满部位的水平线或整个胸围的水平围度长。

领子（Collar）：服装上用于装饰和保护颈部的局部结构，通常缝合在领围线上。

袖克夫（Cuff）：服装袖口的衣片结构部分。

省道（Dart）：省道是面料经过折叠和缝制，在服装上形成的立体造型。省道常用于胸部、腰部和臀部的造型设计。

双排扣（门襟）（Double-breasted）：茄克或外套上的两排钮扣的门襟闭合件设计，通常搭配以宽门襟。

牵绳（Drawstring）：缝在服装里的绳子或带子，可以用于“收紧”或“打开”局部结构。

肩饰（Epaulette）：一种带状的肩部装饰或标识结构，常用于军服或工作制服的设计。

鱼眼省（Fish-eye dart）：将面料对折成钻石形进行裁剪和缝纫形成立体

制作工艺术语

造型的省道设计。

下摆（Hem）：下摆是指服装上被折叠或缝制的衣片边缘部分，常指裙装或裤装的底边。

下摆线（Hemline）：服装的最下缘部分，也称为下摆（Hem）。

翻领（Lapel）：大衣、外套或衬衫的领口上左右对称、可翻折，并立在领颈部的领片结构，也称为翻折领（Rever）。

领围线（Neckline）：领围线是指服装颈部位置为了便于头部穿脱设计的领口结构线。领围线上常设计有可闭合的结构设计，例如钮扣或拉链，便于头部的自由活动。

刻口（刻槽）（Notch）：位于驳领与翻领之间的三角形缺口结构。

口袋或开口（Placket）：口袋是指衬衫或外套上用大身面料制作的袋状容器，通常上面配有功能性的钮扣和扣眼设计。开口是指服装上领部、袖片或腰围等位置的开缝设计。

褶裥（Pleat）：褶裥是面料经过折叠设计后形成的褶皱。褶裥常用来增加服装的体积感。

翻折领（Rever）：注释见翻领（Lapel）。

拼缝（Seam）：两层（或以上）面料通过缉缝线连接起来形成的拼接缝。

单排扣（Single-breasted）：单排扣是指只有一排扣子的闭合设计，常见于外套或大衣的前门襟设计。

腰带（Waistband）：腰带是指服装上腰部位置的带状结构，通常由大身面料制作而成，例如裙腰带和裤腰带。

育克（Yoke）：服装上颈肩部位的衣片结构，常用于加固服装结构上的受力部分。

拉链（Zip）：一种使用便捷的服装闭合件。

斜裁（Bias cut）：斜裁是指将面料沿着斜向45°丝缕方向进行裁剪，裁出的衣片缝制后可以获得更好的伸缩性和悬垂性。

人体草图（Corquis）：一种拉长的时装人体模板草图，专门用于设计各种时装。英文词“Corquis”来源于法语中的“Sketch”。

立体裁剪（Draping）：立体裁剪是指将面料放在人台模型上直接进行设计和裁剪的服装制作方式。设计师采用立体裁剪的制作方式，可以直观地将平面面料制成理想中的立体造型。

试样（Fit）：当纸样、面料和制作工艺由客户确认后，时装屋（或公司）制作第一件实样，并被立体展示、评价的过程。

发际线（Hairline）：发际线是指前额和头皮交界处的边界线，或是额头上头发开始生长的边缘线。

展示人台（Mannequin）：一种仿制人体的展示模型，可以将面料披挂在上面或套上服装进行展示。

白坯布（Muslin）：未经染色的白棉布，主要用于制作高级服装的样衣。注释同样衣（Toile）。

纸样（Pattern）：纸样是指标记有各种设计、工艺说明的纸质裁片，主要用于指导裁剪和缝纫等各阶段制作流程。

制板师（Pattern maker）：制板师是指通过立体裁剪或平面裁剪的方法制作版型，并指导工艺师缝纫制作立体成衣的纸样设计师。

首席设计师（Premiere）：设计师工作室里的主设计师的传统称谓。

原型（Prototype）：用成衣面料制作的第一件样衣，样衣母版在批量生产之前必须经过严格的检查和确认。

面料小样（Swatch）：小块的面料样品，用于标明最终服装的实际用料。

设计模板（Template）：设计模板是指时装人体的外形线模板或人体模板。时装设计师可以通过复制或描摹人体模板，缩短绘图的时间，提高绘制手稿的效率。

样衣（Toile）：一种立体展示设计师构思的服装样品，常常用坯布制作而成。

明缉线（Top-stitching）：缝制在服装表面上的缉线。

女店员（Vendeuse）：女售货员的传统称呼，来自法语，常见于20世纪的时尚行业。

下篇 经典服饰的绘制

大家好，我是安娜·苏。我是一名时装设计师，我非常热爱那些经典的时装画！当我还是学生时，历史课一直是我最喜欢的课程之一，我喜欢研究服装史，也从中学习到很多新的知识，我也喜欢带着观众一起去体验经典设计中那些触动人心的灵感精髓。当我策划编写我自己的书时，会去看许多前辈设计师们撰写的书，我也常常感到困惑：为什么他们不与他人分享创意灵感呢？他们的每件作品背后都蕴涵着丰富的设计创意和理念，我想大多数人都会觉得特别有意思。我总是喜欢去了解每个系列背后的创意思维过程。

我喜欢去淘旧货市场，尤其是在我旅行时。这是因为我比较热衷于寻找其他文明中的创作“素材”——手工艺和具有历史感的古董。我喜欢探索隐藏在每个重大事件背后的整个故事，这也是我想要在作品中表达的内容。

我认为20世纪60年代是对我最具影响的时代，我一直很欣赏这个时代的时尚流行。在我看来，这个黄金10年从始至终都呈现出一种极端的乐观主义精神，一切都在不断变化：音乐、电影、设计、艺术——到处洋溢着革新、自由的气息和无限的可能性。如果回顾整个近代服装史，我喜爱的服装设计师有：保罗·波烈、莱昂·巴克斯特、可可·香奈儿、鲁迪·吉恩莱希、玛丽·奎恩特、玛丽麦高、伊夫·圣·洛朗、奥西·克拉克和桑德拉·罗德斯等。我的设计也一直深受20世纪60年代巴巴拉·胡兰尼姬的高级女装品牌——彼芭的影响。

在我自己的设计生涯中，曾举办过多次作品发布会，或多或少都受到各种不同经典风格的影响：这其中有爱德华七世时代的花花公子，布鲁姆伯利的作家们，拉斐尔前派的画家们，洛可可的吉普赛人，维多利亚时代的牛仔，法国新浪潮电影，俄罗斯芭蕾舞等……有时候我会把不同时代和文化的风格进行组合搭配，例如策划某场时装发布会时，设计灵感来自法国皇后玛丽·安托瓦内特的服饰，设计思想是我在伊斯坦布尔旅行时所受到的浪漫土耳其海盗装的启发，还有阅读过的老牌流行乐队——“纽约娃娃”的图文介绍（他们标志性的华丽摇滚演出服，不仅色彩斑斓，还有黑、红、白系列，以及夸张的臂章、星形徽章和玫瑰花等），我把所有这些元素混合在一起，再用上印制了伊斯坦布尔的托普卡普皇宫瓦砾图案的面料，结果就组成了一场专属于我个人风格的时装发布会。

最后，我希望读者能喜欢本书，它展示了服装史上不同时代的杰出经典作品，我相信大家阅读时一定能受到启发，并获得宝贵的设计灵感。

左上图中模特内外搭配的图腾服饰展现了浓郁的东方特色，而右上图的模特服饰则体现了20世纪60年代的主流款式特点，下图中4个模特的服饰搭配来自安娜·苏的海盗风设计系列。

你想尝试绘制经典服饰了吗？

这一部分将为你介绍近代服装史上最具有代表性的服装画作品。让我们跟随时尚潮流先驱们的脚印，一起来学习绘制时装画，一起来探索经典传奇吧。

Trendsetters　Inspiration　21

Trend: The 1960s mini-dress
Designers: Foale and Tuffin
Signature look: D-dress
Key features:
• Simple shift dress
• D-shaped patch pocket in bold red and yellow
• Boxy, graphic shape and colours of pocket echo the Pop Art style of the period
• A fresh and new approach to fashion

Who loves this look?
Sir Paul Smith, designer

Foale and Tuffin

Sir Paul Smith says ...

'Foale and Tuffin were such pioneers. It was so revolutionary what they were doing; it linked the whole pop scene and the worlds of art and graphics. It was just really moving. And they made important work early on. These fantastic girls were really ahead of the game.

Who were Foale and Tuffin?

Marion Foale and Sally Tuffin were two designers who helped to define British fashion in the 1960s. They both trained at Walthamstow Art School and the Royal College of Art, London. They opened a boutique near Carnaby Street in London in 1961.

Foale and Tuffin were praised for the craftsmanship and the detail of their work. They were influenced by celebrated 1960s fashion designer Mary Quant. Their designs paved the way for key trends, such as the shift dress, colourful tights and trouser suits for women.

The famous fashion photographer David Bailey photographed Foale and Tuffin's designs, which appeared regularly in magazines. High-profile women wore their clothes. These included Marit Allen, who edited the 'Young Idea' section of British Vogue magazine, and presenter Cathy McGowan on Ready Steady Go! – one of the first television programmes to broadcast pop music to a national audience. The famous women who wore the label helped to promote Foale and Tuffin's work to a wide audience.

In this drawing by Sally Tuffin, two blocks of different colours emphasise the boxy shapes of the design.

In this photograph, the model Jenny Boyd wears a white linen Double D mini-dress designed by Foale and Tuffin in 1968. The yellow-and-red D-shaped pocket adds a graphic twist to a simple shift dress.

Bold diagonal stripes are used for dramatic effect in this design by Sally Tuffin. An outsized hat completes the look.

原创设计手稿及照片

时尚潮流先驱

在本章内容中，研究和评论时装画的专家们来自多个不同领域，他们有的是著名设计师，有的是名模，有的是时尚摄影师，他们将就不同时代选择自己最欣赏的代表性风格——来分析传奇设计师们的经典设计，揭示潮流的秘密。

读者可以通过研究时装照片和手稿，阅读相关资料来了解潮流背后的这些设计大师们，探索他们创造时尚的秘密以及他们的作品在时装史上成为经典传奇的原因。

读者也应从这些经典款式中汲取灵感，并用以塑造自己的经典款式和设计风格，记住保留平时的练习手稿，为后面的设计做好资料准备工作。

阅读专家们的观点，了解每种潮流趋势的独特风格

当你看到不认识的设计师名字时，请学会尊重，评价前先试问下自己是否喜欢他们的风格？

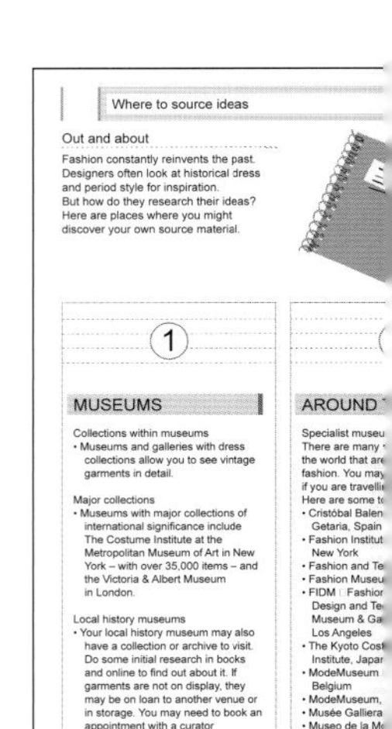

Where to source ideas

Out and about

Fashion constantly reinvents the past. Designers often look at historical dress and period style for inspiration. But how do they research their ideas? Here are places where you might discover your own source material.

1

MUSEUMS

Collections within museums
• Museums and galleries with dress collections allow you to see vintage garments in detail.

Major collections
• Museums with major collections of international significance include The Costume Institute at the Metropolitan Museum of Art in New York – with over 35,000 items – and the Victoria & Albert Museum in London.

Local history museums
• Your local history museum may also have a collection or archive to visit. Do some initial research in books and online to find out about it. If garments are not on display, they may be on loan to another venue or in storage. You may need to book an appointment with a curator to see items in their archive.

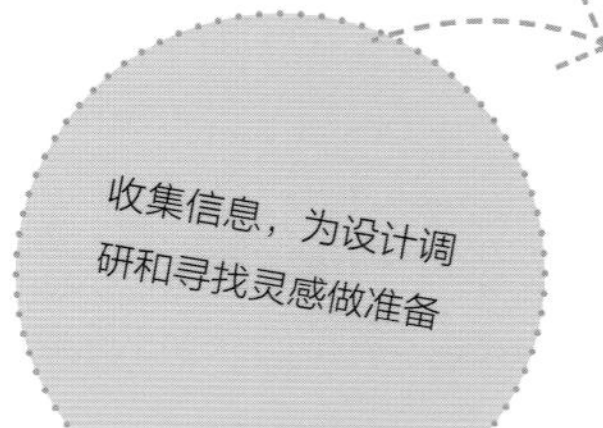

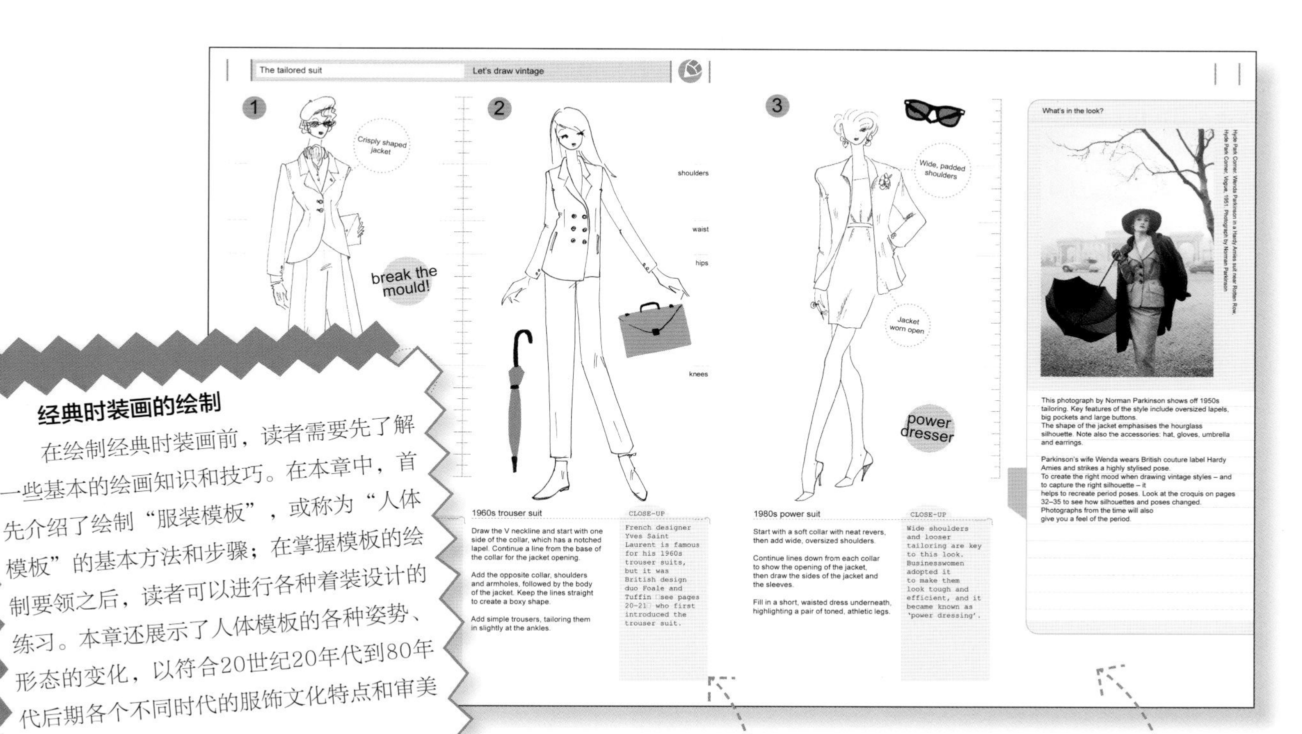

经典时装画的绘制

在绘制经典时装画前，读者需要先了解一些基本的绘画知识和技巧。在本章中，首先介绍了绘制“服装模板”，或称为“人体模板”的基本方法和步骤；在掌握模板的绘制要领之后，读者可以进行各种着装设计的练习。本章还展示了人体模板的各种姿势、形态的变化，以符合20世纪20年代到80年代后期各个不同时代的服饰文化特点和审美需要。

此外，读者还会阅读到有关时装画技法的实用技巧说明，包括如何使用各种工具和材料，以及如何表现不同的服饰效果等。

当读者可以自信地拿起画笔绘制人体模板时，也就可以研究那些代表性的时代风格，并以自己的理解和方式来重现这些经典的传奇。

每种着装风格的补充说明

尝试绘制每一种经典服饰造型，并掌握造型的特征

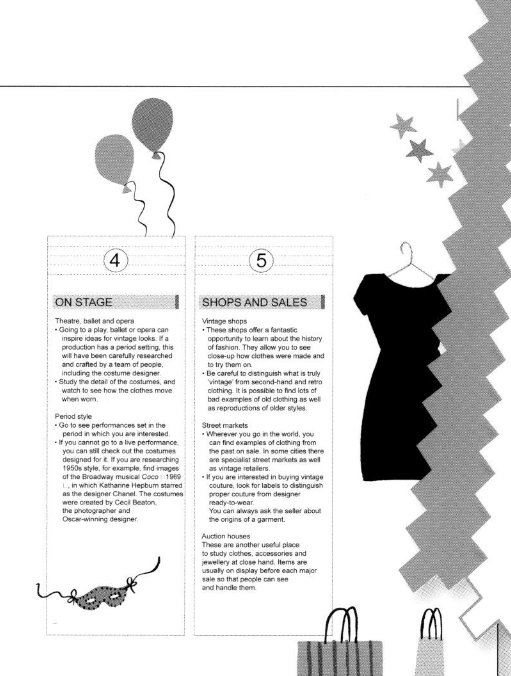

对经典时装的研究

本书的最后章节将介绍更多有关经典服饰的相关内容，帮助读者学习、掌握研究经典服饰的方法和获得灵感的途径，并对速写本的使用技巧，如何组织和记录设计思想，以及情绪板的制作等内容做了详尽的介绍。本章还整理了有关女装设计的最实用的经验和建议：例如如何优化自己的设计想法并整合成一个自己的服装系列。

除此之外，本章还列举了大量常用的纺织品、服饰术语，以及相关索引，便于读者学习和查阅。

时尚的变迁：20世纪20年代—20世纪50年代

本书第100～133页展示了20世纪各个时期代表性的经典服饰造型，第130～173页读者可以进一步阅读到每个时代服饰文化的细节内容。如果想了解更多有关设计师和服装款式的知识，读者还可以查阅相关的书籍、杂志和网络资料。

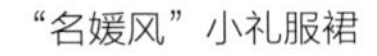

“名媛风”小礼服裙

水手风格的“海魂”裤

20世纪20年代

经典造型和风格：

爵士时代的“名媛风”礼服裙，低腰衬衣式连衣裙，装饰了流苏和串珠的及膝裙长，直身的轮廓造型，“假小子”服饰搭配风格，V字形领口，运动装和浴袍系列，俄罗斯芭蕾舞剧团的演出服

著名设计师：

加布里埃·可可·香奈儿（1883—1971）

保罗·波烈（1879—1944）

简奴·朗万（1867—1946）

让·巴度（1880—1936）

流行面料：

毛织衫，丝绒，缎面织物，丝绸，人造丝，刺绣和凸纹锦缎面料，丝质面料上的现代派印花图案

配饰和潮流：

钟型帽，双色T型铁鞋，古巴鞋和路易十四的高跟鞋，齐耳的不对称短发，设计师香水，流苏大披肩，造型夸张的珠宝，古铜色晒黑的皮肤

时尚代表人物：

艾黛儿·阿斯泰尔，约瑟芬·贝克，克拉拉·鲍，露易丝·布鲁克斯，妮娜·汉姆奈，苏珊·朗格伦

运动风格的休闲裙

见130～131页

茧型大衣

20世纪30年代

经典造型和风格：

好莱坞黄金时代，巴黎高级时装，夸张的长裙，绸缎塞伦裙，波蕾若外套和无后背礼服裙，露背款造型，斜裁和立体裁剪，精致的日常套装，高腰阔脚长裤

著名设计师：

艾德里安（1903—1959）

玛德琳·维奥内特（1876—1975）

艾尔莎·夏帕瑞丽（1890—1973）

阿利克斯·格瑞斯夫人（1903—1993）

诺曼·哈特奈尔（1901—1979）

查尔斯·詹姆斯（1906—1978）

曼波彻（1890—1976）

流行面料：

合成材料，弹性面料，精细羊毛织物，粗花呢，皮革，丝绸，亚麻，棉织物，上等细麻布，平纹细布，欧根纱，丝质绉纱

配饰和潮流：

柔软定型的波浪发型，拉链，肩垫，内衣，手套，超现实主义风格，斜向配戴的精致小帽子，紧身胸衣，玳瑁太阳眼镜，平底鞋和露趾凉鞋

时尚代表人物：

琼·克劳馥，葛丽泰·嘉宝，玛琳·黛德丽，阿梅莉亚·埃尔哈特，李·米勒，金吉·罗杰斯，格特鲁德·劳伦斯，温莎公爵夫人华丽斯·辛普森，葛洛丽亚·斯旺森

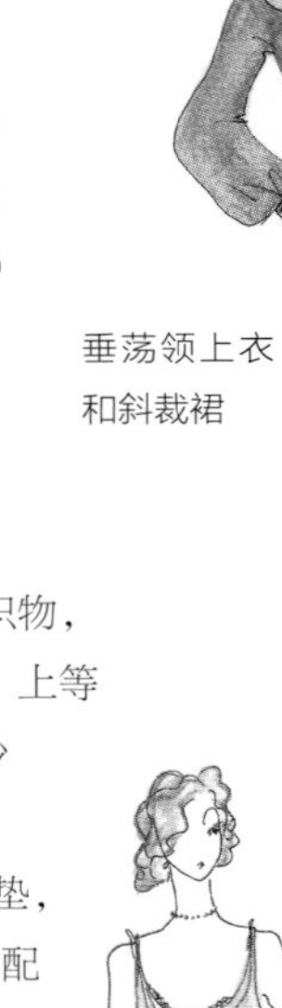

垂荡领上衣和斜裁裙

见132～133页

斜裁晚礼服

实用风格服装

节俭服饰

20世纪40年代

经典造型和风格：

衬衫式连衣裙，实用套装和裙装，风衣外套，制服，工装裤，军服的设计细节，使用限量供应的面料家庭制作的“改装服饰”，紧身或系腰带的腰部设计，开衩的A型裙，裙长及膝的连衣裙，美式宽腰舞会礼服

著名设计师：

克莱尔·麦卡德尔（1905—1958）

伦敦时装协会的设计师包括：诺曼·哈特奈尔，爱德华·莫林诺克斯，哈迪·雅曼爵士，迪格拜·莫顿和维克托·斯戴贝尔（自1942年），法国巴黎服装工会高级时装工艺学院（自1946年）

流行面料：

人造丝，羊毛，棉织物，爱国主义题材的印花面料

配饰和潮流：

夸张的宽边帽和“药丸”帽，贝雷帽，裹头巾和长头巾，精心打理的发型，尼龙长袜，软木和硬木制的楔形鞋底

时尚代表人物：

劳伦·白考尔，贝蒂·戴维斯，丽塔·海华斯，西莉亚·约翰逊，芭芭拉·斯坦威克

见134～135页

蓬蓬裙

20世纪50年代

经典造型和风格：

新风貌，凸显骨感的紧身胸衣配以宽大的裙摆或纤细的铅笔裙造型，布袋装，随意搭配的日常装，插肩袖，成人礼舞会礼服，乡村摇滚乐舞会礼服，摇滚歌手的蓬蓬流苏裙，硬质的衬裙，左右不对称裤子造型

著名设计师：

加布里埃·可可·香奈儿（1883—1971）

克里斯托瓦尔·巴伦西亚加（1895—1972）

克里斯汀·迪奥（1905—1957）

杰奎斯·菲斯（1912—1954）

皮埃尔·巴尔曼（1914—1982）

贝尔·德·纪梵希（1927—）

流行面料：

尼龙，丝绸，羊毛，粗花呢，亚麻织物，条格纹棉布，牛仔布

配饰和潮流：

与服饰配套的手袋、手套和鞋子，露趾的细高跟鞋，芭蕾舞鞋，廉价便鞋，圆锥形胸衣，领结式丝巾，短袜，太阳眼镜，弹性紧身束腰带

时尚代表人物：

费雯·丽，玛丽莲·梦露，伊丽莎白女王二世，格蕾丝·凯利，奥黛丽·赫本

香奈儿套装

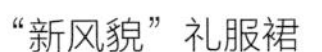

“新风貌”礼服裙

见136～141和144～145页

时尚的变迁：20世纪60年代—20世纪90年代

贯穿20世纪后40年的经典服饰可谓是精彩纷呈，从60年代的超短裙到90年代的极简主义风格和街头平价潮牌，各种潮流风格不断涌现，各领风骚。

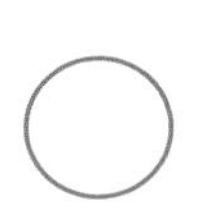

PVC超短裙

20世纪60年代

经典造型和风格：

礼服衬衫，超短裙，热裤，女衫裤套装，彼得潘领的娃娃式连衣裙，猎装套装，太空竞赛题材风格，套头圆领的针织衫，七分长的卡普里裤，二手服装和精品店

著名设计师：

埃米利奥・普希（1914—1992）
皮尔・卡丹（1922— ）
玛丽・奎恩特（1934— ）
安德烈・库雷热（1923— ）
巴巴拉・胡兰尼姬（1936— ）
伊夫・圣・洛朗（1936—2008）
贝齐・约翰逊（1942— ）

流行面料：

聚氯乙烯塑料（PVC），透明塑料，纸，灯芯绒，印花棉布，金属，牛仔布，纱布和毛巾布，欧普艺术，流行艺术，新艺术主义和迷幻图案的印花

配饰和潮流：

戈戈舞鞋，平底鞋，柔软蓬松饰以几何形配饰的发型，假睫毛，艳丽缤纷的紧身衣裤，夸装的大搭扣，印度风格的珠宝

时尚代表人物：

碧姬・芭铎，芭芭丽娜，朱莉・克里斯蒂，玛莎・亨特，杰奎琳・肯尼迪，简・诗琳普顿，崔姬

热裤

见146～149页

民族风长裙

20世纪70年代

经典造型和风格：

夸张的超长裙，嬉皮士长袍，闪闪发光的宽大罩袍上印着鲜艳的花卉图案，概念化的优雅设计，精致的针织物，贴花刺绣图案，迪斯科连身裤，紧身裹裙，紧身铅笔裤，缎面棒球夹克外套，针织毛衫系列，维多利亚和爱德华时代的怀旧设计，草原风情，民族服饰，宽大下摆的及地长裙

著名设计师：

奥西・克拉克（1942—1996）
西娅・波特（1927—2000）
比尔・吉普（1943—1988）
桑德拉・罗德斯（1940— ）
吉娜・芙拉提尼（1931— ）
罗兰・爱思（1925—1985）

流行面料：

丝质针织衫，人造丝针织衫，金银纱，金属装饰片，莱卡面料，丝绸，格子图案，皮草，饰钉，闪光装饰片，金属皮革，马海毛，牛仔布，绉纱

配饰和潮流：

绑带裤，安全别针，笨重的长靴，平底鞋

时尚代表人物：

大卫・鲍伊，安妮・霍尔，米亚・法罗，杰莉・霍尔，法拉・福赛特，伊曼，劳伦・赫顿

喇叭牛仔裤

朋克风搭配

见150～155页

荷叶边装饰
和内衣外穿

20世纪80年代

经典造型和风格：

权力象征的大礼服裙，巴黎高级成衣，紧身绷带裙，海盗装饰，巴洛克风格的紧身胸衣，内衣外穿，解构主义设计，日本和比利时设计师发起的知性风

著名设计师：

薇薇安・韦斯特伍德（1941—）
三宅一生（1938—）
川久保玲（1942—）
唐娜・凯伦（1948—）
阿泽丁・阿莱亚（1940—）
克里斯汀・拉克鲁瓦（1951—）
让・保罗・高提耶（1952—）
德赖斯・范诺顿（1958—）

流行面料：

蕾丝，莱卡面料，丝绸锦缎，丝质天鹅绒，涤纶压褶面料，宝石绒

配饰和潮流：

紧身连衣裤，护腿，备忘记事本，丝质天鹅绒披肩，镀金的钮扣，锥形胸罩，蝙蝠袖，泡泡裙，印制字母标语的T恤衫，塑料手镯

时尚代表人物：

辛迪・克劳馥，琳达・伊万格丽斯塔，葛蕾丝・琼斯，辛迪・露波，麦当娜，莫利・林沃德，戴安娜王妃

见164～167页

“假小子”风格

摇滚娃娃裙风格

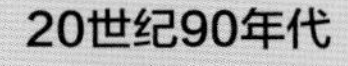

20世纪90年代

经典造型和风格：

极简主义，街头颓废风服饰，战斗裤，青少年工装裤，旗袍礼服，红地毯明星范，超级名模，戏剧服装秀展

著名设计师：

卡尔文・克莱因（1942—）
吉尔・桑达（1943—）
海尔姆特・朗（1956—）
詹尼・范思哲（1946—1997）
马克・雅可布（1963—）
亚历山大・麦克奎恩（1969—2010）

流行面料：

法兰绒，牛仔布，生态友好型面料（不妨害生态环境的绿色环保产品），有机棉，开士米羊毛织物，纯羊毛，莱卡面料，皮革和仿皮草，人造钻石

配饰和潮流：

设计师品牌，运动鞋，软运动鞋，马丁切尔西靴，纹身，手机，神奇胸罩，山羊绒，“It”手袋，中性化色彩组合

时尚代表人物：

科特妮・洛芙，斯特拉・坦南特，克莉丝汀・麦玫娜蜜，凯特・莫斯，纳奥米・坎贝尔

极简轮廓造型

宽松风格套装

见170～173页

潮流时尚：20世纪20年代的“名媛风”礼服裙

代表设计师：让·巴度和缪西娅·普拉达

经典造型：直身型连衣裙

主要细节元素：

·低腰设计和较宽松的简洁流畅的裁剪

·裙长仅止于膝盖以下

·选用光泽感强的高档精致面料，搭配皮草装饰、珠串和刺绣设计等

潮流推荐人：

丹尼斯·诺斯德福特，伦敦时尚与纺织品博物馆馆长

让·巴度

缪西娅·普拉达

丹尼斯·诺斯德福特说：

“20世纪20年代是时装史上最精彩的时代之一，在第一次世界大战结束后，许多服装设计师们，像巴度和香奈儿，纷纷推出新的着装理念来迎合人们对改善生活品质的渴望，并创造了很多经典造型，许多当时流行的款式今天仍备受大众的青睐：例如针织开衫和女式长裤，这两种服饰最初出现在20世纪20年代，当时市场首推即成为了流行款。

低腰淑女裙应该是20世纪20年代最有影响力的款式了，这种裙型在21世纪的今天仍广受女性消费者的推崇。2013年弗朗西斯·斯科特·菲茨杰拉德的小说《了不起的盖茨比》（1925年）被翻拍成电影，缪西娅·普拉达被邀请为该片女主角设计戏服，为了再现那个时代的优雅女性，她以精彩的设计手法设计了大量精美绝伦的低腰淑女裙，以现代的方式诠释了20年代的经典服饰。”

让·巴度是谁?

让·巴度（1880—1936）是著名的法国时装设计师，时装界公认的20世纪20年代“时尚风格”的创始人。他的代表作有著名的“名媛式”小礼服裙。巴度开创了优雅时尚的先河，他发明了一种优雅而实用的服装，具有修长纤细的轮廓形态。20世纪20年代，巴度巧妙地利用日益增长的运动服市场，分别在法国的多维尔和比亚里茨开设时装屋，这两所城市是法国著名的度假胜地，在那里他适时地推出新颖的泳装和快艇服设计，搭配出售针织套装系列，并大获成功，同期他的时尚事业也在美国市场蓬勃发展起来。

巴度的各个品牌，从“JP”的设计师字母组合到公司旗下的著名香水，例如1928年产的首款男女通用的香水，均是让·巴度留给世人的永恒而珍贵的艺术遗产。

缪西娅·普拉达是谁?

缪西娅·普拉达（生于1949年）是意大利时装设计师，著名的普拉达时装屋的创始人。普拉达时装屋创立于1913年，早期从事时尚奢侈品的设计与制作。普拉达也被时尚界公认为设计先驱，是享誉全球的潮流先锋，25年来一直稳居顶尖设计大师行列。

缪西娅·普拉达的设计被同行公认为独具创意和理念，无论是20世纪80年代她设计的黑色尼龙手提袋，还是2013年与舞美时装设计师凯瑟琳·马丁合作为电影《了不起的盖茨比》设计的剧服，都充分体现了她杰出的原创精神和设计才华。

普拉达在设计中喜欢将经典造型与制作材料巧妙地结合起来，创造出一种酷帅和奢华的时尚感。

这两款连衣裙展示了巴度独创的简洁、运动风造型。这种风格现在被认为是20世纪20年代的代表性风格，当时被新生代的名媛们广为推崇，这些时髦女郎拒绝旧式的着装风俗和那些相对保守的传统服饰。

2013年上映的美国电影《了不起的盖茨比》中，凯瑞·穆丽根扮演的女主角黛西·布坎南身着多套美轮美奂的20世纪20年代的经典服饰，灵感即来自于普拉达2010春夏系列的合体串珠垂饰筒裙。

普拉达为电影《了不起的盖茨比》的每个舞会场景设计了大约20套礼服裙。所有造型均来自普拉达历年来的高级时装秀，并做了细微的调整以体现20世纪20年代的服饰特点。

潮流时尚： 超现实主义时尚风格

代表设计师： 艾尔莎·夏帕瑞丽

经典造型： 知性和趣味性结合的完美设计

主要细节元素：

·优雅的黑色礼服裙

·俏皮的刺绣图案

·新颖的钮扣和细节设计

潮流推荐人：

凯丽·泰勒，古典服饰拍卖商

艾尔莎·夏帕瑞丽

凯丽·泰勒说：

“她喜欢‘夏帕’这个名字（夏帕瑞丽厌恶自己的基督教名字），夏帕设计的服装不算好看，但是奇特并有趣味性，她坚信服装应该具有建筑学美感，她认为：‘人体绝不能被无视，一定要被当成建筑内部的基本框架’来对待，结构永远是设计中最重要的部分。

夏帕与萨尔瓦多·达利合作了一些她著名的时装秀，这些秀中展示了她的奇思妙想：电话机帽子、印着龙虾图案的欧根纱连衣裙等奇特的服饰。总而言之，她的服装魔性十足，灵巧又有趣，她的确可以称得上是20世纪最伟大的设计师之一，这一点毋庸置疑。”

谁是艾尔莎·夏帕瑞丽？

意大利时装设计师夏帕瑞丽（1890—1973）因为她的兼具艺术性和俏皮风格的时尚设计而享誉世界，她曾在自传中写到：“女装的设计对我而言不是工作，而是一门艺术。”

夏帕瑞丽20世纪20年代在罗马、纽约和巴黎三地生活和工作。在此期间，她受到了当时的艺术运动——超现实主义的影响，在目睹超现实主义艺术家们创造的大量奇妙梦幻的艺术作品之后，夏帕瑞丽开始寻求和艺术家萨尔瓦多·达利，诗人兼剧作家让·科克托的合作，这促成了20世纪最有价值和最受期待的高级时装的诞生。

和那些超现实主义艺术家们一样，夏帕瑞丽热爱超现实主义，她也喜欢打破常规，一鸣惊人，她最著名的香水就被命名为“惊为天人”（Shocking），她最喜欢的颜色是鲜艳的粉红色。在20世纪30年代，她推出了著名的女式裙裤。夏帕瑞丽是第一批举办主题发布会的设计师之一，她的发布会主题非常广泛：“马戏团”“夜晚的星空”，新奇独特的主题体现了她天马行空的想象力。她也是第一个同时开办时装店和时装沙龙的设计师，面向大众出售各种她设计的时尚单品、香水、配饰和人造珠宝。

精致的细节设计是夏帕瑞丽作品的重要特点之一。她成功地将拉链运用在晚礼服上，也喜欢在设计中使用不寻常的面辅料，例如质地粗糙的梭织物、玻璃丝制作的面料、特别的军装图案面料或高原的花呢料等；她服装上的钮扣常用闪耀的金属、皮革或一些奇特罕见的材料制成。巴黎著名的高级刺绣工坊勒萨热（Maison Lesage）则是她那些奢华晚礼服披风、外套，以及礼服裙的刺绣定制商。

夏帕瑞丽因为她前卫的设计作品而闻名于世，但她同时也是一名成功的女商人。她的每场时装秀系列中都有各种精致的实用型黑色晚礼服裙，她以这样的方式吸引了很多不同需要的消费者。

这是两款夏帕瑞丽代表性套装，注意左边套装上衣口袋上的红色唇形装饰袋口。

金线和星形亮珠刺绣装饰的外套上还缝制了闪闪发光的玻璃星星，精美地绣出彗星尾巴和细小玻璃串形成的星云。

受到星空和十二星座的启发，夏帕瑞丽的这件午夜蓝色丝绒外套是委托高级刺绣工坊勒萨热制作而成的。

潮流时尚：20世纪50年代的新风貌

代表设计师：克里斯汀·迪奥；伦敦时装设计师协会的设计师和世界各地涌现的新生代设计师

经典造型：高贵优雅，制作精良的正统贵族礼服裙

主要细节元素：

- 紧身合体的大身裁剪，凸显纤细体型的腰线设计
- 飘逸宽摆的晚礼服长裙
- 精美奢华的面辅料

潮流推荐人：

伊丽莎白·史密斯，著名时尚摄影家诺曼·帕金森的档案研究员

克里斯汀·迪奥

伊丽莎白·史密斯说：

“对二战后的‘新风貌’服饰的拍摄是我喜爱的摄影工作之一。20世纪50年代诺曼·帕金森曾为英国版《时尚》杂志拍摄了几组系列照片，这些照片传递着一种乐观主义精神和愉悦思想，这与战争年代单调的实用主义完全迥异。观察这些照片，我发现克里斯汀·迪奥不仅具有精湛的手工艺，还有凸显女性优雅的高超表现力，身材曼妙的模特和名媛穿着他的那些梦幻般的裙装，演示出一幕幕精致优雅的场景：下午茶聚会、鸡尾酒会、剧院、郊游、舞会，这是一个不同场合会穿不同服饰的奢华年代。”

什么是新风貌？

第二次世界大战结束于1945年，经历了艰苦的战争岁月，巴黎的高级女装设计师克里斯汀·迪奥（1905—1957）推出了一场时装秀：修长、蓬松的宽大褶裙，鲸骨支撑的胸部，紧身外套。在有些人看来，这些服饰是如此的激进和令人震惊，而对另一些人而言，这些超有魅力的造型和老式的优雅浪漫正是对往昔传统的回归。在参观完克里斯汀1947年的作品展后，时任《芭莎》杂志的编辑决定为他的系列作品取名为“新风貌”风格。

20世纪50年代的伦敦，女装设计师们还都在模仿巴黎的时尚流行进行设计，直到1942年，伦敦时装设计师协会成立，英国设计师们开始建立自己的风格，以促进英国本土时尚产业的发展。协会早期的成员有设计师赫迪·雅曼、诺曼·哈特奈尔、爱德华·莫利纽克斯、迪格比·莫顿、比安卡·莫斯卡、彼得·罗素和沃斯（埃尔斯佩思·尚科米纳尔）等人，随后不久，维克托·斯蒂贝尔和其他一些服装设计师也加入了这个组织。

1952年，在伊丽莎白公主成为英国女王期间，英国社会的各方面获得了长足的进步。随着世界媒体对女王出行的报道，大众开始关注女王的着装和风格，就这样，女王不知不觉中将英国时尚业带入了真正意义上的世界舞台。

伦敦的时尚周也在战后逐渐恢复，上流社会的社交活动日益活跃起来，富有的上层女性需要全新的服饰去参加各种新兴的社交活动，这一系列的社会变化为社会提供了大量的工作机会。

这款诺曼·哈特奈尔设计的礼服裙由诺曼·帕金森拍摄于1951年。

克里斯汀·迪奥设计的"莫扎特"礼服袍裙，由诺曼·帕金森拍摄于1950年。

这张照片由诺曼·帕金森拍摄于1957年，供稿于英国版《时尚》杂志，由伦敦时装设计师协会成员设计。

潮流时尚： 20世纪60年代超短裙

代表设计师： 福勒和塔芬

经典造型： D字小礼服裙

主要细节元素：

· 简洁的连衣裙造型

· 大胆的红、黄色块设计的D字形口袋

· 箱型、几何形，色彩缤纷的口袋，呼应当时流行的波普艺术

· 全新的方式展现全新的风尚

潮流推荐人：

保罗·史密斯先生，设计师

福勒和塔芬

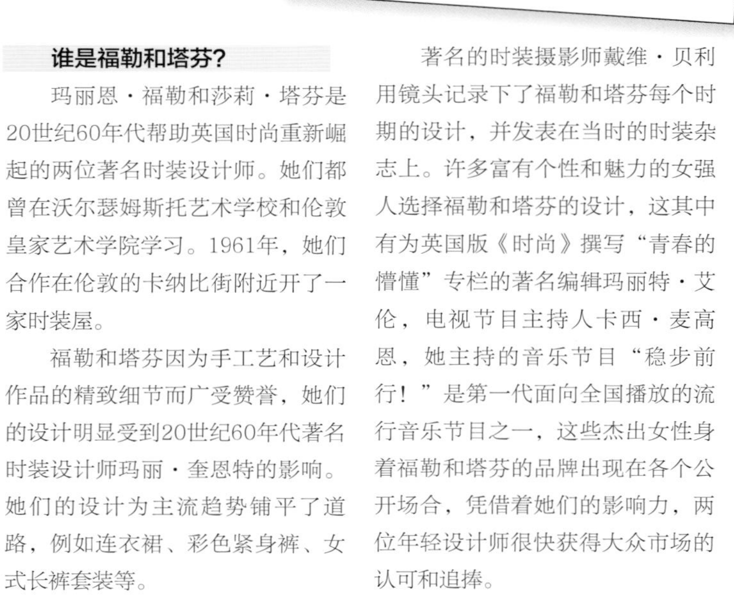

保罗·史密斯先生说：

“福勒和塔芬是两位名副其实的时尚先锋，她们所做的设计非常具有革命性。她们的设计与当时的社会潮流、艺术界以及流行的图像艺术密切相关。这一切都在发展变化，她们提前做出了重要的改变，这两个很棒的女孩做的是真正的超前设计。

时尚现在已经发展的很丰富了。现在的服装设计不仅仅是设计作品，还要了解相关的市场需求和变化，要随时跟踪时尚发展的方向。但可悲的是，现在很多设计师都是‘跟随趋势’来设计，很少有人做‘领导潮流’的设计。我认为福勒和塔芬的设计是真正的领导设计，我是心服口服，这与现在设计师的做法完全不同，所以她们做得很好，我要点赞！”

谁是福勒和塔芬？

玛丽恩·福勒和莎莉·塔芬是20世纪60年代帮助英国时尚重新崛起的两位著名时装设计师。她们都曾在沃尔瑟姆斯托艺术学校和伦敦皇家艺术学院学习。1961年，她们合作在伦敦的卡纳比街附近开了一家时装屋。

福勒和塔芬因为手工艺和设计作品的精致细节而广受赞誉，她们的设计明显受到20世纪60年代著名时装设计师玛丽·奎恩特的影响。她们的设计为主流趋势铺平了道路，例如连衣裙、彩色紧身裤、女式长裤套装等。

著名的时装摄影师戴维·贝利用镜头记录下了福勒和塔芬每个时期的设计，并发表在当时的时装杂志上。许多富有个性和魅力的女强人选择福勒和塔芬的设计，这其中有为英国版《时尚》撰写“青春的懵懂”专栏的著名编辑玛丽特·艾伦，电视节目主持人卡西·麦高恩，她主持的音乐节目“稳步前行！”是第一代面向全国播放的流行音乐节目之一，这些杰出女性身着福勒和塔芬的品牌出现在各个公开场合，凭借着她们的影响力，两位年轻设计师很快获得大众市场的认可和追捧。

这张照片中，女模特珍妮·博伊德身着一款白色亚麻直身短裙，上面缝制有一个D字形口袋，口袋由黄红两色面料拼合而成，为简单的直身裙增添了几何感和趣味性，这款作品是由设计师福勒和塔芬于1968年设计的。

这幅手稿由设计师莎莉·塔芬绘制，图中不同色块的几何组合增加了服装的箱型造型感。

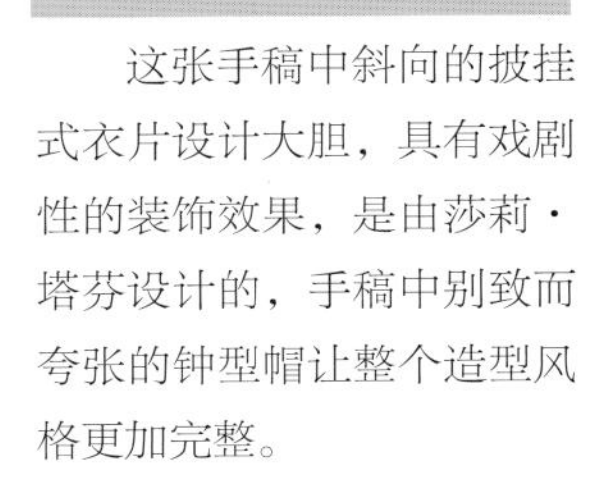

这张手稿中斜向的披挂式衣片设计大胆，具有戏剧性的装饰效果，是由莎莉·塔芬设计的，手稿中别致而夸张的钟型帽让整个造型风格更加完整。

潮流时尚：20世纪70年代浪漫唯美的荷叶边连衣裙

代表设计师：比尔·吉普

经典造型：为童话故事里的公主设计的裙子

主要细节元素：

·多层荷叶边装饰的宽大长裙

·刺绣和串珠装饰的印花面料

·独创的女性柔美线条，与20世纪60年代的简洁线条形成鲜明对比

潮流推荐人：

崔姬，模特，女演员和歌手

比尔·吉普

崔姬说：

“这是比尔作为一个天才应被大众认可的时代。我就认为他是一个天才。

比尔的设计天赋是非常惊人的。当我们还穿着超短裙和紧身衣时，他却推出了浪漫唯美的复古裙子，还有那些精美面料制作的梦幻般的服装。穿上他的裙子，你感觉自己就像个公主。

他的设计独一无二，领先于时代，他就是个设计先驱，现代的许多设计大师都是从他的作品中获得灵感的，所以，我一直坚信比尔·吉普是20世纪最伟大的服装设计师之一。”

谁是比尔·吉普？

不少人认为比尔·吉普（1943—1988）是20世纪伦敦时尚界最具才华的设计师之一。20世纪60年代，他曾与著名时装设计师奥西·克拉克、巴巴拉·胡兰尼姬（来自伦敦高级女装品牌彼芭）和桑德拉·罗德斯一起学习。20世纪70年代，比尔·吉普被《时尚》杂志评为年度最佳设计师。

现在吉普被认为是20世纪70年代的设计先锋，他的可爱而不失浪漫的设计手稿今天仍然会激发年轻设计师的创作灵感。

吉普的梦幻长裙设计多采用著名历史故事的主题和题材，例如表现文艺复兴时期公主们的生活内容等。他的服饰常选用各种精美的印花面料，奇特的图案上采用刺绣、串珠或羽毛进行各种装饰，他也热衷于对这些设计元素进行有趣的组合搭配。

吉普具有丰富的想象力和高超的制作技巧，他可以完美地将纸上的平面手稿转换成精致的实物作品。

美国艺术家凯菲·法瑟特曾与吉普合作进行过艺术创作，他们尝试将普通的针织衫转化成一种全新的艺术品：法瑟特负责设计鲜艳的印花图案，吉普则负责针织衫的设计与制作。

吉普有不少忠实的著名粉丝，例如那个时代的银幕女神伊丽莎白·泰勒，著名模特简·德·维伦纽夫等，皆是当时的社交名流。

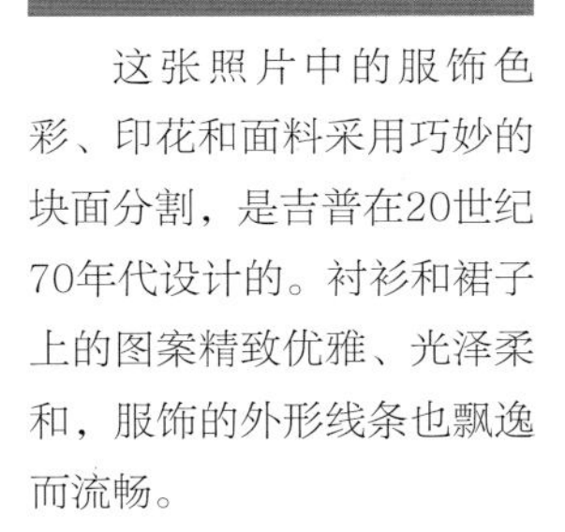

这张照片中的服饰色彩、印花和面料采用巧妙的块面分割，是吉普在20世纪70年代设计的。衬衫和裙子上的图案精致优雅、光泽柔和，服饰的外形线条也飘逸而流畅。

1971年，崔姬在电影《男朋友》中担任女主角，她邀请吉普为自己设计制作首次公演时的礼服。吉普设计出的礼服堪称完美，看上去就像戏剧舞台服装，这件礼服展示的创意和才华极大地提高了吉普的知名度，获得观众的普遍认可。

这张吉普的手稿展示了他独特的个人风格：层层叠叠的块面设计，精致的细节安排和刺绣图案等。

潮流时尚：怀旧的经典服饰

代表设计师：马克·雅可布

经典造型：时装秀上的女孩们——款款徐行的猫步

主要细节元素：

- 无所顾忌的戏剧性、色彩和肌理
- 历史主题、现代艺术和游戏人生的文化混搭
- 大胆的艺术组合和闪闪发光的配饰
- 从19世纪的巴黎到遥远的东方，广泛的灵感来源和艺术借鉴

潮流推荐人：

克里斯汀·辛克莱，时尚摄影师

马克·雅可布

克里斯汀·辛克莱说：

“马克·雅可布是一位既刻有历史烙印又独具创新精神的设计师。他的作品天马行空、极具才华，是对古今文化艺术的提炼与糅合。他的作品涉猎广泛，主题构思奇特而精巧，并借鉴了大量的经典优秀设计，例如他的一些著名设计作品的主题灵感来自露天游乐场的旋转木马、时尚奢侈品专柜或20世纪的汽车旅馆。

马克·雅可布独有的宽阔视野和丰富的设计想象力，使得他的T台作品精彩纷呈，极具魅力。作为摄影师，我有幸看到他的大量作品，其中印象最深的是那些将时装艺术和戏剧情感结合起来的天才设计。”

谁是马克·雅可布？

马克·雅可布（生于1963年）是当代最成功的世界级时装设计大师之一。他一直致力于挖掘经典服饰和怀旧设计的精髓，并加以改良创造出全新的风格和流行风尚。他成功地将廉价成衣和民间俱乐部服饰搬上了T台，从而彻底改变了路易威登的高端时装屋风格和形象。

马克·雅可布出生于纽约市，在他创办首个个人品牌“马克·雅可布”之前，曾在帕森斯时装设计学院学习。1987年他被美国时装设计师协会（CFDA）授予艾力斯时尚新秀奖。

1989年，雅可布加入派瑞·艾磊仕品牌，随后便举办了一场灵感来自廉价服饰的高街时装发布会并大获成功，凭借这次发布会雅可布再次被美国时装设计师协会评为1993年度最佳女装设计师。

从这个时期开始，雅可布已经为自己的品牌积累了丰富的经验，他创立了另一个面向年轻人的品牌“马克·雅可布之马克”，并适时地推出系列香水、眼镜和配饰设计。

1997年，路易威登聘任马克·雅可布为艺术总监，他的创意合作伙伴罗伯特·达菲则担任设计室总监。于是，雅可布和达菲又一起共事了16年，为这个传统品牌带来源源不断的创意和活力。

两位才华横溢的设计师打破常规、勇于创新，他们尝试与村上隆、李察王子，以及史蒂芬·斯普劳斯这些著名设计师、艺术家们合作，推出大量广受消费者喜爱的精彩设计，也使得历史悠久的路易威登品牌焕然一新。

名模凯特·莫斯为马克·雅可布2011年秋冬路易威登时装发布会走秀。这次发布会的主题是“奢侈品的力量：‘过去与现在’”。发布会上展出了若干系列的经典款式（包括传统酒店制服），并混搭现代感的包袋、手套、腰带和长靴等。

名模杰西卡·斯塔姆身着金色丝绒胸衣和条纹长裤，为马克·雅可布2009年秋冬时装发布会走秀。名模身着商务细条纹与华丽丝绒的搭配组合，闪亮醒目并极具个性。

马克·雅可布擅长从历史中发掘新鲜的创意。这套亮片装饰的针织衫和闪光宽腰带组合是2011年他为路易威登春夏时装发布会所做的部分设计，创作灵感来自东方文化和20世纪70年代的迪斯科。

尝试不同的媒介

仔细观察本页和下页的画稿，这两页都展示了同样的人体姿势，但却是使用铅笔、钢笔、颜料和墨水不同的工具绘制而成的。读者能辨别出不同工具的绘画效果吗?

初学者可以尝试不同的绘画工具，找到自己最顺手的方式，并将不同的绘画手法结合起来进行练习。

研究前面介绍的设计大师的手绘作品，你能看出他们风格的不同之处吗？他们使用的是哪种绘图工具呢?他们风格中哪些造型是你最欣赏的?学习大师们的不同技法，这有助于形成自己的个人绘画风格。

软铅

4B或更软的铅笔画出的线条又厚又黑。可用于刻画阴影线，表现服饰的背光面。阴影线是许多小而均匀的方格交叉线线条，常用于表现面料的厚实质感或服饰穿着后的立体效果。

硬铅

硬铅笔绘制的线条细致又清晰，可用于描绘结构的高光部分细节和设计的轮廓线。

在开始绘稿时，使用硬铅可以较好地勾勒形状，表现出服饰的造型、外形线，以及穿着层次等细节。

其他绘画材料和工具

水彩：是一种使用起来很灵活的颜料，既可以代替水粉颜料进行填色，也可以用毛刷在画稿上浸润着色。水彩画起来很快，可以用来铺面，产生“水洗”的效果，或只用做一种颜色的填色。

因为水彩略透明，所以你不能在一层深色水彩上再上一层浅色的水彩。

毛刷：是由不同材料制作的。毛刷的笔头有不同的形状和宽度。如果你正在给你的手稿上色，使用那种紧密、精致的毛刷能表现出最好的线条。

选用质地细腻的薄型硫酸纸，可以把它铺在模特人体或服装模板上进行复制，透过硫酸纸能够清楚地看到下面画面的线条和形状。

初学者在水彩纸上练习“水洗”的绘画效果时，水彩纸通常会起皱。

选择那种便于随身携带的速写本——A4大小或再小点比较好。

橡皮擦：使用橡皮擦会让你失去从错误中进步的机会。如果一个设计作品不满意，你把不满意的地方擦掉也不能找到原因，但是你可以在失败的作品上继续摸索，直到在新的方向找到合适的线条。练习中也应避免使用各种尺子——它们会制造出僵直的生硬感。

3

钢笔

钢笔是一种多功能的工具，适合绘制各种外形线和细节。钢笔画的效果看起来自信而果断，很适合设计师绘图用。

4

水墨颜料

水墨颜料绘画时需要用毛刷进行绘制，它可以表现出柔和的线条。绘画者可以直接在纸上用水稀释它，并引导颜料填满整个画面。比起其他的绘画颜料，水墨的绘制技术较难掌握，但学习者在练习中，可以“将错就错”，会得到意想不到的特殊效果。

5

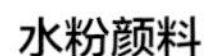

水粉颜料

有时你需要在设计作品上再涂上一层颜色，这时候，你就可以选用水粉颜料。水粉这种水溶性颜料调厚一点可用于填充整个块面，调稀一点可以产生水洗般的渲染效果。

选择绘画的环境和方式

读者可以尝试在不同的地方进行绘画练习。可以是平面上：餐桌或办公桌上，甚至是地板上，只要是适合自己的方式都可以；也可以是斜面上：倾斜放置的画板上，如果能有利于精神的放松，初学者也可以边画边听音乐。

描图对于初学者非常有用。一旦掌握了模特人体结构或基本人体模板的绘制要领（见本书第120～125页），初学者就能快速地在模板上进行各种设计。

・首先在模特人体画稿上放一张透明硫酸纸，依照人体外形线画出服装，仔细揣摩服装是怎么“穿”在人体上的。

・画好全部的服饰后，再描出头部、手臂、腿部和脚，把模特人体的那张底图作为绘图模板。

绘制时装画时需选择正确的线条。实线通常表示缝纫线，而虚线则表示装饰线或明缉线。

小形的交叉十字排线——阴影线（见本书第118页）用于表现物体高光面和阴暗面的对比。手稿绘画中，你可以用这种排线表现面料上折叠处的阴影。

选择并绘制不同时期的面料

不同的印花和面料有着不同的时代风格。刻画面料时一定要表现出那个时代织物的种类和质感。这里列举了几种常见织物的画法。

20世纪40年代的风格

为了表现出20世纪40年代的服饰感觉，可以尝试将老式的面料，例如皮草、格花呢和40年代的印花面料等进行组合搭配，再配以现代的流行色系：活力橙色、天蓝色等，将这些古今元素巧妙糅合，赋予经典服饰以现代摩登的时尚感。

印花面料

使用彩色墨水或水彩在画纸上先刷一层水洗的背景效果，等颜料干了之后，再用厚一点的颜料在背景上画出循环排列的印花图案，例如波尔卡点纹或花卉等。

人造皮草

首先用稀释的颜料画出水洗的背景效果，然后在干了的背景上刷出明暗色调，表现出皮草的光泽和厚重感；再用细钢笔或硬铅笔勾画出一根根毛发的形状，毛发的分布位置应整齐排列在服饰轮廓线上。

鱼网面料

要画出鱼网面料的效果，需先画出背景色或肤色，待颜料干了之后，再用细钢笔或硬铅笔一笔笔画出网状的交叉排线，交叉线尽可能画得整齐均匀。

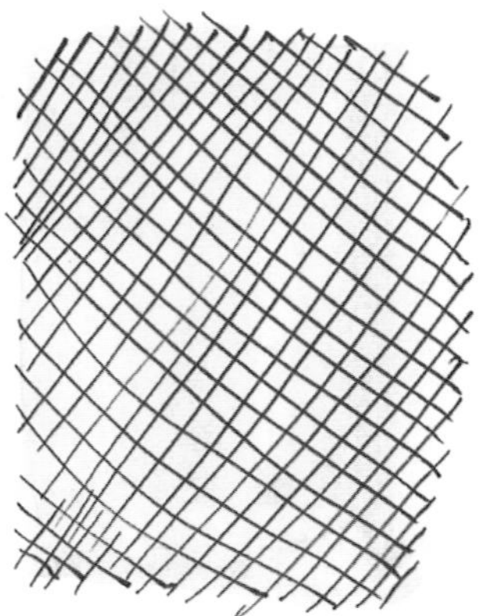

20世纪60年代的风格

20世纪60年代后期开始流行新型合成面料制作的超短裙，下图这款罩衫就是用PVC合成材料制作的。在这个时期，金属和塑料制作而成的配饰也风靡一时，注意下图中模特配戴的塑料几何形大耳环，反映了当时的流行时尚。

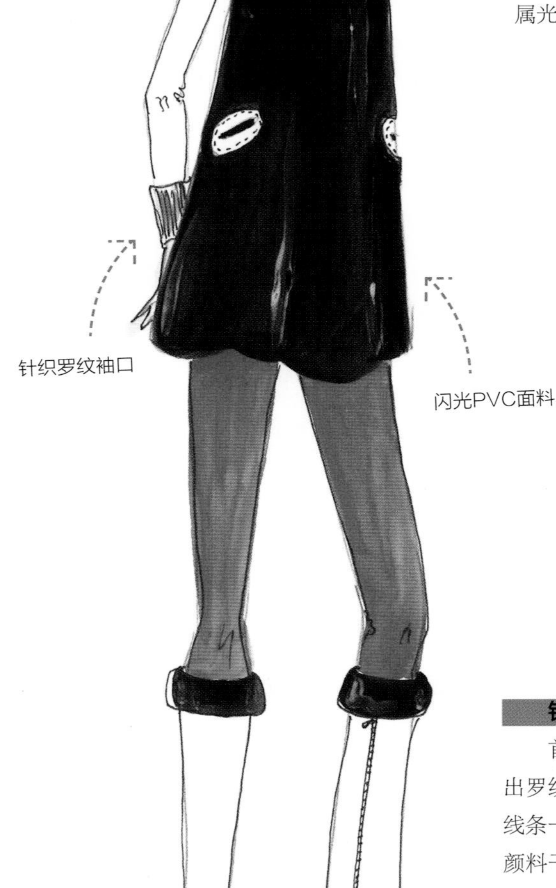

PVC材料

先在纸上涂上一层较厚的深色颜料，等颜料干透后，再用白色颜料在上面勾勒出高光区域。一般是在服装的折叠处和边缘线上，勾勒这种高光，以强对比表现出PVC独有的金属光泽。

明缉线装饰

首先确定服装上的明缉线位置，然后用对比色的细针笔或钢笔在面料上描画均匀的虚线，用以表现明缉线的走向和位置。

针织罗纹

首先用铅笔在针织物上画出罗纹的大致位置，沿着罗纹线条一排排地均匀上色，等到颜料干了之后，再用细钢笔在颜料上画出交织纱线形成的罗纹肌理。

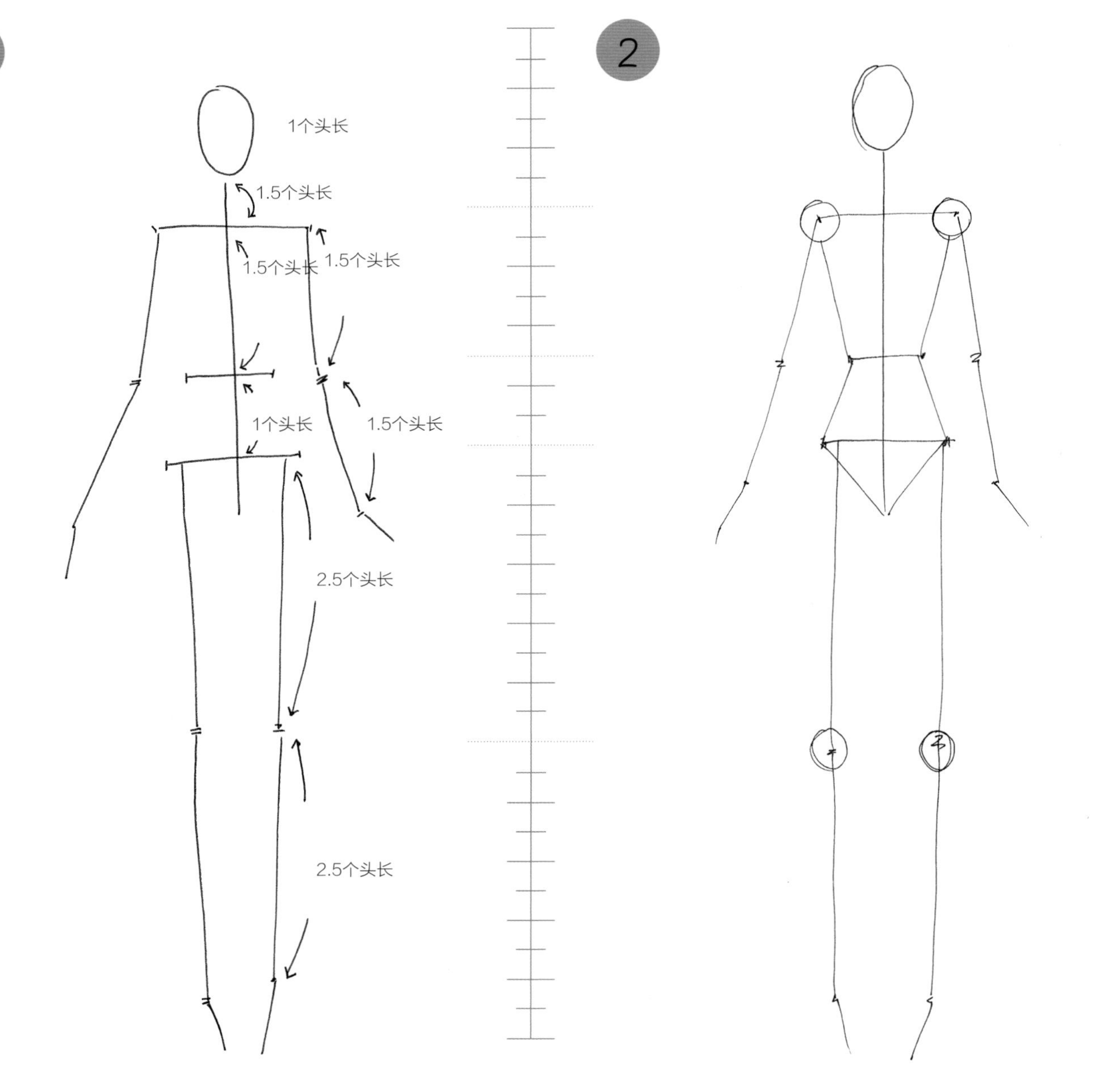

从“火柴人”形的骨骼框架入手

首先绘制一个椭圆形作为头部，然后从头部向下画一条直线段，作为人体的脊柱线，这条线将是绘制身体躯干和四肢的依据，是人体的主干线。

接着从上往下依次画出肩线、腰线和臀围线。肩线最宽，腰线宽度约为肩线宽的一半。

然后从臀围线开始向下画两组线段，大致标出大腿、小腿的长度和方向，两腿之间的宽度不能超过臀宽。在小腿底部画出较短的脚掌线段。从肩线两端向下画出上臂、肘部和前臂，在前臂前端用较短的线段大致画出手掌的长度和方向。

绘制要领

检查人体各部分的比例关系，整个画面以人体的头长作为测量比例的基本单位。测量时可以用铅笔尖对齐头顶点，下巴位置用拇指抵住，在铅笔上固定好这个比例，沿着整个人体进行测量和比较即可。

躯干的绘制

先用两个小圆圈绘出肩部位置——把肩部想像成网球形状，在膝盖处也做同样的想像和处理。

从肩部的网球形开始，向下画斜线，连接肩点和腰线端点，再从腰线端点向下连接臀围线端点，这几点连接好后，人体的沙漏型躯干（人体上最主要的结构）就基本形成了。

从臀围线两端开始，向下连接到脊柱线尾端，形成一个倒三角形，这个形状标识了人体躯干最底部的位置。

绘制要领

把肩部想像成衣架，在这个衣架上你将挂上各种喜欢的服饰。

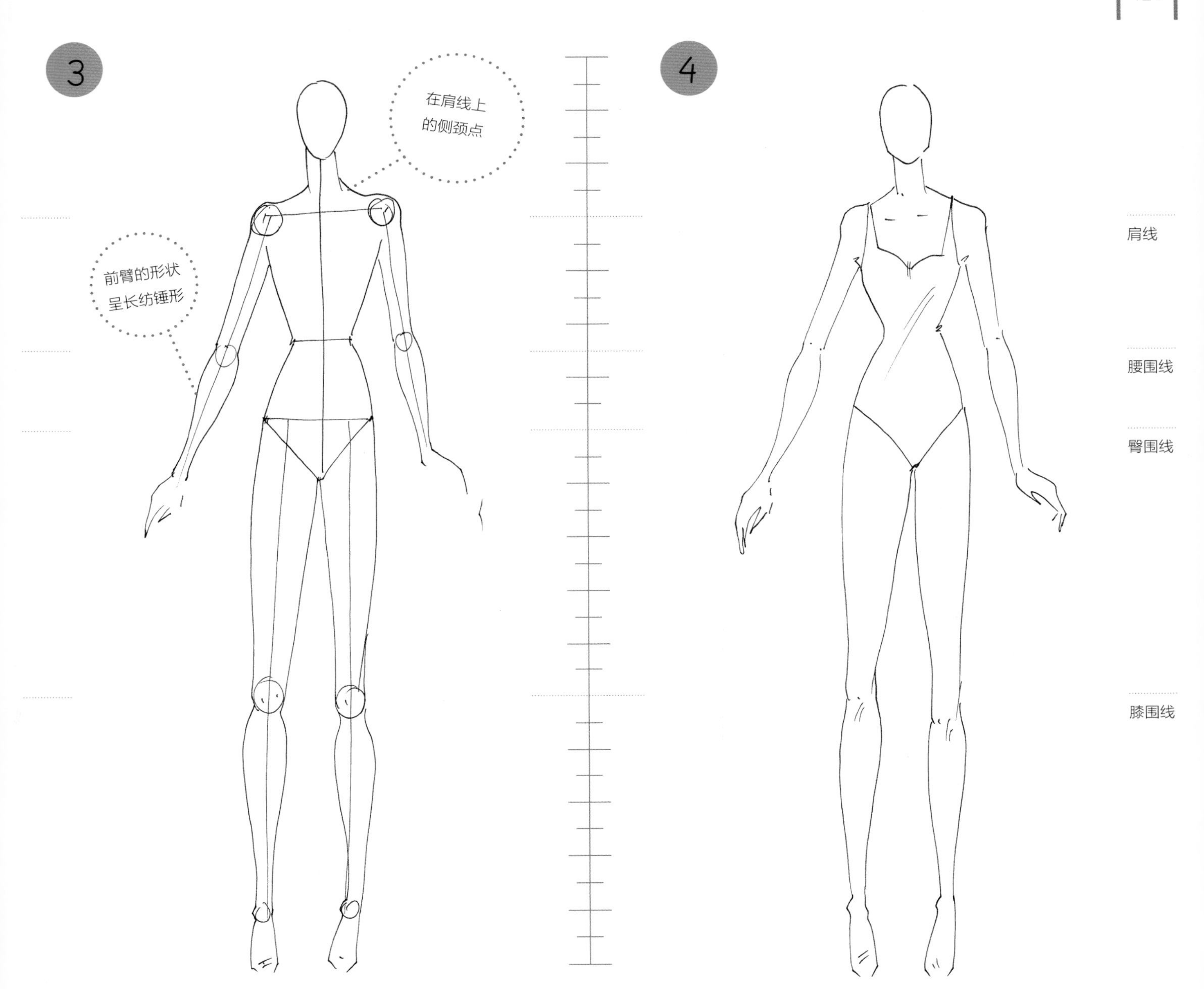

绘制完整的人体形状

从臀围线的左右两端和躯干倒三角部位的底端，向下画出大腿的内外侧弧形，长度至膝盖位置。

接着从球形的膝盖关节向下至脚踝处画出小腿的弧形，然后画出脚踝关节和脚部形状。

继续从头部开始，向下用两条内弧线画出颈部形状以及呈内曲形的肩部。

用小圆圈画出肘部的连接部分，从关节处分别向上、向下画出上臂和前臂的形状，最后在前臂的前关节位置画出手掌的形状。

绘制要领

观察镜子里自己的颈部，更好地理解肩部的结构和形状。在画模特前臂时，可以先仔细观察自己的前臂结构和线条是如何逐渐变细并连接到手腕关节的。

刻画人体各个部位的细节

现在，可以给人体模板“着装”了。首先仔细擦除“火柴人”上的基础线和其他辅助线条，只留下人体的外形线。也可以参考本书第117页介绍的摹描技法直接描出人体外形线。

接着可以选择从简单的服装入手，开始人体的着装练习，例如泳衣或紧身衣。在这些服装上用一些短线段或线条来表现面料被穿在人体上的受力状态，例如腰部的褶皱等。

在人体的关节部位刻画更多的细节：在膝盖处画上高光，表现膝盖骨的立体形状；在颈部用两段小弧线画出锁骨的位置和形状。

绘制要领

时装设计师并不需要刻画出每个模特的脸部，但是如果你觉得这对提高设计效果很有必要，你可以坚持去画。

在绘制好的模特人体上画上风格一致的发型。练习时可参考本书第126～127页所列举的不同时期的代表发型。

女性体型审美的变迁

纵观整个20世纪，女装审美的变迁就是对女性身体不同部位强调和美化的变迁，所以，在不同时期流行的女性形象看上去完全不同。当然，女性标准体型的确在发生变化，这里有社会、经济发展变化的原因，也有女性自身生活方法改变和减肥潮流兴起的原因，例如20世纪20年代的女性比起40年后的80年代的女性，有着更加纤细的腰肢和更宽的肩膀，现代女性的体型则变得更有活力、肌肉强健而有型。

在学习绘制经典时装画时，初学者需要选用能反映相应时代审美的基本模型或人体模板，本章随后的几页内容专门介绍了女性胸、腰和臀部比例是如何随着时代变迁而变化的。

1

追求年轻化和男孩气的20世纪20年代

平胸

直腰和窄臀

肩线

腰围线

臀围线

膝围线

20世纪20年代

画这个时代的女性姿势时，首先从椭圆形头部和脊椎入手，然后绘制肩线、腰围线和臀围线。绘画时牢记这个时期的时尚审美是不强调女性胸部和腰部的。

接着从臀围线向下绘制大腿，标记膝盖和脚踝位置，继续绘出匀称的小腿。

最后刻画躯干上的各个关节部位，勾出锁骨的形状。

设计特写

20世纪20年代最流行的女性形象是“直上直下”的轮廓造型。服饰的下摆被提高，露出女性的腿部和脚踝，许多女性开始穿上袜子。

与20世纪40年代女性的柔美造型相比，20世纪20年代的代表性女性完全就是“男孩风”造型。

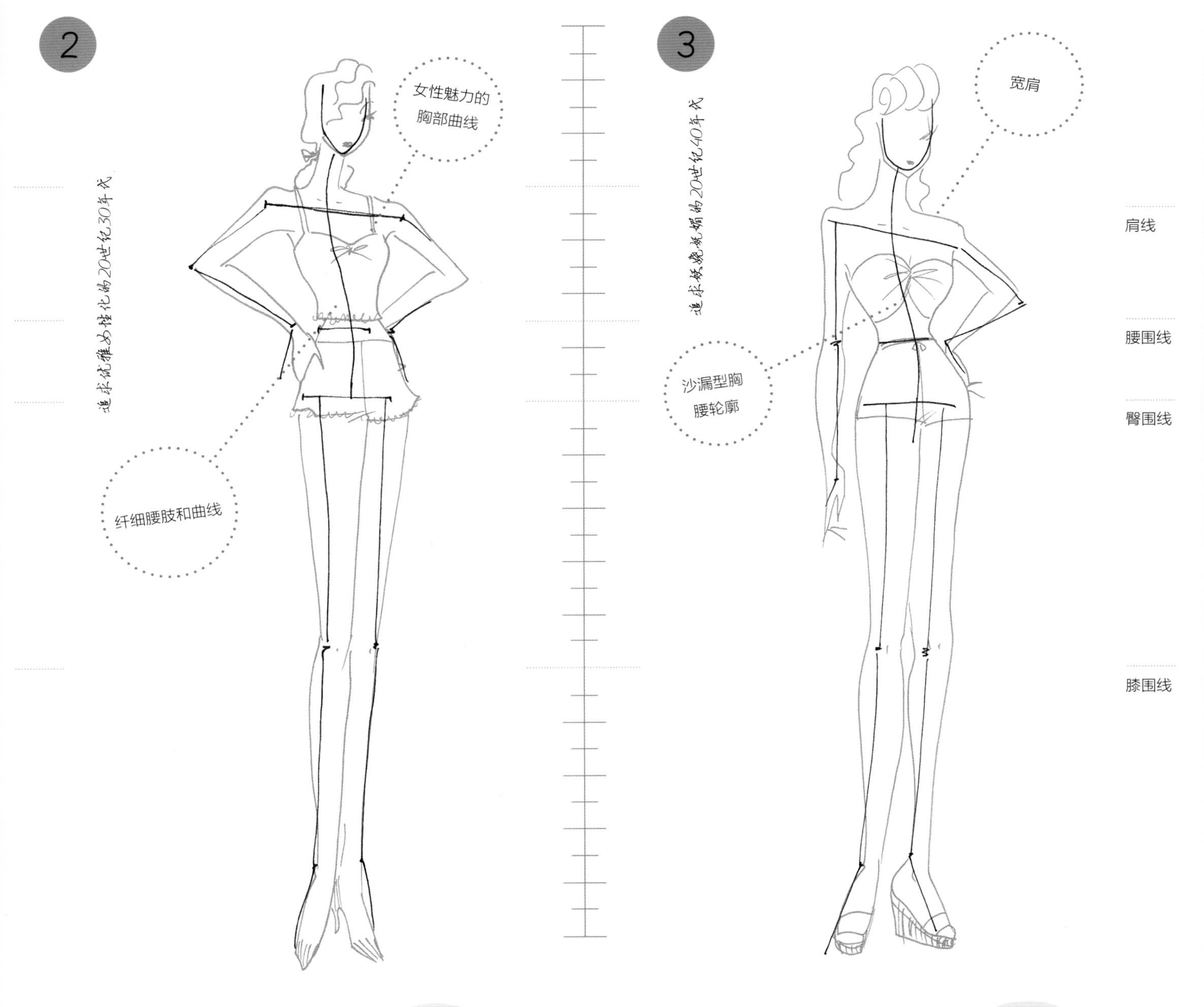

20世纪30年代

首先绘制头部和躯干的脊椎。重点关注肩线、腰围线和臀围线的比例。腰围线的宽度大约只有肩线宽度的一半左右。

然后从肩部向下绘制手臂，上臂与前臂挺直，肘部弯曲，手掌放于臀部一侧，记着，模特的手臂应比你想象的要长。

最后绘制两条长腿，20世纪30年代的女性腿部是不会暴露在外的，从1929年开始，女装的裙摆就开始下降，在随后的整个30年代里，晚礼服的裙长都保持拖地的长度。

设计特写

注意20世纪30年代的女性轮廓造型已经完全不同于20年代了，30年代推崇苗条性感的女性造型，各种新式的内衣帮助女性塑造曼妙的身体曲线，这是她们在20年代极力想掩盖的。

20世纪40年代

首先绘制椭圆形头部，接着绘制躯干脊椎，初学者应牢记，颈长大约是头长的一半左右；然后绘制肩线、腰围线和臀围线，肩线宽度应是人体上最宽的部分。

从肩部开始，绘制手臂部分，强调胸部、细腰和性感的臀部。

最后绘制修长、匀称的腿部，腿部再次被展露在外，20世纪40年代，裙摆线常常设计在膝围线下方。

设计特写

标准的20世纪40年代的女性审美是宽宽的肩部，纤细的腰肢，丰满的胸部和性感的臀部，这一点读者可以参看好莱坞女星丽塔·海华斯或拉娜·特纳的照片就能有所了解。

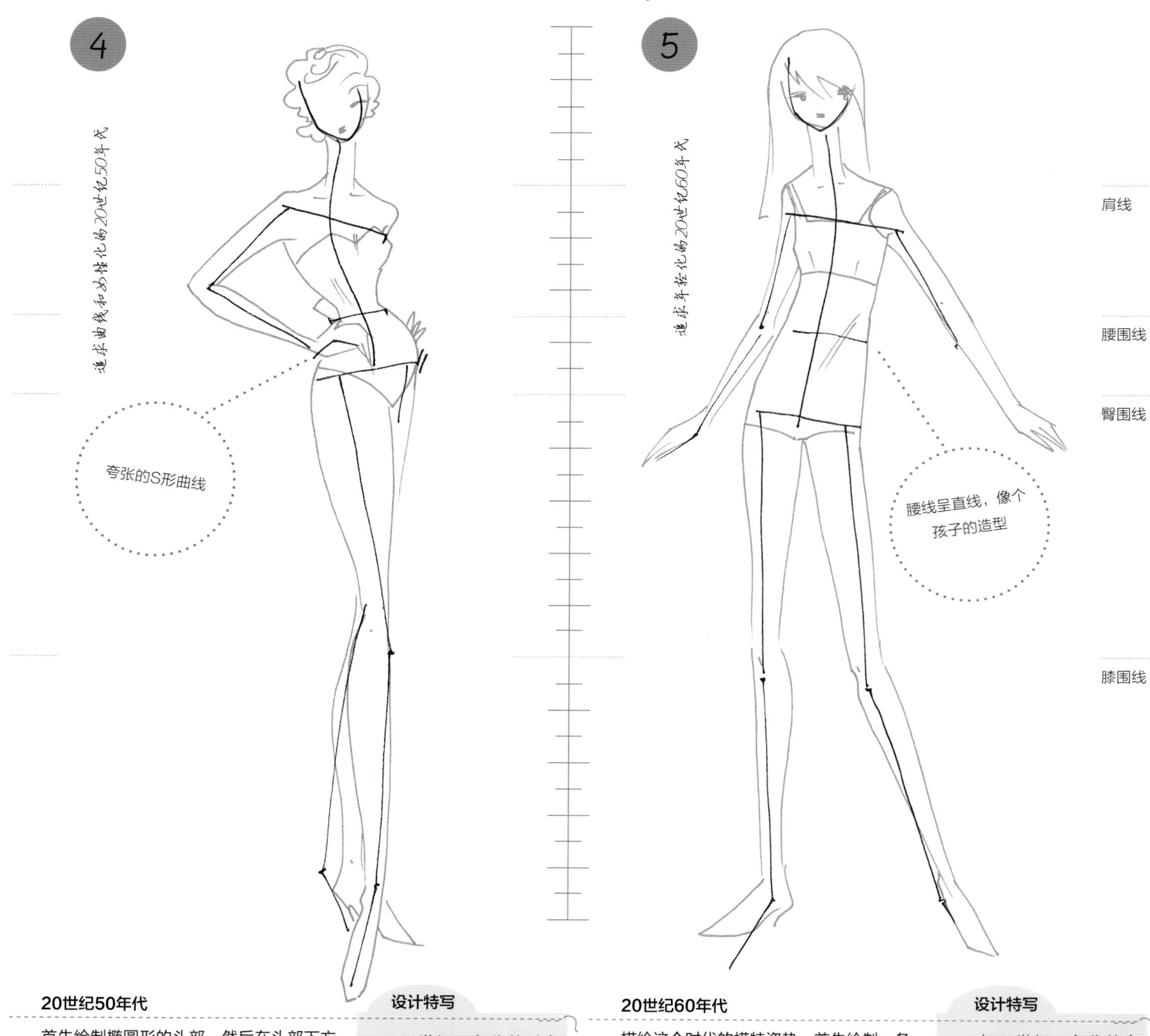

20世纪50年代

首先绘制椭圆形的头部，然后在头部下方绘制富有弹性的脊椎线条，脊椎从颈部至臀部呈柔和的S形，接着绘制较宽的肩线、臀围线和较窄的腰围线，都与脊椎线交叉倾斜成一个斜角。

从臀围线较高的一端向下绘制直立的腿，并刻画膝盖和脚踝关节的形状和位置，从臀围线较低的一端继续向下绘出前腿的大腿线，到膝盖处转折，再向下用另一条直线绘小腿线至脚踝。

从肩线较高的一端向下绘制上臂和前臂，肘部弯曲，手掌斜放置于臀上。最后完成上臂、大腿和纤细小腿的肌肉填充绘制。

设计特写

20世纪50年代的时尚追求高档精致的沙漏型造型服饰，细腰和丰胸肥臀形成强烈对比，模特常摆出高度造型化的姿势来展示服装，关于这个时代的代表性服饰，可以参看本书第143页的文达·帕金森的照片。

20世纪60年代

描绘这个时代的模特姿势，首先绘制一条柔和的脊椎曲线，然后在脊椎线上，略倾斜地依次绘制出肩线、腰线和臀围线。三条线段宽度接近，体现出年轻化并略带男孩子气的体型特征。

然后从臀围线较高的一侧向下绘制左大腿线，标识出膝盖位置，再从臀围线另一侧向下绘制右大腿线，绘制时，牢记大腿长约为2.5个头长。

最后向下继续绘制小腿线至脚踝，脚踝向外绘制脚掌部分，长度约为半个肩宽。

设计特写

与20世纪50年代的丰韵时尚相比，60年代更青睐曲线尚不明显的年轻模特，例如很年轻的崔姬就在当时变得非常有名。这些年轻模特的走红带动了全民年轻化的时尚潮流，这股潮流甚至还有点稚嫩的孩子气。

这个时期的时尚服饰代表是迷你短裙和一些其他类似的可爱型服饰。

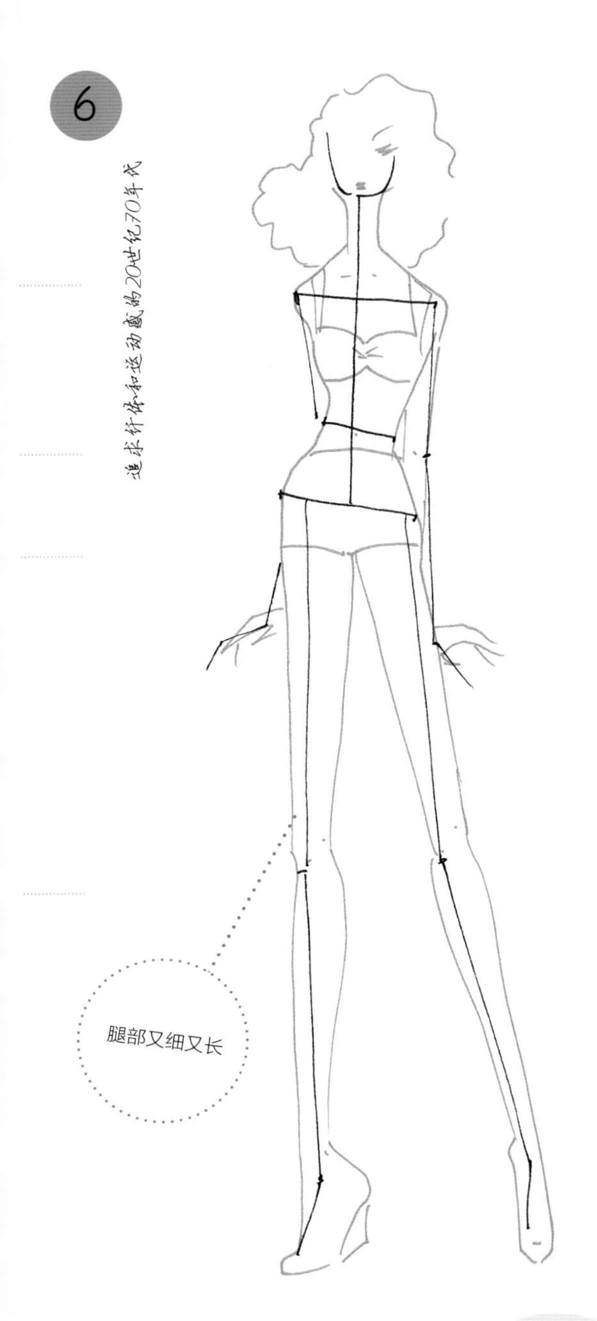

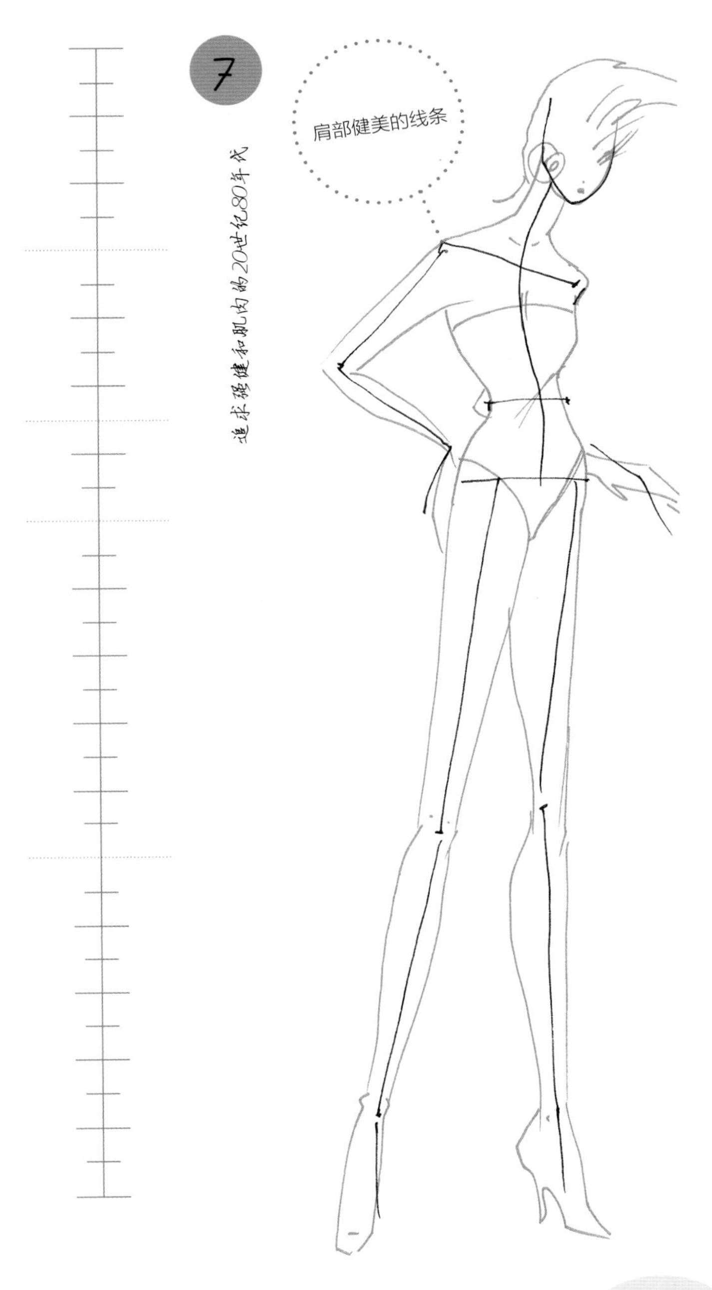

肩线

腰围线

臀围线

膝围线

20世纪70年代

首先从头部向下绘制一条直线作为脊椎线，在水平略倾斜的方向绘制肩线、腰围线和臀围线。

然后从臀围线向下绘制两条腿线，右边的腿线膝盖略微有点弯曲。

接着从右肩点向下，绘制一条直线作为上臂线，长度至腰部位置，标记端点为肘关节，再从肘关节向下绘制相当长度的前臂线。在人体对侧的后方位置，绘制隐约可见的部分左臂线。

最后在人体各关节处用小圆圈做标记，并填充整个人体的肌肉部分，注意表现出手臂和腿部的削瘦外形。

设计特写

20世纪70年代的时尚界推崇非常削瘦和富于动感的造型，查阅20世纪70年代的模特照片，例如瑞莉·霍尔的秀场照片，可以有直观的了解。

20世纪80年代

首先绘制一条S形脊椎线，能突出较宽的的肩部，然后再绘制比例接近的腰围线和臀围线。

注意这种姿势下，人体肩部的侧转角度和放在臀部的手长。人体的动感全来自上半身的造型，腿部从臀围线向下开始绘制，尽量画得挺直。

设计特写

在20世纪80年代，一些女性例如琳达·伊凡吉莉丝塔和辛迪·克劳馥成为世界瞩目的“超模”。她们之所以被称为“超模”是因为她们不仅拥有令人艳羡的名气和收入，还拥有“超级完美”的身材。

头部的比例

为你的模特设计一个古典发型，对于塑造和还原复古风格非常有用。这里举例了一些20世纪代表性发型供读者参考。绘画时，牢记脸部和头部的比例正确至关重要。

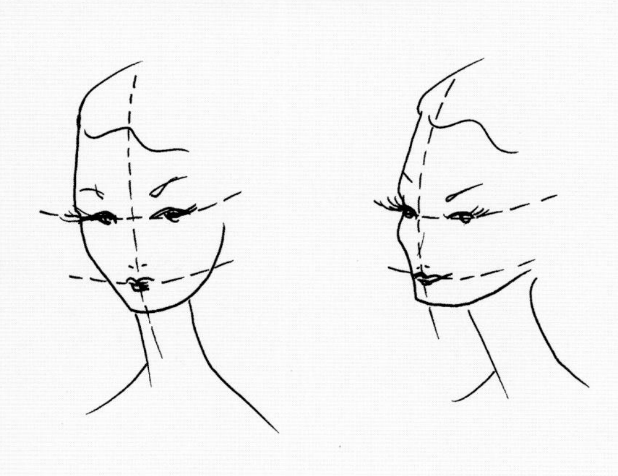

首先绘制椭圆形的头部，并根据头转的角度绘制水平、垂直方向的辅助线，将面部进行平均分割；接着在分割的下半部分继续用水平辅助线平均分割，然后根据这几条辅助线，分别绘制眼睛、鼻子和嘴唇。

20世纪20年代的波波头和伊顿式短发

使用削尖的铅笔来绘制这两种发型。首先把发型想象成固体——像一个戴在头上的头盔，然后从发型的外形线围绕头部进行绘制。前额的发际线常常盖在额头3/4处。

发型特写

短发流行于20世纪20年代，当时的年轻人希望能摆脱保守老式的发型。

伊顿式短发的命名则是因为该发型类似伊顿中学男生的发型。

1

波波式短发

伊顿式短发

发型代表人物： 路易斯 · 布鲁克斯和约瑟芬 · 贝克

20世纪50年代的波浪短发和内卷短发

绘制波浪短发时，首先画额头部分的头发，然后再画外翘的卷发。围绕脸部重复绘制波浪发梢，在头部后方也画出类似的外卷发型。

绘制内卷短发时，先从刘海入手，然后向下绘制内弯的缕缕发丝。

发型特写

电烫发和染色技术多用于这款蓬松的发型设计。人们在家里可以用倒梳和发型定型剂，塑造出发型自然流畅的飘逸感。

4

波浪短发

内卷短发

发型代表人物： 玛丽莲 · 梦露和奥黛丽 · 赫本

5

蓬松的披肩长发

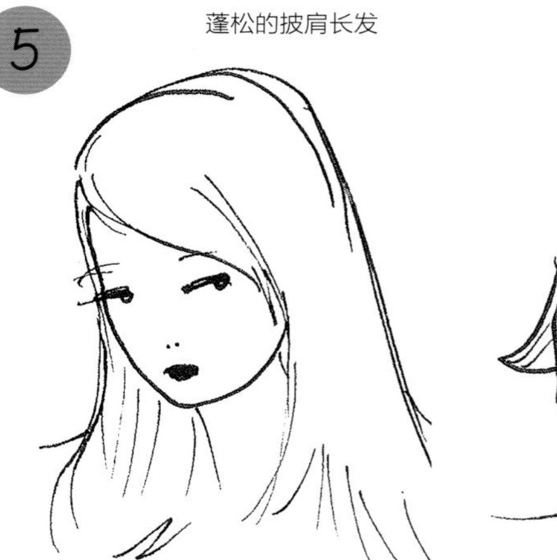

几何型个性短发

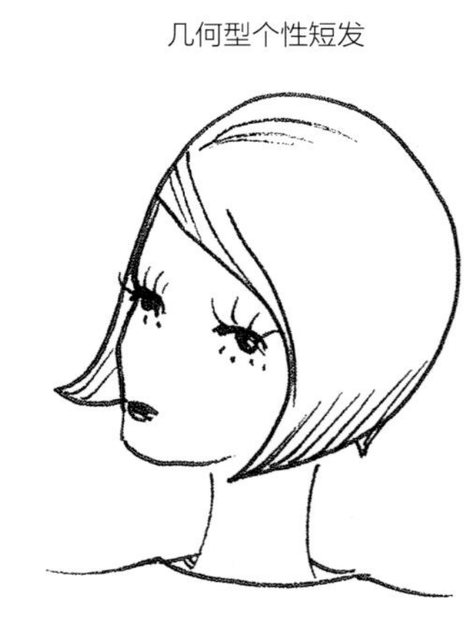

发型代表人物： 碧姬 · 芭铎和玛丽 · 奎恩特

20世纪60年代的几何型短发和长发

长发的绘制是沿着头部的自然形状向下画出发丝，然后松松地披在颈部和肩部。绘制几何型短发，沿着脸部和头部分别画出流畅的弧线，在发梢尾部刻画出细节。如要绘制个性十足的几何型波波短发，只需在脸部的腮边，画出锐角的发梢尖即可。

发型特写

发型设计师维达 · 沙宣和伦纳德在伦敦首次推出五彩斑斓的个性波波短发，这种发型与嬉皮士们青睐的蓬松长发截然不同。

发型代表人物： 玛琳 · 黛德丽和温莎公爵夫人

20世纪30年代的盘髻和马塞尔式波浪卷发

盘髻的发际线很高，发髻被梳成圆形并盘在后颈部。绘制盘髻时，需勾勒若干线条表现出头发梳理的方向。绘制波浪卷发时，首先从发型的轮廓线入手进行绘制，围绕整个头部，紧贴脸部，绘制波浪轮廓线，然后在轮廓线内部画上一层层的波浪。

发型特写

小卷的马塞尔式波浪卷发是用卷发棒烫出来的。这种发型是由发型师弗朗索瓦 · 马塞尔采用新式电烫发技术发明的。

20世纪40年代的卷发和顶卷盘发

绘制维多利亚卷发时，首先绘制额前的两个蓬松的发卷，然后再绘制发型的外轮廓线，这里要考虑到头发的自然垂落。顶卷盘发是堆在头顶部的卷发，头部两侧头发整齐地向上梳起。

发型特写

披肩长的头发是用电烫发和发卷来造型的。维多利亚卷发的命名是为了庆祝第二次世界大战的胜利。

发型代表人物： 丽塔 · 海华斯和葛丽泰 · 嘉宝

20世纪70年代的爆炸式和羽毛式卷发

绘制爆炸式卷发，重点是围绕脸部和头部绘制大量堆积的小发卷，表现出爆炸发型的蓬松感。绘制羽毛式短发时，先从侧面绘制发型的局部造型，再沿着头部画发型的外形线，最后在发梢尾部随意地勾画外翻翘起的发尾。

发型特写

20世纪70年代流行自然飘逸的发型，但这种发型需要借助电烫夹和吹风机才能实现。20世纪70年代的热门电视连续剧《查理的天使》里主角们就留有这种发型。

发型代表人物： 女演员帕姆 · 格里尔和法拉 · 福赛特

发型代表人物： 20世纪80年代的歌星麦当娜

20世纪80年代的刺猬头碎发和高耸卷发

绘制刺猬头碎发时，首先用尖锐参差不齐的线条画出发型的轮廓，然后再刻画出碎发的细节特征。绘制高耸卷发时，首先绘制高高梳起的前额发卷，然后绘制披肩的蓬松卷发，最后再刻画内部发丝的细节。

发型特写

高耸卷发和刺猬头碎发始于20世纪80年代，它们的出现要归功于定型摩丝和啫喱水的问世。美国歌星麦当娜在电影《寻找苏珊》（1985年）里的人物造型就梳着高耸卷发。

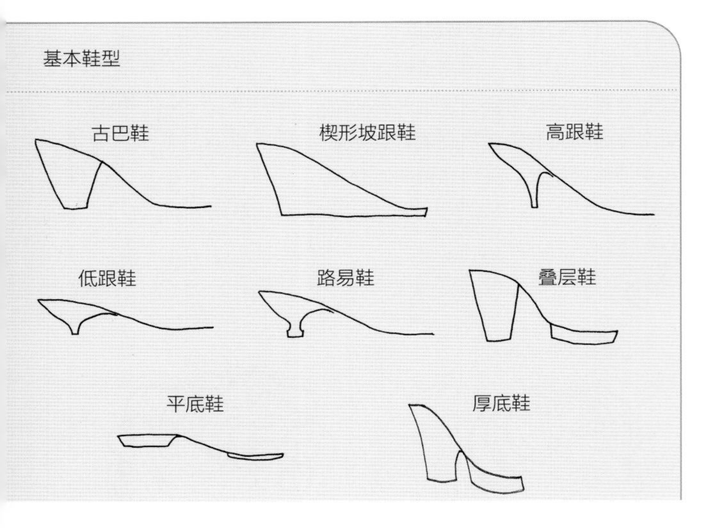

鞋子的主要构造有三部分：体现整个外观的鞋面，支撑所有运动的鞋底和鞋跟。

不同历史时期流行不同形状的鞋子，绘画时注意表现出每种鞋子的时代特征。参照上图列举的各种鞋子款式，结合随后两页的文字，介绍了解它们的流行时代背景。

20世纪20年代的舞鞋和T型扣带

一双完整的鞋子包括鞋底、鞋跟和鞋面。绘制鞋子时，从鞋底开始入手，鞋底是脚部的支撑点，然后向上绘制鞋面，同时沿着鞋底画弯弧形的鞋跟，最后加上鞋襻或系带，以及其他一些设计细节等。

设计特写

第一次世界大战后，随着裙子变短，女士的鞋子也暴露在外面。鞋襻的出现，让鞋子在跳舞时不易脱落。

20世纪50年代细高跟鞋和脚踝处的系带

绘制细高跟鞋时，记住要画出高跟的纤细感和鞋头的尖尖形状。鞋面可以是装饰繁复的宫廷鞋造型，也可以是鹳毛装饰的露趾凉鞋造型，凉鞋可以在脚踝处加上精致的系带。

设计特写

20世纪50年代查尔斯·朱丹和罗杰·维维亚发明了一种尖细高跟，专门用于搭配高级服饰，金属的鞋跟芯使得细高跟非常坚固。

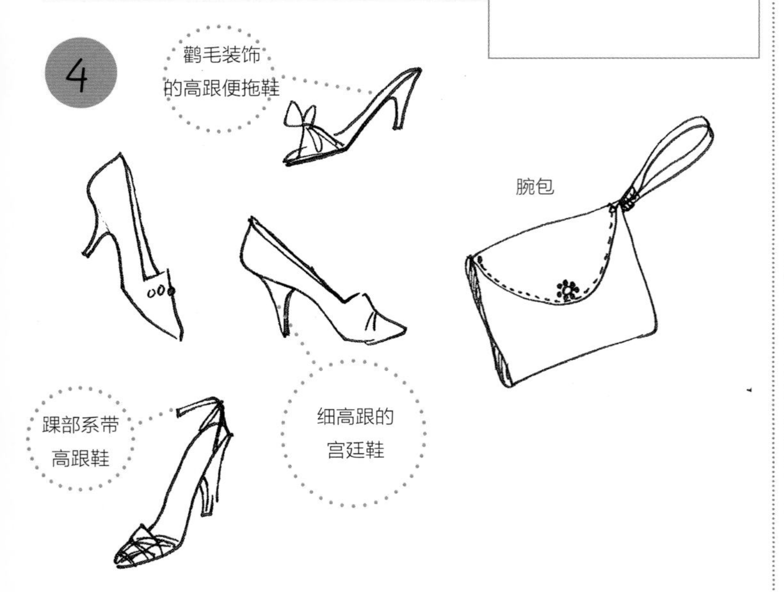

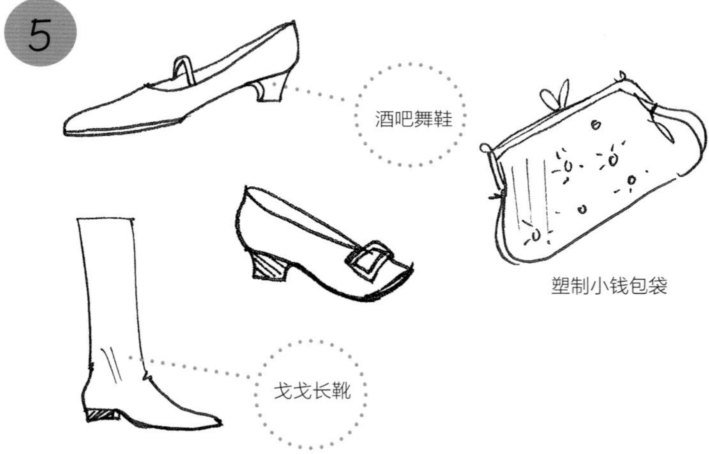

20世纪60年代的戈戈长靴和低跟鞋

绘制低跟舞鞋时，首先画平缓的鞋底和简洁的鞋跟，然后向上绘制平宽的舒适鞋口，低跟鞋鞋尖较方正，并有各式各样的带襻设计。绘制戈戈长靴时，注意脚踝及小腿部分的鞋身较为紧窄。

设计特写

20世纪60年代流行迷你裙搭配小腿长或及膝高黑胶鞋，或是迷你裙搭配搭扣式或带襻式低跟鞋。

20世纪30年代的轻便舞鞋和运动鞋

绘制时先从鞋底开始，无论是画平底鞋还是高级晚宴鞋，都应仔细考虑鞋跟的高度和形状。绘制这两款鞋型时，使用优美的外形弧线，表现出足弓的形状和鞋尖的圆润饱满。

设计特写

20世纪30年代的鞋子种类繁多，可以与风格迥异的女式工作服、运动服、日常装或晚礼服进行搭配。这些鞋子款式多样，从系带式便鞋到高跟鞋款式不一而足。

20世纪70年代的厚底鞋和凉鞋

绘制厚底鞋时，首先从侧面画出鞋底形状，向上绘出厚厚的鞋底和鞋跟，然后绘制宽宽的凉鞋襻，斜面也可以是略保守的宫廷鞋造型。用细节刻画表现出鞋子的制作材料，例如金属色皮革或黏贴的木制鞋底等。

设计特写

20世纪70年代最具特色的厚底鞋采用的是金属色皮革材料和各种大胆的撞色设计。读者可以从20世纪70年代的时尚中获得灵感，尝试进行平宽鞋跟、木底鞋或系带迪斯科凉鞋的设计。

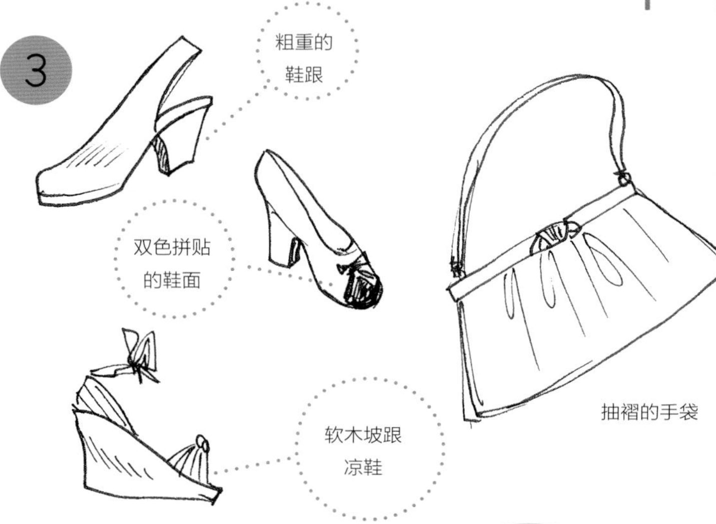

20世纪40年代结实的鞋跟和实用的造型

首先思考绘制脚部的角度：是正面向前还是斜向侧面。绘制坡跟鞋时，先画一条水平线作为鞋底，再向上画出坡跟的弧线；选择封闭式或露趾式鞋头，完成鞋面的绘制。

设计特写

二战期间，制作鞋子的材料极为短缺，因此软木和一些其他替代物就成为鞋子的主要材料来源。如需了解更多实用装内容，可参看本书第134页。

20世纪80年代及踝短靴和便鞋

绘制婆婆靴和宫廷鞋时，画出鞋跟上细窄的鞋型。绘制短口皱靴时，在鞋外形线上画出皮革堆叠的折痕线和宽宽的鞋口。注意婆婆靴上的细节和拖式便鞋的敞口鞋身及窄底。

设计特写

20世纪80年代，宫廷鞋和华丽的便鞋总是与“权力”套装搭配，与街头风格的“短口皱靴”“婆婆靴”形成鲜明对比。

“名媛式”直身裙

首先从两侧肩膀的中部开始向胸围中部对称地画出V字形领口，接着画出身体两侧的袖窿形状，再沿着人体曲线均匀地画出宽松合体的直筒裙身。在腰围的下方，绘出系扎的腰带和玫瑰花形的带结。

从腰围向下流畅地画出裙片两侧的外形线，并在下摆处画出“生菜边”形的小圆齿花边。

在肩带处细致描绘出若干条受力后产生的折皱线，借此表现面料的轻薄、细腻的质地和手感。

设计特写

20世纪20年代的服饰倡导的是“身体的解放”，女性着装后不仅能行动自如，还能随着当时的流行音乐——爵士乐尽情地舞蹈。注意第130～131页的经典款式都保持着同一种轮廓造型。

茧型丝绒大衣

这款服装从开口较低的V形领围线开始入手。首先沿着肩线画出柔软堆叠在颈肩部的大翻领，翻领在领口处逐渐收拢成较宽的V字形。

再在领口下方画出前门襟上的钮扣，然后沿着中心线位置画出略呈弧线的门襟线直至下摆处（约位于膝盖位置）。

最后画出大衣的两侧外形线及宽大的袖型，绘画时注意使用略弧的线条来表现整件服装的蓬松体积感。最后画出内穿的裙片下摆，完整地呈现出整个着装效果。

设计特写

宽大的翻领毛绒绒的，蓬松而柔软，如同靠枕。20世纪20年代垫肩和绗缝工艺已经开始出现在服装设计中，目的是增加服饰的舒适度和奢华感。

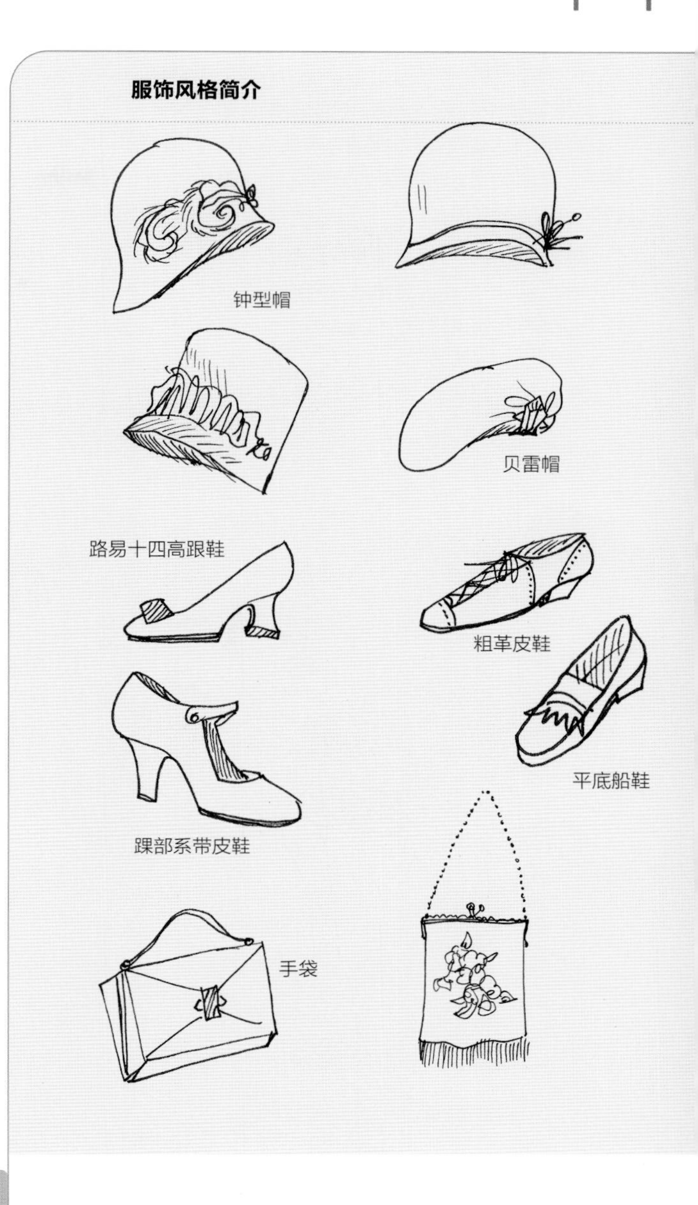

在20世纪20年代，年轻的女性发起了抵制传统的时尚革新运动：她们将头发剪成齐耳的波波式短发，身穿短裙，听着一种新的流行音乐——爵士乐。这些叛逆的女性被称为“时髦女郎”，她们所经历的这10年被称为爵士时代。20年代的服饰设计普遍呈现一种中性风格，这种风格藏起了女性的曲线。宽松的合身设计反应了当时女性对自由的呼唤和全新的意识。

20世纪20年代的代表性配饰有：精美的流苏手袋，贝雷帽和钟型帽。“钟型帽”这个称呼源自于法语，这种帽子类似“吊钟”形状，小巧而精致，非常贴合头型，戴在剪短的发型上正符合当时流行的男孩式俏皮风格。

运动套装的服饰风

首先画出针织衫上较宽的V字形领围线和短窄的肩线，从肩点向下直至臀围线处画出针织衫两侧的外形线，表现出修长直身的造型特点。接着画出两边细窄的袖型。

紧接着在针织衫的下摆处画出两侧的裙型线，裙身中画上一条条的褶裥线，并在裙摆处刻画出褶裥立体重叠的细节。

使用细密的短线整齐地画出针织衫下摆上的罗纹，最后画出大披肩。

设计特写

这是典型的户外运动装扮，穿着者可能去打高尔夫球或网球。在20世纪前半叶，这种“运动套装”相当普及，人们常穿着它去看比赛，而不是参加比赛。

美人鱼礼服裙

首先勾画水平的领围线和荷叶边装饰的袖型。接着画出人体胸腰部优美合体的弧线，直至膝盖位置，沿着这条体型线的方向，在胸围线下方画两条较长的省道。

在膝盖处用小巧的花束装饰斜向的分割线。分割线以下是美人鱼裙片打开的下摆部分，用弧线向外画出膨起的裙摆造型。

设计特写

这款造型形同美人鱼的形象：上半身非常紧身合体，从膝围线开始裙片开始展开，呈现夸张的膨大造型。这款服饰的灵感来源于好莱坞女明星琼·克劳馥在电影《情重身轻》（1932年）中所扮演的女主角形象。

女式衬衫和斜裁裙

首先绘制一条V字形领围线，从领围线起刻画重叠堆积的领片或荷叶边，形成别致的领型。沿着肩线流畅地画出柔软下垂的袖型，并在袖口处归拢束起。然后画出衬衫扎系在紧身高腰带下的衣片形状。

沿着臀部向下画出两侧自然的裙型线，膝围线以下的裙身略有展开，最后用连续而曲折的立体线条绘出裙摆。

设计特写

这种高挑纤细的造型是典型的20世纪30年代的风格。女式衬衫常常用精美的荷叶边装饰领部，并与简洁优雅的半截长裙搭配。

“水手”裤

首先画出高翻领的形状，并连贯地画出肩线和袖型，然后画出针织衫合身的两侧外形线。

在腰部画出中间略为弓起的弧形腰线。裤型沿着合体的臀部向下逐渐展开，形成宽大的裤腿造型。最后在裤片上分别画出挺缝线、钮扣和口袋形状。

设计特写

“水手”裤源自于法语。这种裤型紧身合体的高腰节突出了腰部的美感。在20世纪30年代，腰部细节是当时流行的设计重点。

乡村俱乐部套装

首先画出弧形的V字形领口，领口下用阴影画出内衣的领型。在V字形领口外勾勒出柔软的阔翻领。从阔翻领底部向下画出右压左的女式门襟。

沿着阔翻领围线向外继续画出肩线、袖型和外套两侧的外形线，并用一条腰部分割线强调腰节的位置。最后向下画出裙片直至小腿中部，连接左右裙片轮廓线形成长裙的裙摆。

设计特写

20世纪30年代的裙长又开始被拉长，具体长度根据不同的款式略有差异，例如晚礼服裙常常被设计成拖地长裙，午后穿的小礼服裙长至脚踝，日常裙装则长至小腿中部。

服饰风格简介

科茨沃尔德乡村。模特身着诺曼·哈特奈尔设计的裙装。《时尚》杂志，诺曼·帕金森拍摄于1942年。

第二次世界大战期间，从1939—1945年间，在很多国家，面料的供给都是实行配给制的。人们只能使用一定数量的面料，不能超出官方规定的额度。在英国，贸易委员会尝试向民众推广一种“实用型”服装，这种服装使用较少的面料制作而成，款式简洁并易于搭配。

这个时期的代表性女装种类还包括制服和工作服，有些职业会需要女性穿裤子，而日常装就是最常见的休闲装。实用日常装的主要设计要求：使用较少面料的简单造型、简洁的领型和袖型、腰带和及膝长的裙子。简洁的服饰通常搭配实用的鞋子，工作中的女性为了让自己的头发整齐干净，她们常用头巾或方巾将头发扎束起来。

这张由摄影师诺曼·帕金森在1942年为英国版《时尚》杂志拍摄的照片中，模特身穿设计师诺曼·哈特奈尔设计的连衣裙，就是1941年实用服装设计的典型代表。

实用型连衣裙

首先在颈部左右对称地画出小圆领的形状，从领口处向下画一条直线，作为连衣裙上的门襟线。

接着绘制蓬松的短泡泡袖，在袖克夫处绘制系带的形状，并将上装两侧的外形线画入收紧的腰带中。

然后绘制裙子的轮廓线，裙子从腰部至膝盖呈逐渐展开的造型，在裙中线位置画上中心褶裥线，用流畅的曲线连接下摆。

最后刻画口袋等细部结构，并在腰部添加弧线表现出面料束起后的细碎皱痕。

设计特写

在第二次世界大战期间，稀缺的印花面料有时用于点缀和装饰普通面料。当客人去购买服装时，商家会问道：“这条裙子你想用哪种花布装饰呢？”

节俭裙装

首先绘制钥匙形的领围线和狭长的领孔形状，然后画出肩线和袖窿，在袖窿处画出耸起的泡泡袖。

接着从袖窿向下沿着人体曲线画出高腰节的胸部结构。

继续沿着臀部画出裙子的外形线，下摆处略呈喇叭形，用流畅的线条绘制裙摆上的波纹，表现出面料良好的悬垂性，在高腰节下画上两条对称的省道线。

设计特写

在战争年代，政府号召民众节约，提倡使用节俭装，鼓励大家充分利用服装，包括那些早已过时的服饰。当时的节俭裙装有着20世纪30年代的高腰节和泡泡袖造型，但是它的裙长则被改短到20世纪40年代的长度。

战时的日常装

首先绘制弧形的高领口，自然的肩线延伸至肩点处，再用曲折的线条画出扇贝形的袖口。

然后用弧线画出纤细的腰部、圆润的臀部和逐渐展开的裙身。

最后在领口处画出若干条发射状的褶裥，袖口画出垂荡的波浪线，在裙片左右两侧画出箱型褶裥。

设计特写

战争年代，钮扣和布制的配饰都比较稀缺，但是服装仍可以借助褶裥设计来进行装饰。帽子在当时没有实行配给制，所以女士们可以用不同的帽子来搭配服饰。

鸡尾酒裙

首先绘制面料在胸口的翻折部分（或称为领胸片），这是整条裙子的最上缘部分，接着在腋窝下绘制裙身曲线，并斜向绘制一根线条表现上半身面料是如何从领片被收拢到腰间的。

向下绘制圆润流畅的线条，突出丰满的胸部和纤细的腰肢，腰部画上若干条褶裥线。

最后沿着臀部两侧绘制宽大的裙型线，在裙摆上画上三四条面料的折叠线。

设计特写

在20世纪50年代，富有阶层的女性都会准备大量的服饰来满足各种正式社交活动的需要，例如当时流行的下午茶聚会和鸡尾酒会等。

晚宴礼服裙

这条裙子可以看成是由两部分组成：紧身的上半身沿袭了20世纪50年代的造型，注重胸部和腰部的刻画，而下半部分的裙体则宽大随意，蓬松又飘逸。

首先从心形领围线开始绘制，弧形裁剪的衣片在腰部和上臂部被排列成花瓣形，腰部至臀部也被覆盖上花瓣形装饰裁片。

接着从上半身的底部向下绘制一组线条，散开形成蓬松的裙体，最后连接裙摆，完成整条裙子的绘制。

设计特写

衬裙穿在晚宴裙的里面，支撑起蓬松的裙体。紧身内衣有助于塑造出时髦的沙漏型体型，新款的内衣采用合成面料制作而成，这种材料就是人造纤维。

成人礼舞会礼服

首先绘制无吊带长裙的领围线和胸部造型，在腰节上绘制出面料被收拢后缝制成束结的细节设计。

接着用两条大弧线绘制宽大裙身的外形线，在裙子中部画上两条长长的褶裥痕，表现出裙子的蓬松感。最后用曲折的弧线圆顺地连接裙摆，完成整个裙子摇曳生姿的动态立体造型。

设计特写

20世纪50年代，年轻的富家女常会在18岁举办成人礼，庆祝自己正式进入成人社会。她们被称为“新人”，会身穿美丽的礼服裙出席这场重要又特别的“成人舞会”。

服饰风格简介

伦敦春季时装发布会上哈迪·雅曼设计的无吊带礼服裙，刊登于1953年3月的《时尚》杂志，由诺曼·帕金森拍摄。

第二次世界大战结束于1945年，在经历了艰苦的战争期之后，巴黎逐渐成为世界的时尚之都。1947年，一场著名的时装秀拉开了20世纪50年代新时尚的帷幕，这场被命名为“新风貌”的秀展是由巴黎设计师克里斯汀·迪奥举办的，迪奥的设计掀起了战后的时尚热潮。

“新风貌”展现的是大量豪华精美、层叠繁复的高级礼服，迪奥成功地塑造出完美的女性形象：拥有纤柔的肩部，性感的胸部和曼妙形体的优雅淑女。

当时许多有才华的巴黎设计师都纷纷效仿迪奥的设计，设计出很多类似风格的服饰，构成了20世纪50年代的主流时尚。不久，法式时尚的奢华优雅风格很快被传播到全世界，在当时的电影里、杂志上，甚至街头巷尾，到处充斥着“新风貌”的服饰。

女装设计师诺曼·哈特奈尔和哈迪·雅曼也是这些追随者中的一员，他们将“新风貌”时尚潮流带到了英国，上面的这张照片就是1953 年女王伊丽莎白二世加冕典礼前刊登在英国版《时尚》杂志上的英式礼服设计。

舞会礼服

首先绘制Y形交叉领围线，从两个肩袖向大身内侧画两条宽松的侧缝线，表现出上半身裙子束进腰间的造型。

接着绘制蓬松的下半身裙体，裙上勾画几条宽褶线，然后圆顺连接起裙摆，完成整个造型的绘制。

设计特写

“毕业舞会”是典型的美国传统，是高中生们为了庆贺高中时代结束而举办的一场聚会，每个人都会身着正装出席。

蓬蓬裙

首先从领子开始绘制蓬蓬裙：先画出钥匙孔形的领开口，然后绘制肩线和柔软的袖型，袖长至上臂的中部，袖口收在袖克夫里。

接着绘制衬衫的外形线和宽腰带。在胸部以下和腰部以上位置勾画若干条受力线段，表现出面料被扎系后的形状。

最后腰带向下绘制蓬大散开的裙子，裙上画上宽褶线，表现出受紧腰带束缚后裙体形成宽褶裥的效果。

设计特写

“蓬蓬裙”的英文“Poodle skirt”这个俚称源自20世纪50年代的摇滚乐。宽摆蓬松的大裙子装饰有各种可爱的图案，例如卷毛小狗或音符图形在当时的舞会上非常受欢迎。读者可以尝试设计自己喜爱的图案，观察面料折叠后会产生怎样的效果。

3

摇滚礼服裙

首先绘制宽领的内侧，领口向下画一条短的中心线作为门襟，接着绘制宽领的外侧，领口斜向下至腋下位置，再从腋下向下绘制上身的衣形线，并刻画出胸部和腰部造型。

然后绘制蓬松的下半身裙体，裙长至膝盖以上位置，裙摆线条呈柔和的波浪形。

设计特写

这款礼服裙中，你是否看到了对20世纪50年代时尚精髓的最经典表达呢？这款裙装虽然较短，却糅合了大量“摇滚乐”元素，并与精致的紧身上衣结构组合搭配。

服饰风格简介

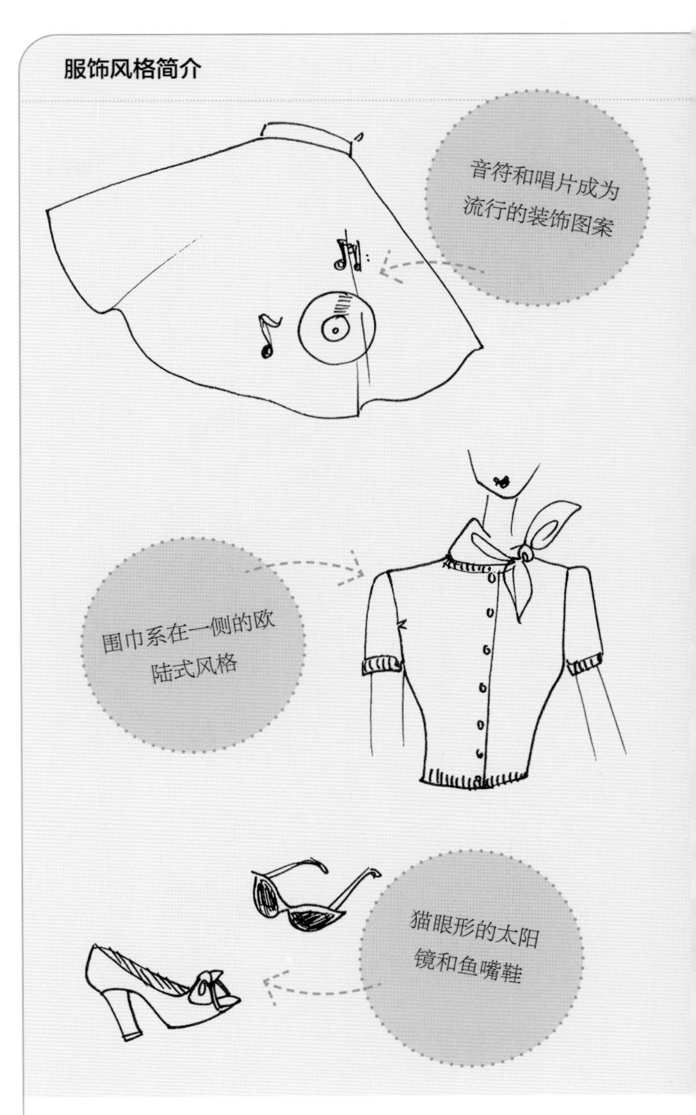

音乐和时尚的变迁常常与社会变革密切相联。到了20世纪50年代，经过二战后的几年重建，人们对经济的复苏重新有了自信，开始更加自由地进行物质消费。

20世纪出现了两种新生事物：一是“年轻一代作为独立一代人”的思想的出现；二是摇滚音乐的诞生。

乡村摇滚乐风格是伴随着摇滚音乐的流行而出现的。20世纪50年代在青少年中开始传播，尤其在美国非常受欢迎。短款卡普里裤、皮茄克外套和宽大的狮子狗裙，在当时都是最热门的潮款。为了让裙子造型更加蓬松夸张，女孩们甚至穿上了硬梆梆的鲸骨制作而成的衬裙，再配上大披肩、太阳镜、短袜和皮鞋，让整个摇滚风格看起来更加完整。

服饰风格简介

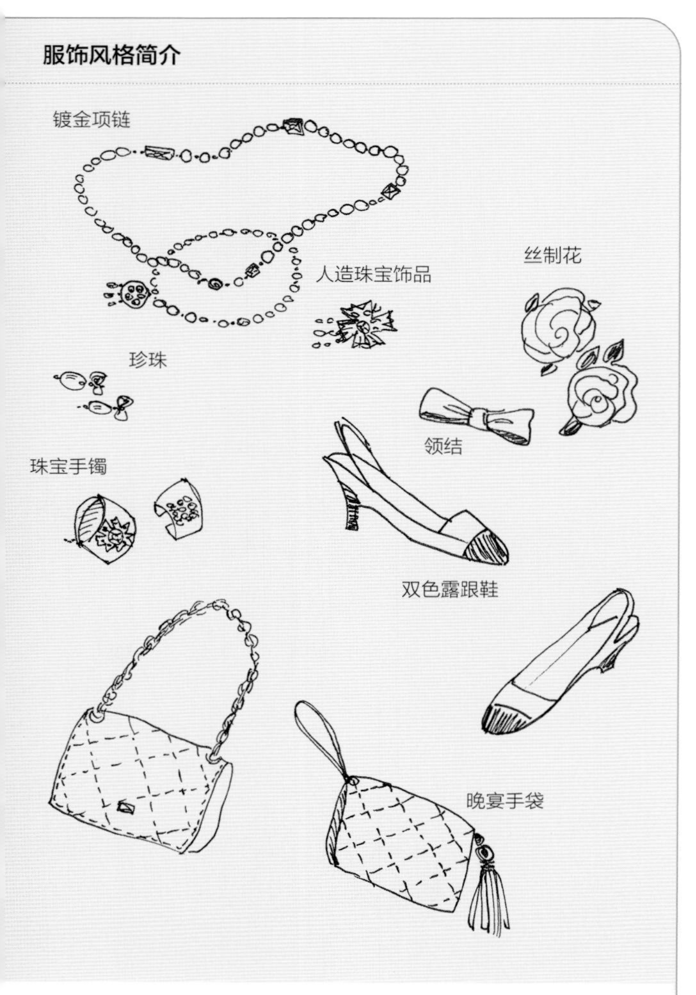

配饰对于塑造"可可·香奈儿"的服饰风格至关重要。香奈儿著名的配饰设计有：长串的珍珠项链、夸装的戏剧化珠宝、镀金钮扣、双色拼贴的鞋子、皮革绗缝的包袋，以及海军蓝、黑色与奶油色的色彩组合搭配。帽子对于整体风格也很重要——的确，香奈儿的事业就起源于她1909年创办的帽子店。

一些重要的香奈儿设计的单品甚至有自己的名字，经典的"香奈儿手提包"镶嵌有两个交叠的C形标识，著名的链条包则被命名为"2.55"，这是因为它诞生于1955年12月。

读者应认真研究有关香奈儿的影像资料，学习她是如何着装并塑造出自己独有的风格。香奈儿最成功的设计中绝大部分作品都源于她个人较高的审美水准。

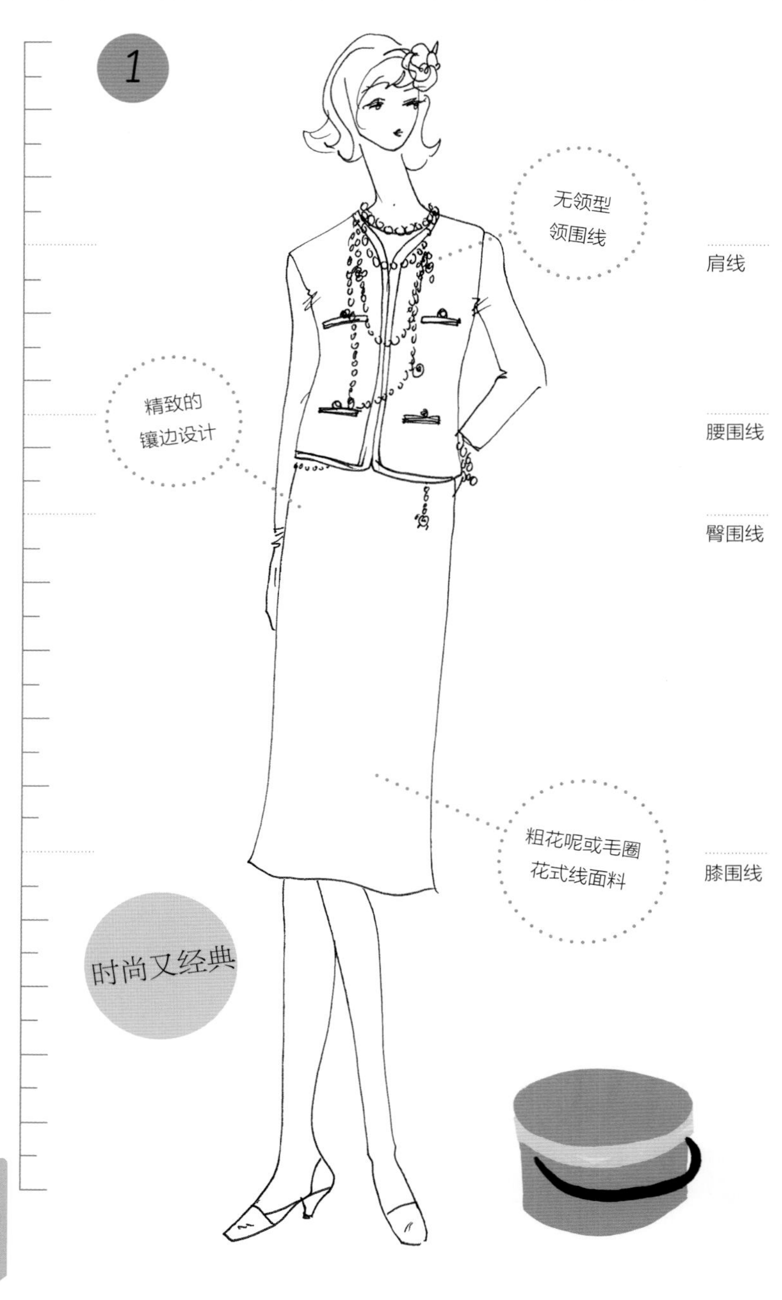

香奈儿套装

注意香奈儿套装的经典搭配：浅圆领外套和直身裙。

首先绘制上装的领围线和肩线，向下绘制袖窿和上装的侧缝线，在腋下位置勾画少许较短的受力线。然后顺着领围线继续向下画出外套的前门襟，并沿着领口和门襟边缘画上平行的装饰镶边，同时定好口袋位置和形状。

最后绘制宽松的铅笔形直身裙，并在上装上绘制钮扣和缠绕胸前的项链。

设计特写

当加布里埃尔·可可·香奈儿在二战后重新开放她的沙龙时，人们对她的那些及膝长日常装的设计褒贬不一，这些粗花呢或毛圈绒制作的标志性香奈儿套装今天被认为是时尚界的经典之作。

1954年的发布会套装

首先使用弧线刻画出衬衫领口系带的形状，然后绘制外套的翻领和肩线。

接着绘制外套的侧缝线、袖臂和门襟，外套下露出裙子的细腰带，腰部上方勾画几缕线段，表现出衬衫扎系入裙子的折皱形状。

最后绘制合体的窄裙，在膝围线以下连接起伏的裙摆。

设计特写

这款套装反应了香奈儿的审美观：时尚摩登、不拘泥结构、舒适自由。在20世纪50年代，香奈儿曾公开反对克里斯汀·迪奥推出的紧身胸衣版正式礼服“新风貌”（见本书第136～137页）。

休闲时髦的长裤

首先绘制彼得·潘领型和领针，然后绘制外套的肩线、袖窿和袖臂，向下绘制袖口翻折的克夫形状。

接着在外套门襟处画上翻领，腰部绘制一个扎系的蝴蝶结,位于腰带的一侧。

沿着模特的臀围线向下绘制自然垂荡的裤型，表现出宽松舒适的款式特点。

设计特写

香奈儿极力倡导女性穿裤子，她专门为日装和晚礼服设计了柔软的睡衣风格套装。这款套装中使用的彼得·潘领型，其命名源自1905年女星莫德·亚当斯在电影中扮演的彼得·潘的装扮。

20世纪30年代的男式女套装

首先绘制领型，有刻口的翻驳领，驳领分两部分绘制，从左侧驳领向下绘制出外套的门襟，继续向下形成圆弧形衣角。

绘制肩线和袖窿，然后绘制外套的大身部分，画上袖臂和钮扣细节等。

沿着腿型绘制高腰阔腿裤的造型，裤脚较宽。裤子画上裤中缝线和脚口折边。

设计特写

在20世纪30年代，女性像男性那样穿着各种定制套装是极为罕见的。读者可以查阅30年代电影明星玛琳·黛德丽的影像资料，了解她挑战世俗，率先着男装风格服装的故事。

20世纪60年代的西裤套装

首先从一侧领子开始绘制V字形的领围线，翻领是有刻口的驳领，然后从领围线向下绘制出西装外套的门襟。

接着绘制另一侧的驳领、肩线和袖窿，向下绘制外套的大身结构，保持笔直的衣身线条，塑造出西装款式的箱型造型。

最后绘制简洁的直筒裤，脚踝处略窄。

设计特写

法国设计师伊夫·圣·洛朗在20世纪60年代因为设计裤子套装而一夜成名，但实际上，英国设计师搭档福勒和塔芬（见本书第110～111页）才是首位设计裤子套装的设计师。

3

20世纪80年代的职业套装

首先绘制柔软的领子上简洁的小翻领，然后绘制超宽的肩线。

继续从领子两侧向下绘制出外套的门襟，然后绘出外套的侧缝线和袖型。

外套下绘制短款收腰连衣裙，突出健康且充满活力的腿部。

设计特写

这种造型风格的关键是宽肩和宽松的版型设计。从事商务的女性之所以接受这种服装是因为它让她们看起来强大而高效，这就是人们所说的“权力套装”。

服饰风格简介

海德公园一角：温达·帕金森身着赫迪·雅曼设计的套装。《时尚》杂志，诺曼·帕金森摄于1951年。

这张由诺曼·帕金森拍摄的照片展示了20世纪50年代流行的精致套装。款式的主要特点有：超大的翻驳领、巨大的口袋和大钮扣。外套的造型刻意体现出沙漏型曲线，注意照片中的配饰：帽子、手套、雨伞和耳环，这些组合搭配也很精彩。

在这张照片中，帕金森的妻子温达身着英国高级定制设计师赫迪·雅曼的作品，摆出一个高度造型化的姿势。为了在绘制经典时装画时能准确体现当时的风格，模特有必要摆出某些特别的姿势，这有利于重现那个时代的风格特征。参见本书第122～125页有关绘制模特姿势的相关内容，了解不同时代的时装造型和模特姿势有何区别，许多老照片也能帮助你找到当时的感觉。

经典布袋裙

首先从一侧肩点绘制一条直线至另一侧肩点，并勾画一个小巧的带结作为装饰。再从肩点向下画袖窿线，从腋点向下画连衣裙的侧缝线。

然后绘制宽带设计的裙摆，并在一侧抽拢扎系成带结。最后绘制细窄的袖套，另在大身胸部下方画上若干条受力线，增强服装的立体效果。

设计特写

布袋裙的出现与西班牙时装设计师克里斯托瓦尔·巴伦西亚加的设计贡献密不可分。在20世纪50年代，他就尝试加宽服装的肩部，这样可以使服装从领围线处就能自由地悬垂在人体上。

筒形布袋裙

从一侧肩线的中心向另一侧肩线中心绘制一条直线，形成水平的领围线。在领围线下方绘制月牙形领型，并有扎结细节设计。从肩点向下画出直袖窿和七分袖。

从袖窿直线继续向下绘制裙子的外形线，长度至大腿。连接裙子下摆，并画出里层的较窄的衬裙。最后在衣片上沿着受力方向勾画出衣片折痕线。

设计特写

比较这款宽松的造型与正式的20世纪60时代的“新风貌”（见本书第136～137页），这种布袋裙的设计重点是简洁、宽松的外形和少量的细节设计。

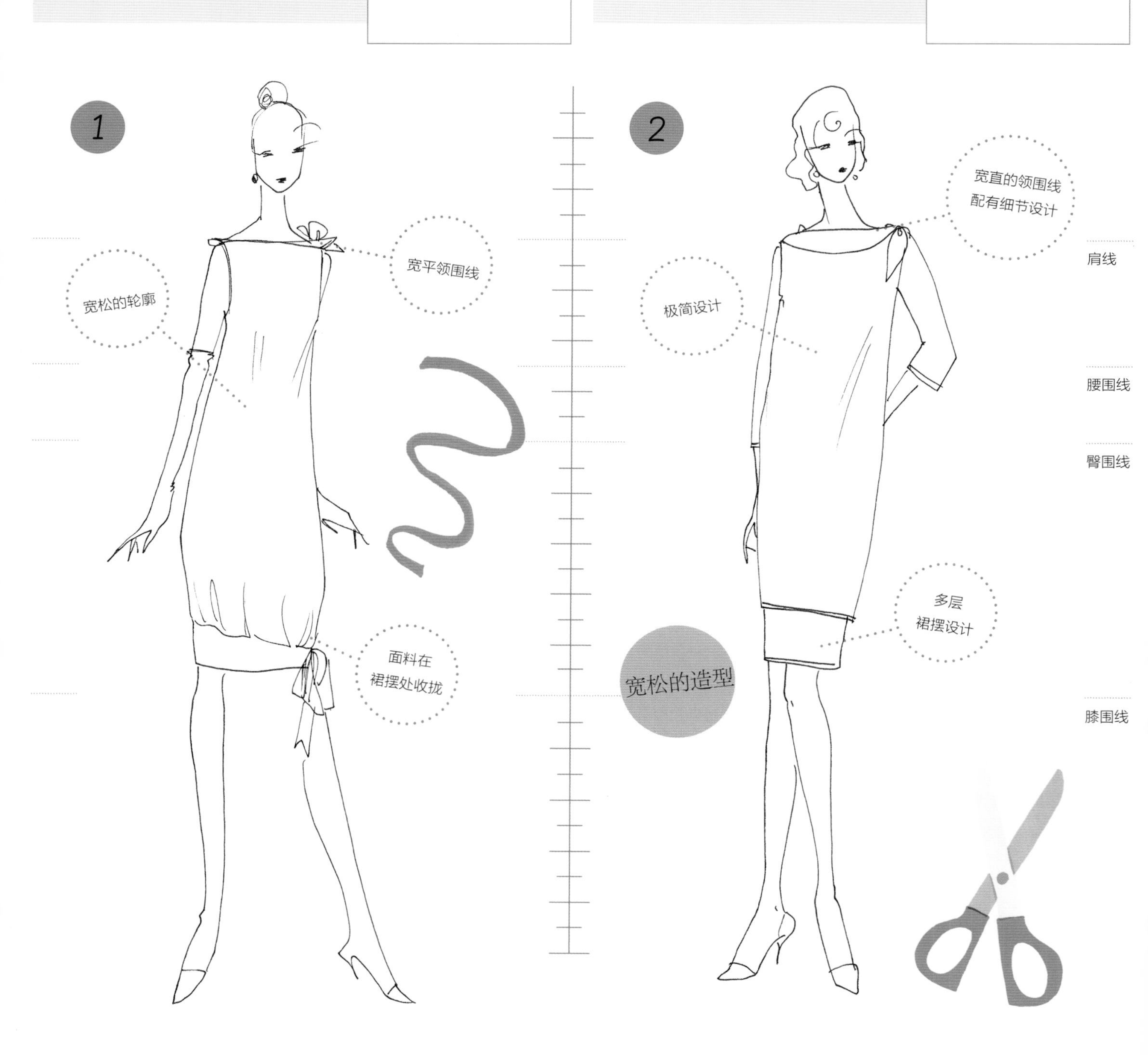

无腰身宽松女裙

首先绘制两侧的领型，领片盖在肩部，连接领前部的领围线，再画出柔软的肩线和袖片。

接着绘制袖窿，向下画出裙身的外形线，裙身由上往下逐渐收窄，长度及膝，裙摆较窄。最后绘制领口下的钮扣等细节。

设计特写

无腰身宽松女裙是布袋裙的另一个名字。20世纪50年代和60年代，很多时装设计师都喜欢设计布袋裙，这其中就包括伊夫·圣·洛朗和皮尔·卡丹。

“集市”连衣裙

首先绘制缝肩襻的圆弧形领围线和钮扣等细节，再连贯绘出肩线、袖窿和短袖。

然后绘制裙子的外形线，裙长至膝盖以下，连接下摆。接着绘制裙身两侧的腰襻及上面的钮扣设计，腰襻高度位于腰节和臀部之间。

设计特写

自1955年英国设计师玛丽·奎恩特在伦敦开办了女性时装用品商店——“集市”（Bazaar）起，她就向年轻的女孩们出售这种裙子。读者可以将玛丽·奎恩特60年代著名的迷你裙和这款裙子进行比较。

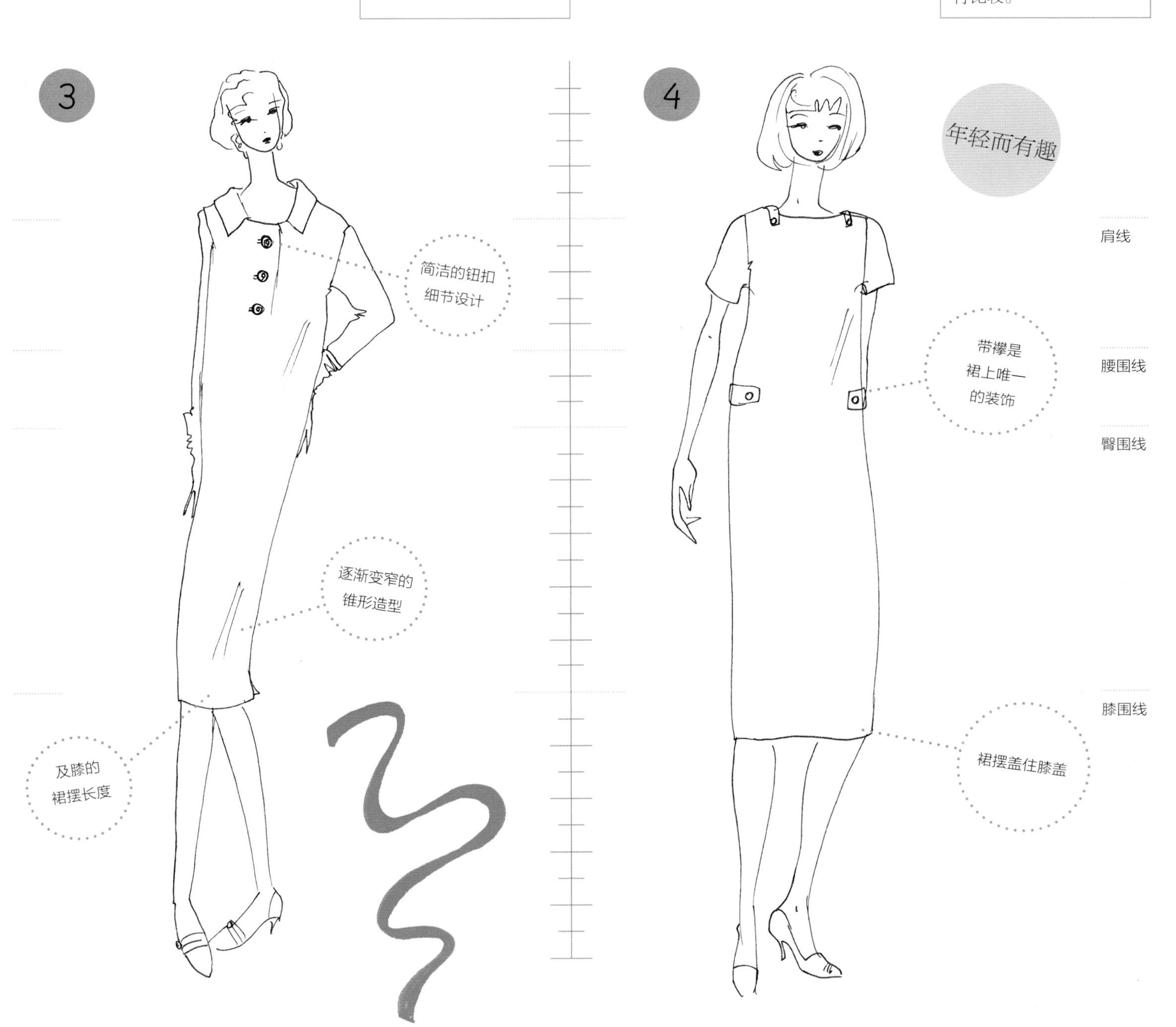

服饰风格简介

福勤和塔芬1967年设计的黄色和鲜粉红色组合的毛料连衣裙。照片版权所有人：福勤和塔芬。

20世纪60年代，有消费能力的青少年越来越多，这促使了新一代设计师为了这些年青人专门设计大胆、易穿脱的年轻化服饰。

“迷你裙”或称为“迷你装”，是这批新潮流的代表设计。“迷你裙”典型的特点是：A型轮廓、别致的拉链和口袋设计、波普艺术图案、欧普艺术之黑白风格和新材料的创意设计，例如塑料、玻璃、纸张和金属材料等。

迷你装和热裤强调了腿型的优美，可以使穿着者看上去更苗条，更显年轻，具有像男孩一样的活力造型。为了使这种风格更加完整，法国设计师皮尔·卡丹还特地为这种迷你装搭配设计了一种加厚的亮色紧身裤。

上面这张照片中由毛巾布设计而成的连衣裙是英国设计师福勒和塔芬的作品。简单的造型和使用日常用面料使得这件服装与20世纪50年代合体裁剪的正装风格（见本书第136～137页）完全势不两立。

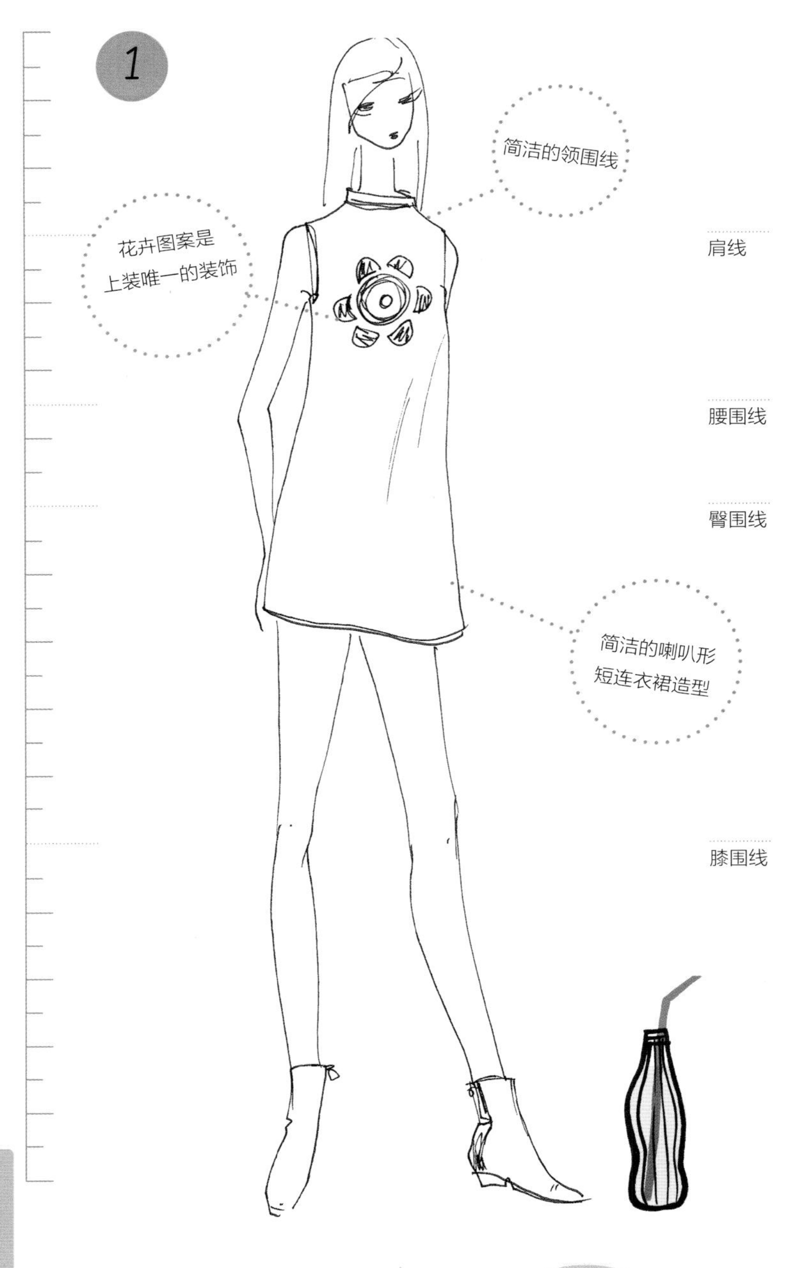

无袖的迷你短裙

首先绘制圆弧形的领围线和肩线。在领口和袖窿处画出折叠的细节。

接着向下画出略呈喇叭形的连衣裙造型，连接左右外形线形成裙子的下摆。

最后选择一个图案绘制在连衣裙的胸部作为装饰。

设计特写

许多设计师都参与了迷你裙的设计，并推动了超短裙的发展，相关内容可以研究下列设计师：英国设计师玛丽·奎恩特，法国设计师安德烈·库雷热和美国设计师贝齐·约翰逊等。

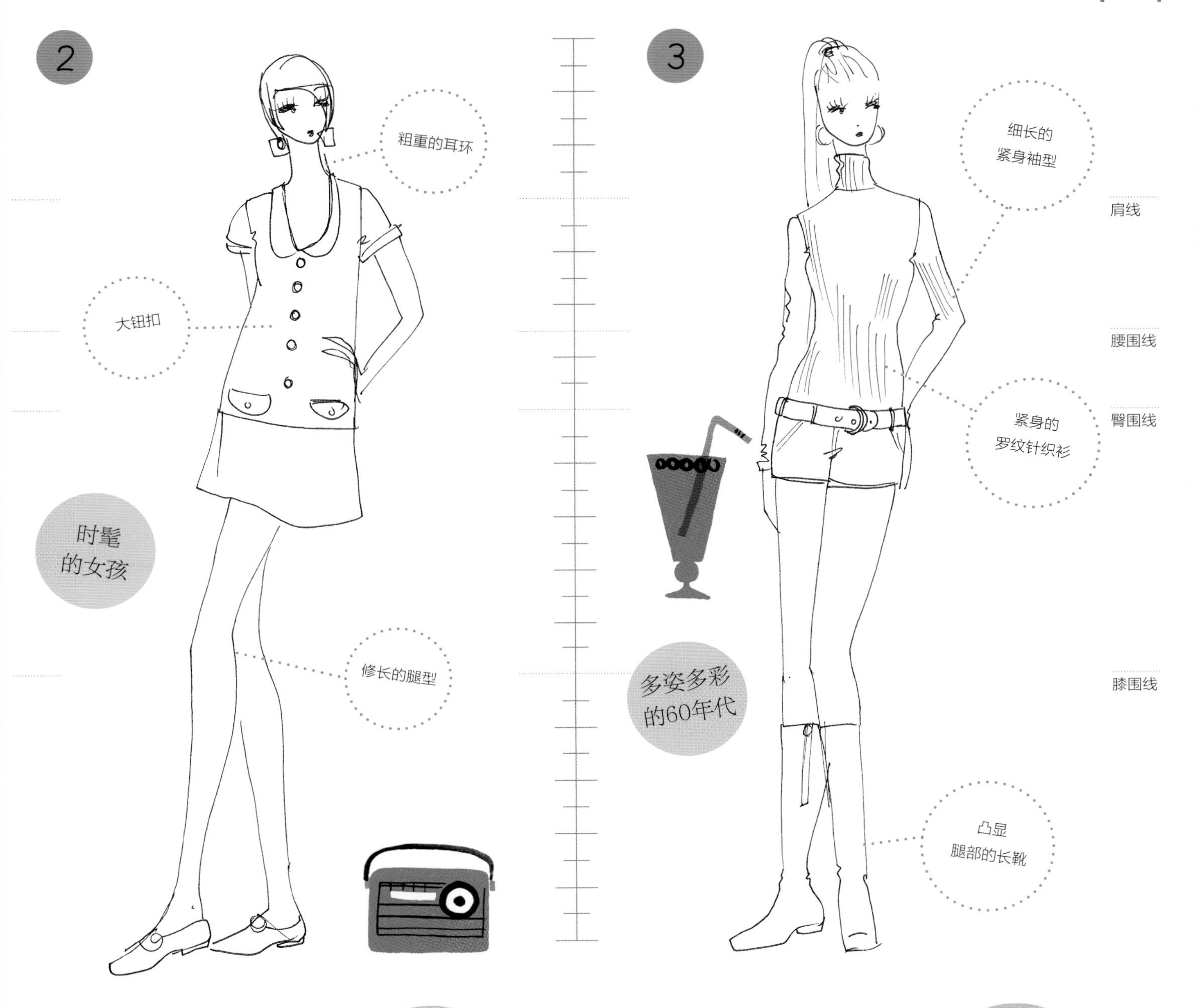

娃娃装连衣裙

首先绘制窄勺形的领口，领口两侧分别画上椭圆形的领片。

然后绘制肩线、袖窿和短蓬袖，袖口处有宽克夫。

沿着人体曲线向下绘制连衣裙的两侧衣形线，在大腿处逐渐打开，最后连接裙摆，并刻画裙上的细节设计，例如门襟钮扣、口袋和低腰位置的横向分割线。

设计特写

这种款式的裙子在20世纪60年代中期曾风靡一时，它很适合那些拒绝与父母穿着一样的年轻人。这种款式设计有夸张的领型、大钮扣和口袋，俏皮可爱，非常显年轻。

热裤和高领针织衫

首先从高领针织衫入手开始绘制。先勾画出罗纹高领，然后绘制肩线和袖窿。用曲折的小波浪线刻画紧窄的袖子在胳膊上形成的堆褶。

在臀部上方绘制腰带，刻画腰带环的形状，向下绘制紧身短裤形状以及裤门襟和口袋等细节。

为了整个造型的完整性，最后再搭配小腿高的长筒靴。

设计特写

热裤是迷你裙的替代品，常常由牛仔布或仿麂皮面料制作而成。高领针织衫是在20世纪60年代被巴黎时装设计师桑丽卡・里基耶设计而一炮走红的。桑丽卡・里基耶本人也因为其个性鲜明的紧身针织服饰和设计大胆的印花图案面料而闻名时尚界。

直筒连衣裙

首先绘制钥匙孔形领围线，上面开有细窄的开口，然后围绕领口刻画宽条刺绣镶边和肩线。

接着绘制袖窿线并向下延长，形成宽松的连衣裙外形线，臀围以下逐渐增宽，曲线连接下摆表现出着装的动感。最后绘制长袖，并刻画宽袖口处的刺绣细节。

设计特写

直筒连衣裙的设计灵感来自土耳其长衫——伊斯兰教传统服装，因为20世纪60年代嬉皮士非常喜欢穿着而逐渐流行起来。土耳其长衫的长度通常是长至脚踝。

“权力归花儿”喇叭裤

低腰窄臀的喇叭裤从20世纪60年代中期到70年代风靡一时。这张速写图中喇叭裤搭配紧身小马甲背心。

首先从上装开始绘制，上装衣形线紧贴人体曲线。接着绘制裤子，先画宽宽的腰节和腰带，然后沿着人体绘制贴体的裤型，在膝盖以下裤腿开始展开，形成喇叭造型。

设计特写

“权力归花儿”是嬉皮士的口号，指的是嬉皮士们身着花卉图案的服装，或手持花朵进行反战示威活动。这张速写图中模特头发和上衣上都装饰有不同的花卉。

田园风格连衣裙

首先绘制上半身结构，从圆领和泪珠形领口入手，然后画出肩线，袖窿线和宽松的衣片束在高腰带上的褶裥中。

接着绘制长裙，裙摆装饰有大荷叶边，裙上勾勒几根线条，表现出裙身蓬松的立体效果。最后绘制紧身袖部分，袖型在肘部分割，前臂袖片蓬起并在手腕处系扎。

设计特写

“田园风格”是指用棉或其他优质面料制作的造型简洁、宽松的极其女性化的连衣裙或上衣。印花面料通常会有其他文化意象。

小马甲外套和热裤

首先从V字形领围线入手，然后绘制窄肩和向内弯曲的袖窿弧线，再绘制短马甲两侧衣形线和高腰节，在胸部形成圆弧形下摆。

接着从腰部中间向下绘制两条长线段，并逐渐分开形成前门襟，在门襟下绘制热裤和长靴，最后勾画连接整体外形线和下摆。

设计特写

典型的嬉皮士服装具有典型手工制作的感觉。为了画出嬉皮士的风格，读者可以尝试用明缉线、贴绣和装饰图案搭配组合来形成自己独特的设计。

可爱的围襟裙

首先绘制领围线和围裙胸部的方形结构，想象下裙子是如何扎系在背后的，然后绘出侧面露出的系带形状。在大身拼缝处绘制宽大的肩部荷叶边和小花边。

接着绘制袖型，袖口略宽，并被收拢在一个花边装饰的宽克夫中。

最后绘制长至脚踝的裙身，下摆起伏并装饰有花边。绘制时注意花边画出立起的效果，这样画面更有立体感。

设计特写

这张设计稿的灵感来自英国设计师吉娜·芙拉提尼，她设计了许多浪漫裙装被诸多名人所喜爱，例如安妮公主和威尔士王妃戴安娜等。

读者可以查阅20世纪70年代的婚礼服，了解吉娜·芙拉提尼的设计影响力。

草原风情的裙装

首先绘制勺形的领围线、肩线和袖窿，再从袖窿向下绘制衣形线直至腰部。衣形线紧贴人体。然后绘制袖臂，袖长至手腕位置，袖口处装饰有花边。

接着绘制腰线，从腰线向下画第一层宽荷叶边裙片，继续向下重复同样的裙片结构，直至脚踝长度。

最后再给模特画上钮扣靴和扎系式领结，塑造出历史感。

设计特写

“草原裙”的命名源自19世纪美国西部家庭制作的裙子，由乡村风格的面料制成，例如牛仔布或碎花棉布，读者也可以用其他面料进行草原裙的创作设计。

爱德华风格的网球裙

首先绘制褶裥式立领，再绘制肩线和长椭圆形胸襟，胸襟边缘用均匀的小花边装饰，胸襟中部有一排钮扣位于门襟之上。

接着绘制大身、细腰和袖子，袖子有着泡泡袖的袖山，蓬松袖口被收束于袖克夫中。

最后从腰线向下绘制长裙，裙体在膝盖以下逐渐展开，裙上勾绘若干线条表现出裙子面料垂下时形成的皱缩和褶裥。

设计特写

这款设计是典型的爱德华时代的裙装风格。20世纪60年代后期，罗兰·爱思设计出了一种新版本的怀旧服饰非常受消费者欢迎。作为设计师，你能为21世纪的消费者设计这种复古款式的服饰吗？

服饰风格简介

身着罗兰·爱思公司设计的白色棉布褶裙的模特，摄于1974年。

从20世纪50年代起，一直到70年代，书籍、电影和电视剧对复古题材的艺术表现点燃了大众的怀旧情愫，人们充满了对维多利亚和爱德华时代风格的向往。

20世纪70年代，许多时装设计师纷纷从历史题材中获取创作灵感，试图创立自己对维多利亚和爱德华时代风格的独特诠释。这些设计师有奥西·克拉克、西娅·波特、吉奥吉奥迪·圣安吉罗和比尔·吉普等人。当时，吉娜·芙拉提尼设计的浪漫婚礼服最受人们欢迎，好莱坞明星兼时尚大咖伊丽莎白·泰勒在她与理查德·伯顿的第二次婚礼上，就身着吉娜·芙拉提尼设计的婚礼服。但比较起来，可能英国的设计公司罗兰·爱思才是20世纪70年代怀旧风的设计代表，这家公司甚至将70年代怀旧风定为自己品牌的标识，他们希望藉此在全球范围内打开知名度。

典型的70年代怀旧风格的服饰特征有拖地的裙长、围襟式胸部设计、长半裙、女性化荷叶边、高立领、合体紧身的裁剪、泡泡袖、褶裥、钮扣闭合件，以及半透明面料等。上面的这张照片就是罗兰·爱思品牌的服装广告，表现了一种浪漫怀旧的避世风格。

服饰风格简介

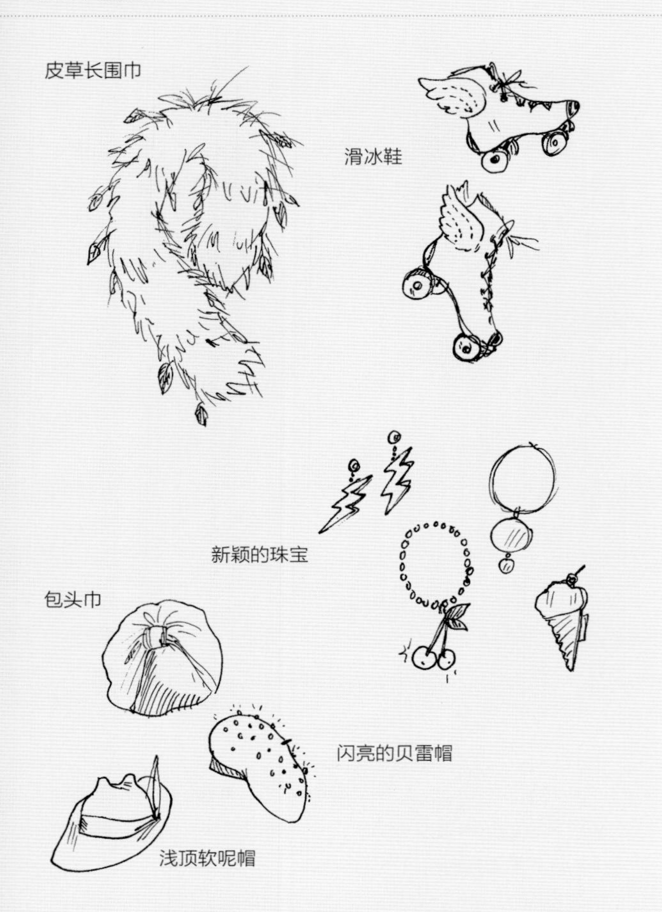

迪斯科音乐在20世纪70年代开始流行，最初它是由美国夜总会或迪斯科舞厅推出并流行起来的，到了20世纪70年代末期，迪斯科逐渐成为全球最热门的音乐类型。

迪斯科舞蹈提倡奇特的装扮，鼓励人们身着紧身服装，跟着激烈的节奏展示自己的体型。从1977年起，纽约的“俱乐部54音乐室”成为大众最受欢迎的迪斯科舞厅，在那里，舞者们身着闪亮华丽的服饰：金银纱面料、莱卡织物、丝绸、丝绒和皮革制品，搭配毛绒绒的皮草和闪闪发光的亮片，成为迪斯科风格的经典装扮。

独特的发型对于20世纪70年代的迪斯科风格也至关重要，具体造型读者可以参考当时的女明星和模特的照片，例如劳伦·赫顿、法拉·福赛特、杰莉·霍尔、珍妮丝·狄金森和伊曼等时尚名流。

丝绸针织露背连衣裙

选择一个典型的20世纪70年代特征的人体模板（见本书第125页）。从颈部两侧向下至腰部画出扎系式领结，在胸部绘出完整的衣片形状，想像后颈处的系结位置，并画出部分的系结，表现出立体感，裸露出两边的肩膀。

接着绘制宽腰带，向下画出吊钟型的裙型，裙长至膝盖，并用连续起伏的弧线连接裙摆，表现出轻柔飘逸的下摆形状。

设计特写

露背装泛指后颈系带式的露背服装，在20世纪70年代广为流行。如需了解更多内容，可查阅侯司顿时装屋的经典款式。

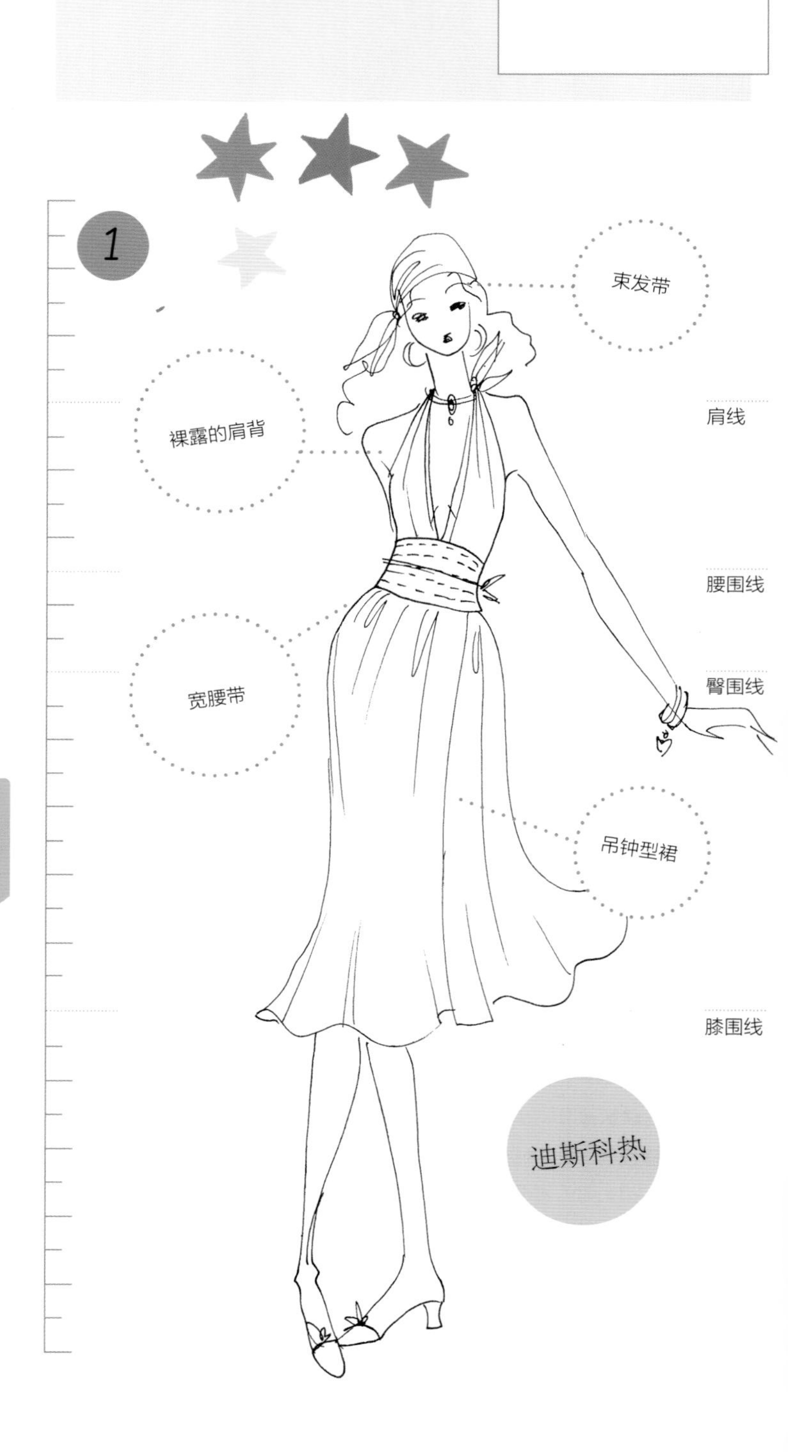

54俱乐部的运动装

首先从细吊带开始绘制，细吊带连接起弧形的领口和弯曲至腋下的袖窿。

接着向下画出宽松有垂感的衣身，并将衣身扎束在腰带中，用竖直方向的波形线画出面料上自然的折皱波纹。

然后绘制半截灯笼裤，用同样流畅的波形线画出裤腿扎系在膝部的形态。

设计特写

这种细吊带衫在20世纪70年代很常见，翻阅那个时代的舞会服装，你会发现细吊带衫、紧身裤和紧身裹裙，设计灵感都来自迪斯科音乐。

肯辛顿舞后裙

首先绘制出半截紧身胸衣的形状，领口呈心形，再画出荷叶边的肩袖。

然后绘制纤细的腰部，向下画出紧包的臀部直至小腿上部，在小腿中部裙身逐渐展开呈微喇叭形。

最后在裙身上画上钮扣和表现抽褶效果的短线条。

设计特写

20世纪70年代，一些伦敦时装店，例如彼芭时装屋，纷纷推出年轻化的英伦时尚风。这些服饰的设计灵感来自李·本德在她的服装品牌“公交车站”时装店的设计。

服饰风格简介

桑德拉·罗德斯设计的婚纱礼服裙，摄于1977年。

朋克风是伴随着朋克摇滚音乐运动而产生的，而后者的目的就是制造“震撼”的音乐效果。20世纪70年代朋克时尚首次出现在英国青少年中，他们动手制作自己的着装，将服装撕裂并用口号进行装饰。

时装设计师对朋克时尚的反应是在他们的作品发布会中加入朋克元素，薇薇安·韦斯特伍德在她的伦敦店铺里开始出售朋克风格的成衣。1977年桑德拉·罗德斯举办了一场名为“概念时尚”的时装发布会，发布会展示了大量朋克元素，例如金属链条、撕裂的面料和安全别针等，这些安全别针被镶嵌上了珠宝。上面这张克莱夫·阿罗史密斯拍摄的照片展示的是那场发布会上的一款朋克风婚礼服。

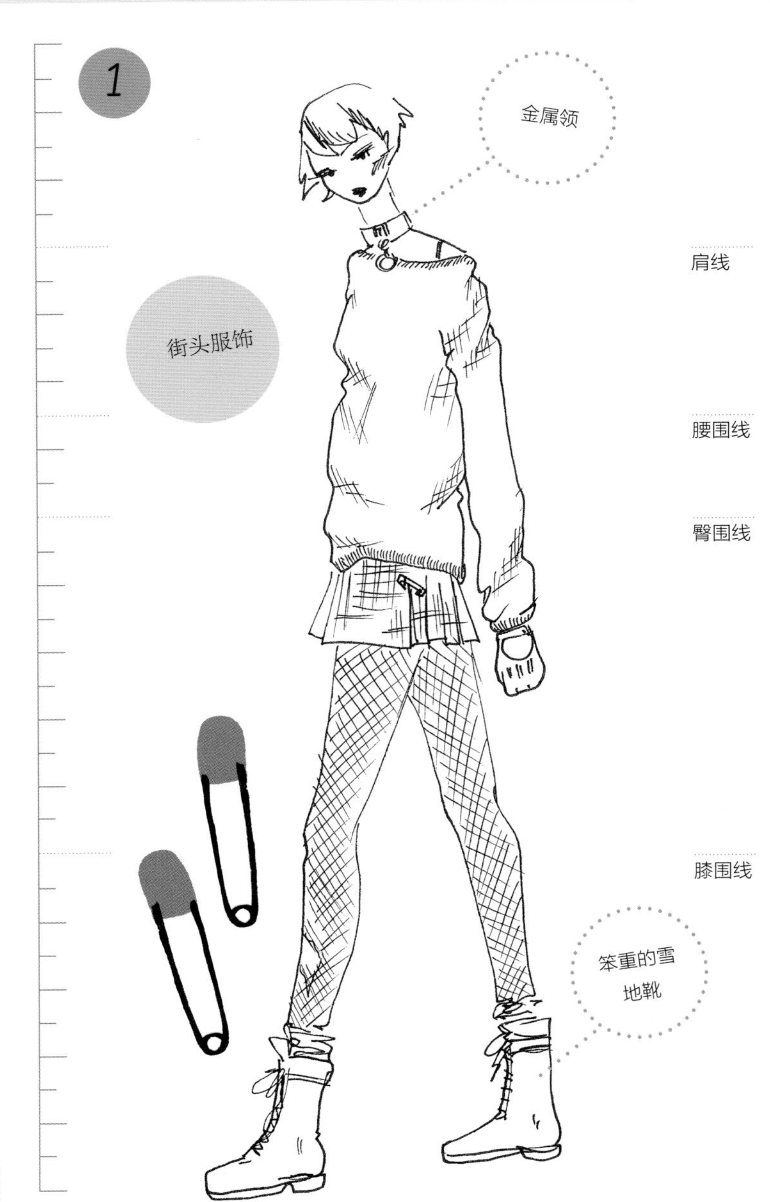

迷你短裙和网眼紧身裤

首先绘制套头运动衫斜挂颈部的领口，再绘制松垮臃肿的运动衫外形线，手腕处画出堆叠的褶皱，表现出袖长过长的款式特点。

接着绘制风琴褶的迷你裙，在裙片两侧画上整齐的褶裥，然后绘制模特脚上笨重的系带工靴，最后在腿部画上交叉十字线表现出网眼紧身裤的形状。

设计特写

上图混搭的街头朋克造型可以用随手可得的廉价服饰来组合。试试看，你能找到哪些服饰来搭配出一个朋克造型?

朋克绑带裤

首先绘制领型，画出翻领和前门襟的形状。接着画出肩线、袖窿、下摆和整个袖臂。

然后绘制上装的腰带、裤子和裤上的绑带。之所以称为绑带，是因为这条带子把两条裤腿“绑”在了一起。

设计特写

你可以用朋克风的配饰来塑造典型的朋克形象：金属铆钉、锁链和徽章，也可以把面料割裂成条状来增加叛逆感的设计效果。

朋克时尚

首先绘制宽平的领围线，接着画出上身的衣形线和袖型线，并刻画出紧身衣在腰部和肘部形成的细小折痕。再勾勒内穿的女式背心的线条，表现出外衣的透明效果。

然后绘制系在臀上的铆钉腰带和裙子的前门襟，用细碎的线条表现细腿裤上的折皱。

设计特写

发型、珠宝和妆容都能让一种风格更加完整和强烈，为什么不试试给你的人物画上夸张的彩色朋克头来达到震撼的效果呢？

乡村摇滚乐牛仔装

注意这套牛仔装服饰宽松的轮廓外形和细节设计：拼缝处的明缉线装饰、口袋和零钱袋、宽折边和裤腰上的皮带。

设计特写

牛仔服起源于20世纪末坚固耐磨的矿工服。当时有许多明星喜欢在电影中穿着牛仔服，例如马龙·白兰度在电影《飞车党》（1954年）中的牛仔装造型，是他们将牛仔服推上了流行的前端。

“披头士”牛仔服

从上装开始绘制：沿着颈肩部先画一条水平的波浪形领围线，在领围线下方画上荷叶边，接着勾绘出上装的宽松形状。然后画出弧形的腰节线和紧窄的裤腿，裤脚有折边。最后画出口袋细节和隐藏的口袋止口位置。

设计特写

“披头士”风格产生于20世纪50年代。披头士们是一群年轻、叛逆、无视常规的文艺青年。他们喜爱黑色装扮，常身着针织衫，搭配紧身短牛仔外套和轻便帆布鞋。

1

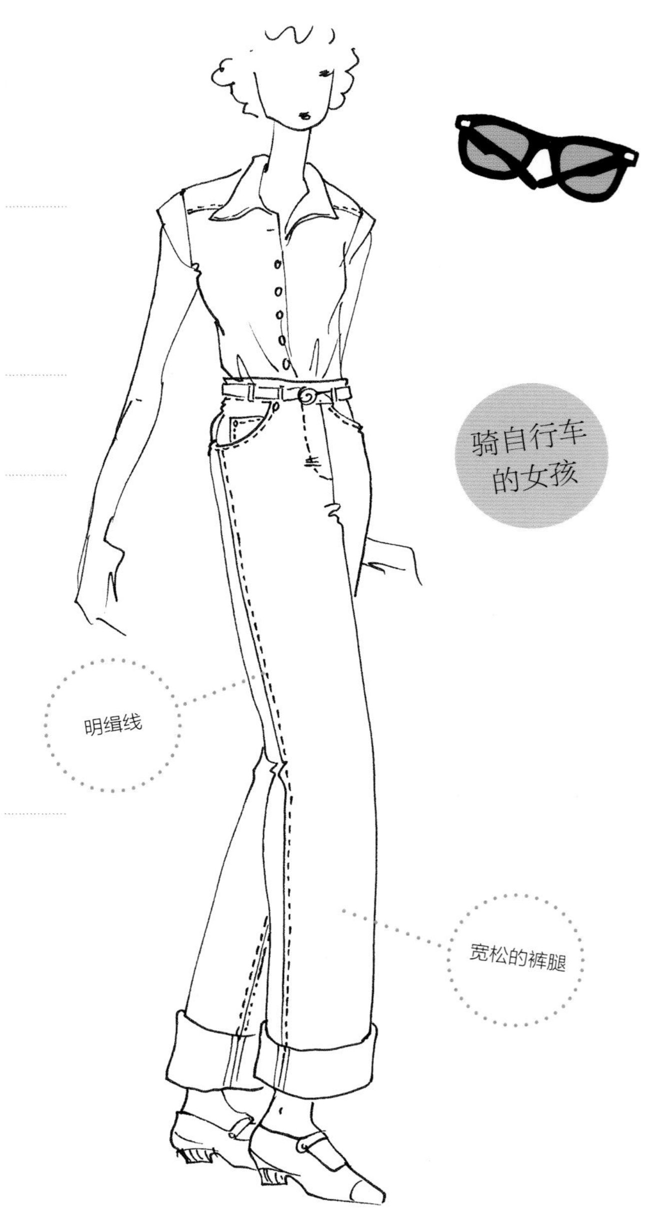

骑自行车的女孩

明缉线

宽松的裤腿

2

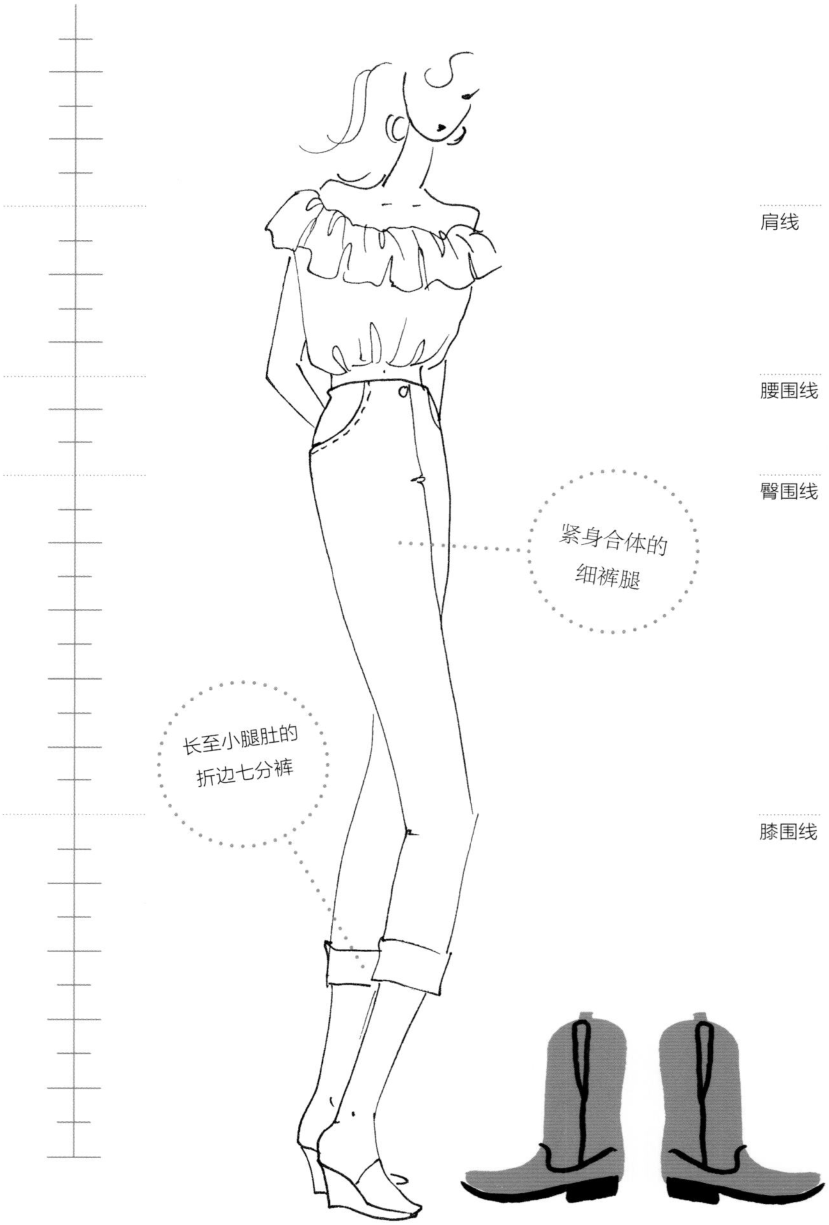

肩线

腰围线

臀围线

紧身合体的细裤腿

长至小腿肚的折边七分裤

膝围线

设计师喇叭裤

这种喇叭裤的造型特点是在腰部、臀部和大腿处较为合体紧身，但从膝盖开始，裤腿逐渐展开至脚口，形成喇叭形宽大的裤型。这种款式在20世纪70年代非常流行。绘制中注意画出裤腿上硬朗的折痕线，表现出紧身削瘦的裤型特点。

设计特写

传统的牛仔服有李维斯牌和李牌两大品牌。但是在20世纪70年代，设计师牛仔服出现了，例如歌莉亚·温德比等设计师就陆续推出了自己的牛仔系列。

青少年工装裤

首先从肩部的吊带和前胸的衣片开始绘制。画好前胸衣片后，然后往下沿着大腿画出宽松的裤腿外形线，在裤缝线处画出口袋、钮扣和裤子门襟位置，并表现出模特侧身站立时露出的部分后裤片形状。

设计特写

只要研究一下20世纪后期的流行乐队组合，例如“新街边男孩”“魔法精灵”和“七小龙”，你就能发现这些流行乐队都热爱工装裤。

20世纪40年代“风姿绰约”的风衣

首先画出宽领嘴的驳领型，沿着左领围线向下穿过肩胸部画出风衣的门襟。

接着绘制宽平的肩线和袖窿线。风衣的上半身收在紧束的腰带中，画出右侧的束带结和垂下的搭扣环。

继续往下画出略为蓬起的臀部和下摆，表现出风衣的“飘逸感”，从肩点往下画出袖臂和克夫形状。最后刻画服装上的细部设计：袋口、领子上的明缉线和大钮扣等。

设计特写

风衣最初是作为男装被发明的，电影女明星们将这一款式带入了女装，并掀起了流行热潮。这款40年代的风衣源于女星玛琳·黛德丽在电影《“外交”事件》中的人物造型。

20世纪60年代新风尚风衣

首先绘出V字形领围线，沿着领围线画出领嘴形状、翻领结构和内穿的条纹上衣，在领围线外侧画出合体自然的肩线和袖窿线。

接着绘制外套的外形线，注意表现出合体紧身的造型，风衣长度至大腿中部。

绘制弧形的下摆，画出袖臂和衣身上的细部结构，最后描出上半身和口袋上的明缉线。

设计特写

20世纪60年代，法国“新风尚”电影明星们都表现出对短款风衣外套的喜爱：碧姬·芭铎、凯瑟琳·德纳芙和珍·西宝。那个时代，短款风衣搭配太阳眼镜、夏装和长靴是相当大胆和前卫的组合，足以引领当时的时尚潮流。

3

现代风衣外套

首先绘制向上翻立起的领子的外形线，围绕颈部画出领子的结构，向下画出大衣的前胸各部位细节。

接着在肩线两端画出肩襻及袖窿弧线，标出前胸覆肩衣片的大小和位置。画出大衣的外形线，注意收腰紧臂，体现款式紧身合体的造型特点。

最后画出腰带和袖臂形状，在衣片的合适位置加上钮扣，沿着门襟和下摆画出平行的明缉线。

设计特写

这种“经典”的风衣款式产生于20世纪90年代，当时英国的巴宝莉公司为了提升自己的传统品牌价值和形象，专门邀请了名模身着巴宝莉品牌风衣拍摄了一组著名的时装广告。

服饰风格简介

模特布鲁娜·特诺里奥身着现代风衣外套在2011年3月的巴黎时装周上。照片由希尔丝廷·辛克莱拍摄。

风衣是公认的经典服装款式之一：它是一种功能性外套，通常是双排扣设计，配有腰带和钮扣，由防风雨面料制成。

虽然现在我们可以在许多时装发布会上看到风衣的身影，但历史悠久的风衣却是由军服演化而来。早期的风衣是由华达呢（一种1883年发明的专利产品）制成，华达呢质地紧密结实，华达呢制成的风衣美观耐用，诞生不久后即取代了当时的厚大衣成为指定的军服。在第一次世界大战结束后，实用、美观的风衣逐渐在大众中流行起来。

一些英国时装公司，包括著名的雅格狮丹和巴宝莉公司，都宣称自己是风衣的发明人。改良后的风衣也会选用橡胶涂层面料缝制成苏格兰防水斗篷或风雨衣。

到了20世纪，风衣受到了许多著名设计师们的认可和青睐，伊夫·圣·洛朗和侯司顿就分别于1962年和1972年推出风衣的高级定制服务。今天风衣仍会出现在许多设计师和高街品牌的时装发布会上，并且款式更加多样和精彩。

服饰风格简介

黑色泡泡纱制作的鸡尾酒小礼服裙（1957年），由服装设计师戴维·沙宣设计，模特艾薇尔·汉弗莱斯穿着展示。

小黑裙，也简称为LBD，是现代女性衣橱中必不可少的一款时尚单品。小黑裙既可以当日常装穿着，也可以搭配珠宝配饰作为晚宴小礼服。小黑裙最早出现于1926年，当时法国设计师可可·香奈儿在美国版《时尚》杂志上第一次展示了这种黑色针织的连衣裙，杂志的编辑们预测这款简洁的裙装将会像亨利·福特的T型车一样流行起来，他们给它起了个可爱的昵称：“香奈儿·亨特”，果然，他们的预测是正确的：LBD不仅从那时起开始风靡全球，还成为了时尚界的传奇。

第二次世界大战结束后，鸡尾酒会在欧洲又渐渐流行起来，此时的LBD当仁不让地成为完美的“鸡尾酒礼服”。电影《蒂凡尼的早餐》（1961年）里，奥黛丽·赫本身穿小黑裙，戴着珍珠项链和太阳镜的时髦而高贵的名媛形象，让小黑裙正式成为了顶级时尚的标签。对现代设计师而言，如何创新地再现小黑裙的设计精髓，继续保持小黑裙的时尚魅力，是个不小的挑战。

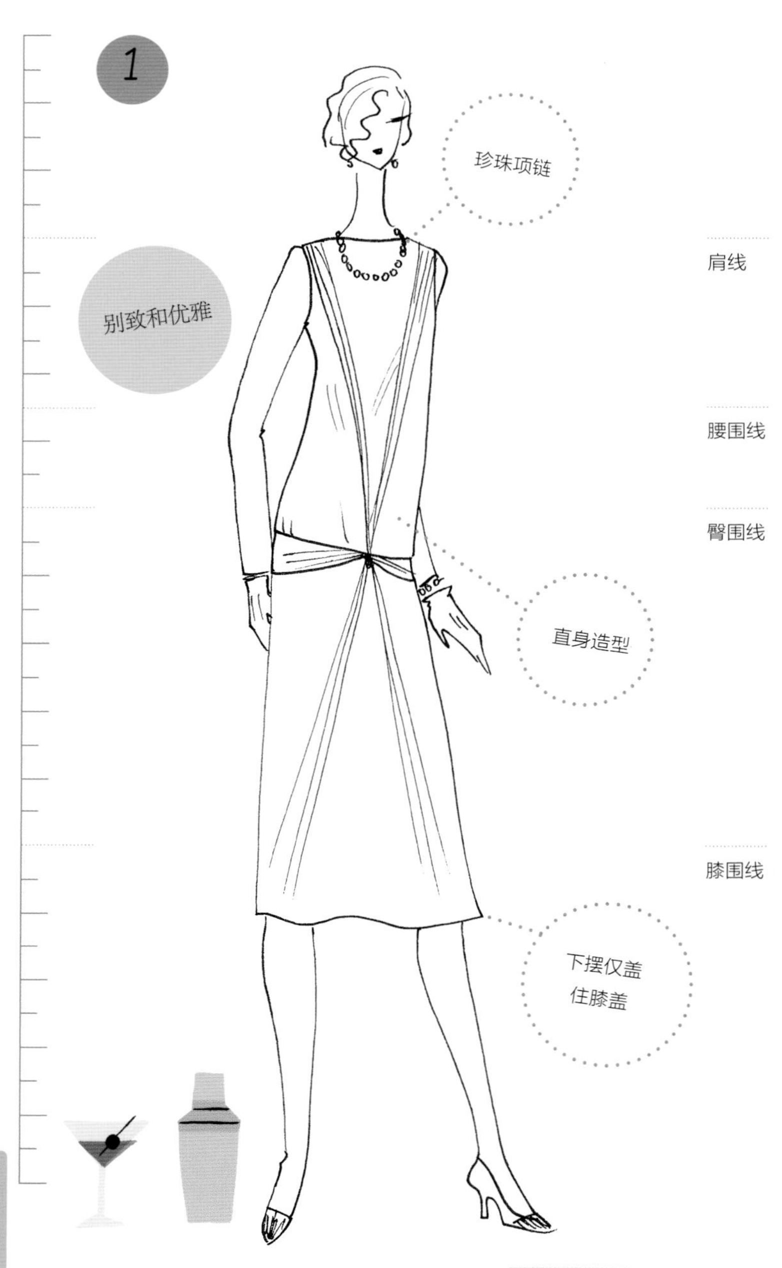

20世纪20年代“香奈儿·亨特”礼服裙

首先绘制水平的领围线，连接左右两边的肩部，然后从两端肩点向下绘出圆顺的袖窿弧形，再从袖窿底部沿着身形向下绘制出裙片上半身形状，长度至臀围附近，在此位置画一条横向低腰线。

从两边肩部对称向低腰线的中部绘制V形褶裥装饰，腰线下方也向上增画弧弯的褶裥，合体的A型裙体上，有对应上半身的倒V形褶裥装饰呼应，三段褶裥均与低腰线中点相连。

最后绘制合体的窄袖形状。

设计特写

上图是20世纪20年代法国时装设计大师可可·香奈儿著名的经典日常款中的一款。如想再现典型的香奈儿风格，加上特别的手套和软帽（见本书第140～141页）即可。

1961年的霍莉・戈莱特丽式礼服裙

首先水平连接左右肩点，绘制出宽平的领围线，在肩点上画出扎系的带结，向下画出直开的袖窿形状。

然后绘制上半身的两边侧缝，并在低腰节处收拢形成褶皱，另绘出腰部扎系细带的位置。

最后从低腰节向下绘制贴体的裙身，在膝围线处画上羽毛进行装饰，下摆画出波浪起伏的立体效果。

设计特写

这张速写的灵感来自奥黛丽・赫本在电影《蒂凡尼的早餐》（1961年）里扮演的霍莉的着装。这款礼服裙是由著名设计师休伯特・德・纪梵希设计的。

20世纪70年代的下午茶针织小礼服裙

首先绘制深V字形领围线和平顺的肩线，再从袖窿开始绘制袖片，袖窿窄紧，并画上较多的褶痕，袖口渐大，呈宽荷叶形。

接着绘制紧身的高腰节，较宽松的上衣收在腰节里，裙身部分紧包臀部，长度至大腿处，下摆逐渐展开。

最后绘制波形起伏的下摆，表现出面料的飘逸感。

设计特写

小黑裙最流行的时期是20世纪50年代到60年代之间。作为经典款式，即使是今天，小黑裙仍被不断地改良设计，依然备受女性消费者的青睐。

回顾20世纪30年代的礼服裙设计，你会发现它们对上面这张设计稿具有深远的影响。这张设计稿源自20世纪70年代李・本德设计的女装。

20世纪初的束腰宽松衬衫裙

首先绘制立领和肩部，袖窿上画上花边，再绘制衬衫式上半身，胸腰部较为宽松，下摆收于合体的紧身腰节中。

接着绘制蓬松的袖型和钮扣克夫，裙身有育克结构，育克中心向下，呈锐角指向裙中心线。

最后绘制大A型裙的裙型线，曲线连接下摆，表现出裙中宽褶的造型。

设计特写

观看查尔斯·吉布森·达纳的画作“吉布森女孩”，这幅画的主人翁被认为是“新女性”形象：意识前卫、热爱运动和追求时尚。

20世纪40年代的麦卡德尔衬衫式连衣裙

首先绘制V字形领围线，围绕领围线绘制线条柔和的衬衫翻领，然后沿着左侧领围线向下画出连衣裙的门襟。

接着绘制宽松的肩线和连袖，在腰部画一条宽条装饰带，装饰带上下分别画上碎褶，表现出上衣收拢和裙子蓬起的立体形状。

最后绘制波浪形裙摆，并沿着门襟线自上而下画出钮扣的位置和形状。

设计特写

时装设计师应根据服装的种类（日常休闲装还是聚会礼服）来调整自己的设计。常用的服装面料有：棉、麻、条格布和牛仔布等，读者可以尝试使用丝绸或更加硬挺的面料进行设计，观察会产生什么样的服饰效果。

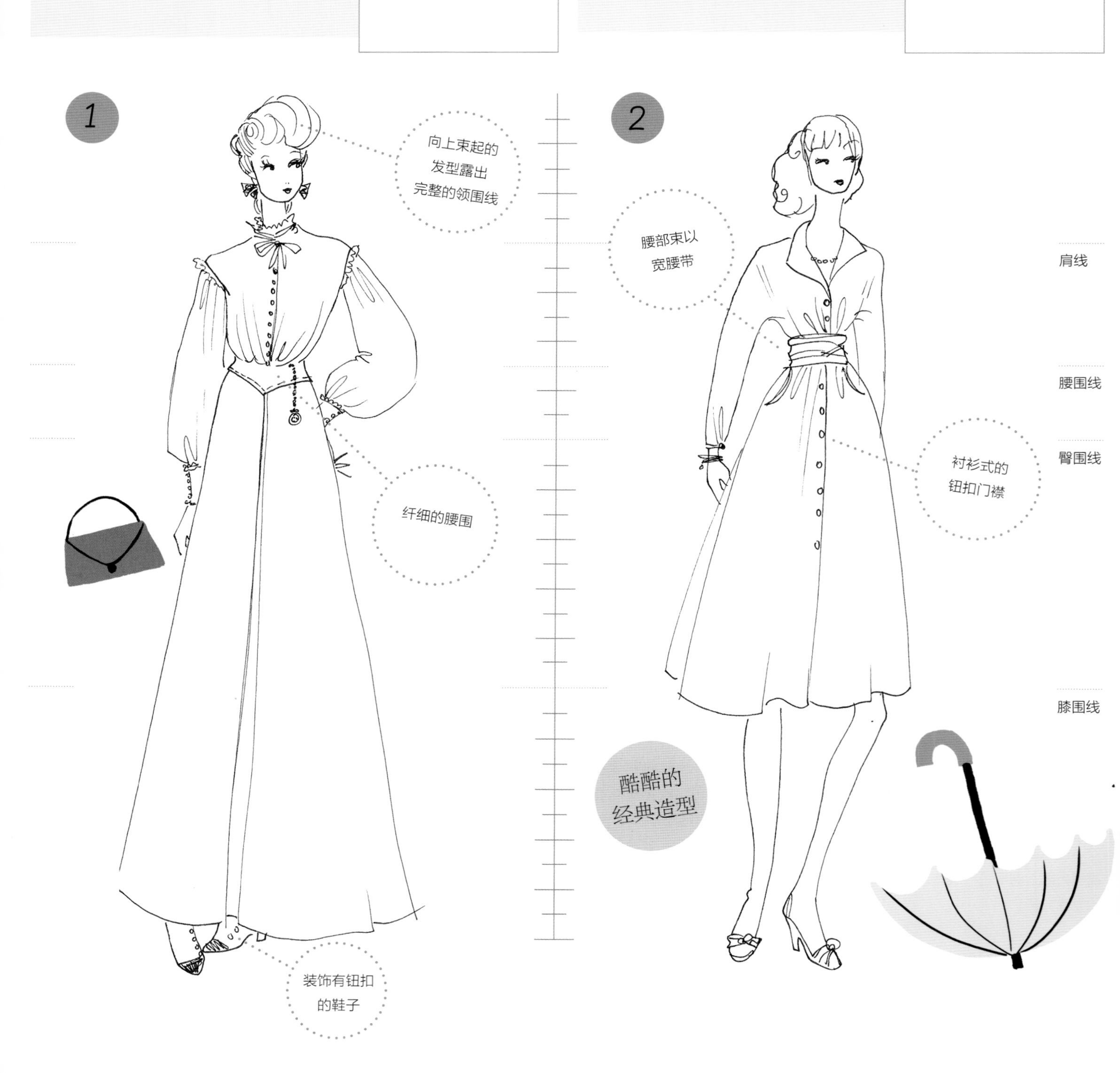

20世纪70年代的候司顿衬衫连衣裙

首先绘制左侧的翻立领，沿着内领围线向下直至腰部画出连衣裙的前门襟。然后绘制另一侧翻立领，领口呈一个狭长的V字形。

接着绘制肩部和袖窿，袖窿继续向下画出上身的轮廓线。再在腰部绘制腰带，腰带以下裙体呈小A字型。

最后绘制贴袋、翻折的袖口和钮扣等细节。

设计特写

经典服饰的变化设计可以通过修改结构细节来实现，例如服装上的口袋。设计中也可以通过调整裙长来体现不同历史时代的着装风貌：20世纪40年代（裙长位于膝盖以下）、50年代（裙长位于小腿中部）、60年代（裙长位于大腿中部）、70年代（裙长位于膝盖以上）。

3

服饰风格简介

"霍罗克的精纺棉布时尚。"服饰广告，《时尚》杂志，1950年6月。

衬衫式连衣裙，或称为衬衫裙起源于20世纪后期，款式特点是有一个钉扣或系带的高立领衬衫。衬衫收系于高腰长裙里，着力塑造女性的曲线美。19世纪80年代到20世纪初，中产阶级女性和职业女性常喜欢穿着衬衫式连衣裙。

衬衫式连衣裙的造型特点不符合20世纪20年代追求更高和苗条体型的时尚审美，但从30年代起，却被美国时装设计师看中，对款式进行了改良和推广，最出名的是设计师克莱尔·麦卡德尔，他因为设计了各种各样的开扣式及膝长衬衫连衣裙而名声大噪。

20世纪40年代和50年代期间，衬衫式连衣裙被不断修改，变得更长和更蓬松，成为了聚会小礼服。20世纪70年代衬衫式连衣裙被再次翻新设计，设计师罗伊·候司顿·霍威克推出时尚版开扣式日用衬衫裙，使用高档卡其布制作而成，而同期的设计师戴安·冯芙丝汀宝也推出了灵感来自老式衬衫裙的成名代表作——包裹裙。上图设计稿展示了衬衫连衣裙的另一些改良款式。

内衣外穿

首先绘制内穿胸衣的吊带、心形领围线和短而紧身的廓型，然后绘制网眼衫的宽领口、肩部和四方形的衣片形状。

接着绘制低腰紧身超短裙的腰带，腰带绘制两层堆叠的花边，再向下沿着人体体型线绘制紧身裤，建议在膝弯处用少许折线勾画出裤子的皱痕。

最后再绘制遍布全身的配饰：十字架珠宝挂件、塑料手镯、鱼网紧身裤、护腿和尖头短靴，完成整个人物形象的塑造。

设计特写

20世纪80年代的音乐电视对人们的穿着产生了巨大的影响。内衣外穿的风格起源于流行歌星麦当娜在1983年的偶像造型。80年代期间麦当娜的造型形象主要是由下列元素构成：蕾丝护腿袜、超短裙、露肩上装和手镯。

有趣的女孩

首先从大身开始绘制，先画多层的文胸和肩部的吊带，然后用小荷叶边装饰文胸边缘。

接着绘制腰部和臀部，腰部有重复缠绕的长腰带。向下沿着臀部形状绘制裙子的左侧，长度至膝盖以上，裙摆装饰有花边。

继续沿着臀部绘制裙子右侧，用一条波浪线连续地画出斜向曲折的下摆，与左侧裙摆相连，最后再在第一层裙摆下画出第二层波浪形裙摆。

设计特写

内衣外穿是20世纪80年代的主流趋势。这张设计稿灵感来自歌手辛迪·劳帕，她因演唱《女孩该开玩笑》一歌而风靡一时。读者也可以观看莫利·林沃德在电影《漂亮的粉红色》（1986年）中的人物形象，了解内衣外穿的穿着特点。

艺术生装扮

首先从左侧领子开始绘制，先画出穿在运动服下的衬衫领竖起的领型线。

然后绘制运动服较宽的V字形领口和宽松的袖型，袖口处勾画随意翻折的卷边。

接着绘制腰带和折边宽腿裤。

最后给模特画上帽子、鞋子和背带，背带一条束于运动服上，另一条束于运动服下。

设计特写

在20世纪80年代，英国流行乐队“香蕉女皇三人组”推动了这种假小子风格的流行。这种造型糅合了粗犷牛仔装和邋遢工装的风格特点，例如箱型粗棉布裤子与系带工靴的搭配，朋克式刺头发型与夸张妆容的搭配。

精心修饰的牛仔外套

首先用细线画出短外套的领型、肩线和袖窿形状；然后绘制外套的前门襟和斜向的口袋，并画出整个袖型和下摆。再在外套的缝线位置，平行地画上明缉装饰线。

接着使用波形线，勾勒出内穿的连衣裙的图案，重点刻画裙子的廓型和下摆。

最后绘制蕾丝边护腿和尖头细高跟鞋，完成整个造型风格。

设计特写

这张设计稿造型是全女子乐队“手镯乐队”的典型风格，这个乐队成员常常身穿全套黑色服饰，尽管当时的时尚界正流行粉红、正黄、青绿和柠檬绿色。认真思考下你的设计中都用了些什么颜色。

服饰风格简介

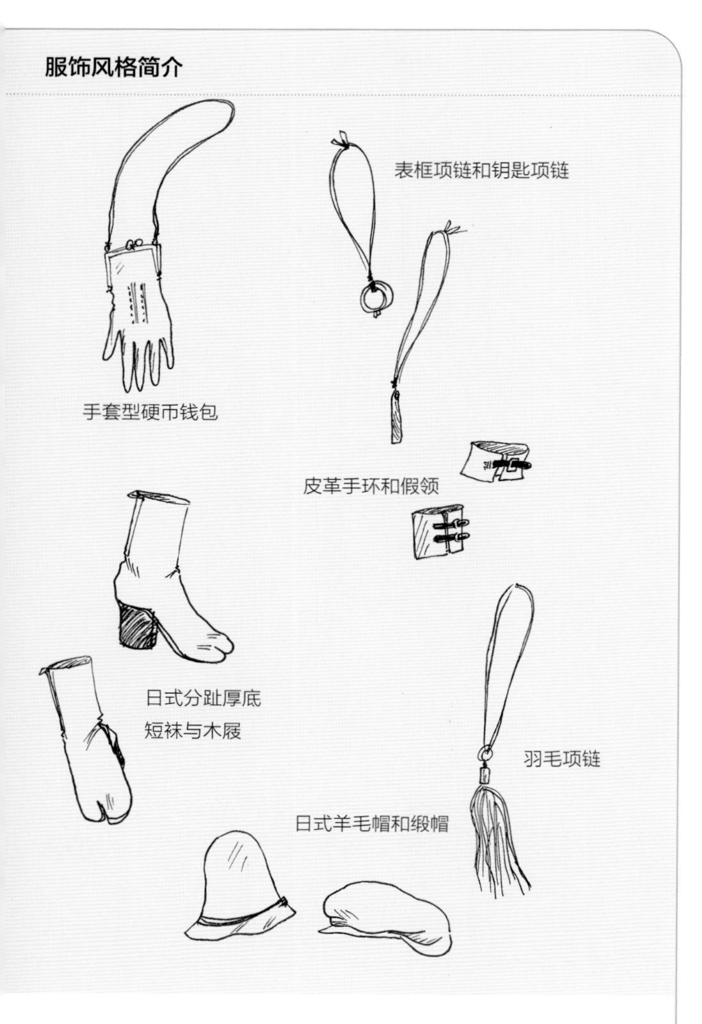

“知性风”“后核时尚”“现代主义”和“可穿戴艺术”，这些新颖的词汇是媒体用来描述日本时装设计师川久保玲、山本耀司和三宅一生的设计作品。20世纪80年代初，他们开始在欧洲展出自己的设计。

日本设计师的作品非常强调服饰的廓型，常采用夸张的比例结构和非常规的制作方式，例如压绉面料和不处理线头等，他们选用的配饰常会标识出设计者的日本文化身份。

黑色是最受日本设计师喜爱的颜色。设计师高超的结构设计使得他们设计的服装看上去就像被重新组装，这被媒体称为是“解构艺术”。这种结构设计方法在20世纪80年代创造了一种全新的时尚“风格”。

同期在比利时，另一群先锋设计师们也有着类似的设计思路，马丁·马吉拉和他的设计伙伴们被时尚界称为“安特卫普六君子”，他们也正忙于探索服装的解构艺术，尝试服装和材料的回收再利用，以及塑造各种蓄意的不完美性。

广岛流浪女

首先绘制运动衫略显随意邋遢的弧形领围线和垮塌箱型的袖片。袖口和衣摆处画上翻折边。

接着绘制宽大的裙身，裙身上有大量裙片堆叠和褶皱，裙摆层次不齐。

最后使用速写的笔触随意地勾勒运动衫上的各个细节设计，并在领部、衣摆和袖口上绘出罗纹肌理。

设计特写

参看川久保玲1981年巴黎的设计作品“像男孩一样”，她的单色系组合、毛边线头和未经处理的缝缉线在当时掀起了一场革命性着装风格的流行。

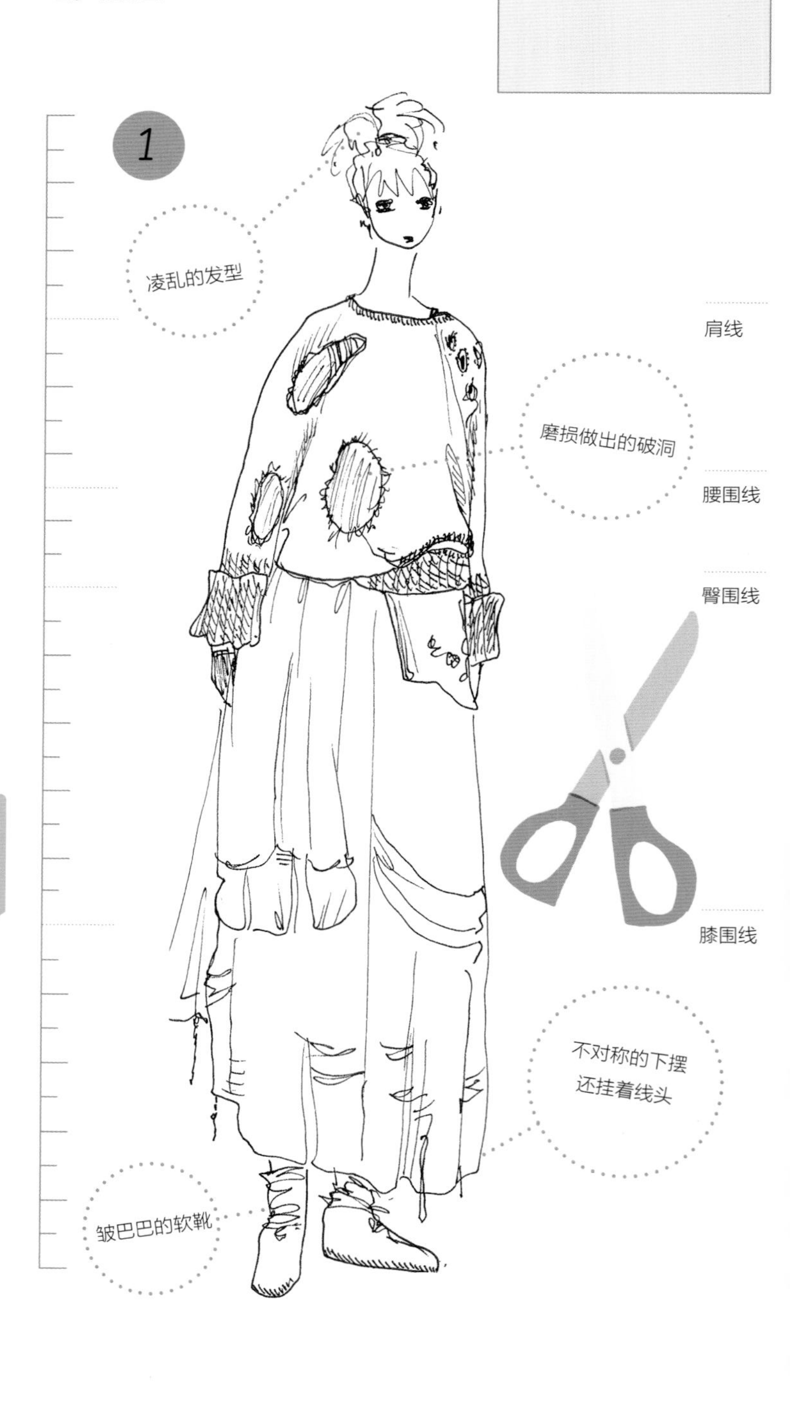

东京现代风

首先从整洁的衬衫领开始绘制，画出宽松垂荡的针织外套的落肩袖和上半身部分，

接着用两条纵向线画出外套打开的门襟，连接外套的外形线，表现出外套的完整形状。

然后绘制衬衫，画出褶裥和领子细节，并连接圆弧形下摆。

最后沿着人体腿部的形状画出裙子的造型，用一个柔和的角度连接下摆。

设计特写

深入研究山本耀司的设计作品，学习他高超的立体裁剪、层叠技术、褶裥的处理、裁剪、色块拼贴以及不对称轮廓造型设计。在今天，山本耀司的设计仍被全球的服装设计界所推崇。

系带上装和长裙

首先从领口开始绘制：先绘制紧窄的领围线、合体的肩线和耸起的袖山细节。

然后绘制超长的袖臂和磨毛的袖口，并画出上衣两侧的衣形线和胸腰处的横向分割线。

接着往下继续绘制上衣的下摆，衣长长至臀围以下，在腰部画上一条细细的扎系腰带。最后绘制长裙，裙长及脚踝以下，裙上有中线并在下摆处有开衩和拼贴设计。

设计特写

这款造型灵感来自设计师马丁·马吉拉的作品。他开创性设计了一种独特的个人风格：夸张的比例结构并故意将结构设计暴露在外，例如服装上功能性的缝缉线。

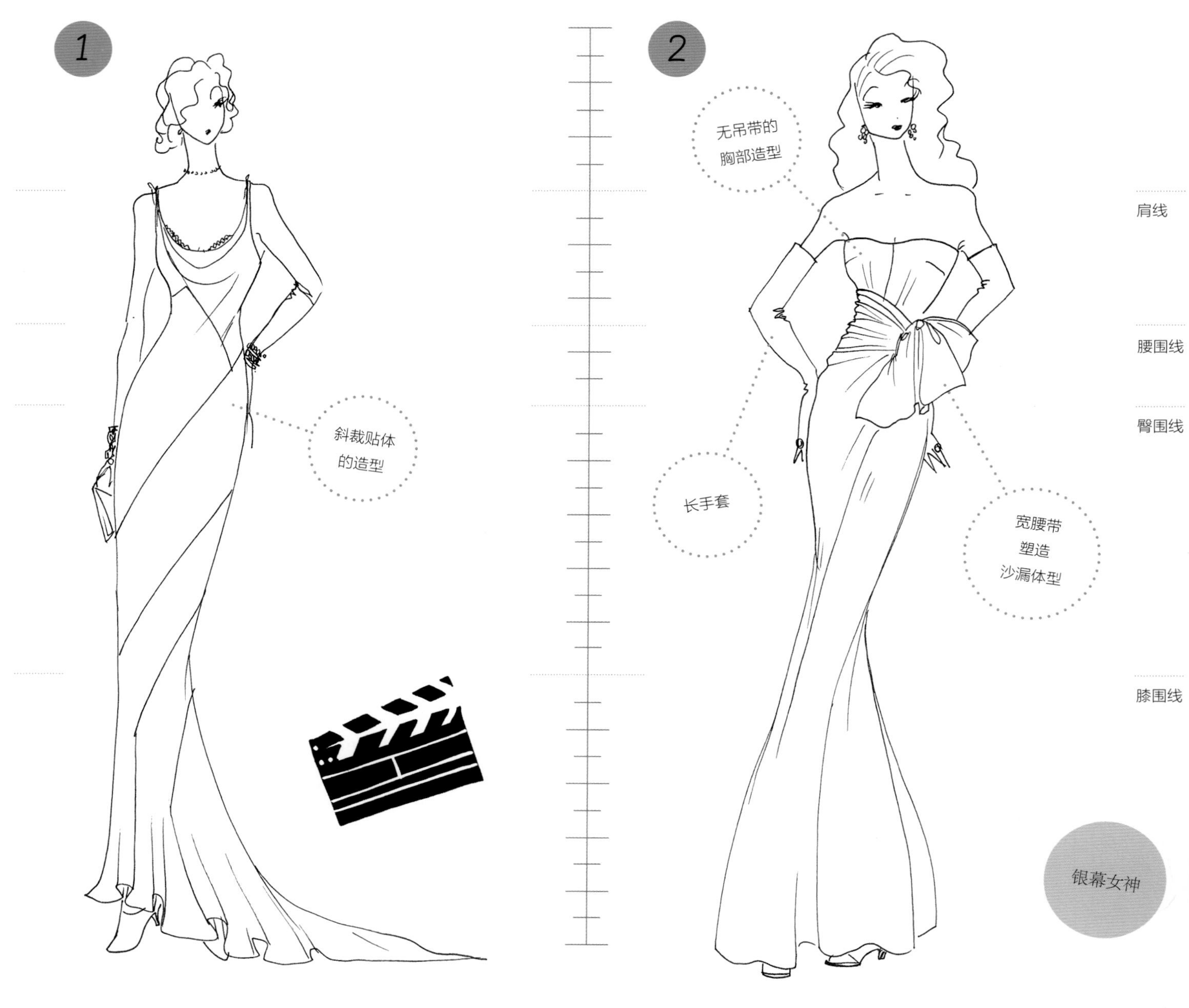

妖娆的塞伦裙

首先从肩膀的中部分别画两条肩带，直到胸部上方。

接着沿着肩带画一条弧形的领围线和蕾丝细节，再将肩带连接到袖窿，完成上半身的绘制。

然后沿着人体的形状向下绘制裙子的轮廓，下摆处裙摆展开，一侧有裙裾。

最后在裙身上绘制斜线，表现出斜裁的衣片结构。

设计特写

这条裙子的风格在20世纪30年代非常受欢迎。“斜裁”的意思是指面料被沿着斜丝缕方向裁剪，这样缝制出来的服装具有更好的合体性和悬垂性。这种裁剪方法可以突显人体的自然曲线。

吉尔达长袍

采用20世纪40年代或50年代（见本书第123或124页）的模特站立姿势：人体右脚承重站立，手放在臀部上，扭转的肢体能突显裙子的曲线。

首先绘制甜心领口和无吊带胸衣的衣形线，腰部绘制束紧的腰带，并在左侧扎系成一个大花结。

然后绘制紧身的裙型，重点围绕迈出的前腿。

最后绘制胸省和裙片上的折痕线，表现出面料受力后的拉伸方向。

设计特写

研究好莱坞舞美服装设计师的作品：例如让·路易为丽塔·海华斯在电影《吉尔达》（1946年）中设计的礼服裙；威廉·特拉维拉为玛丽莲·梦露在电影《绅士爱美人》（1953年）中设计的著名的红色亮片长裙。

3

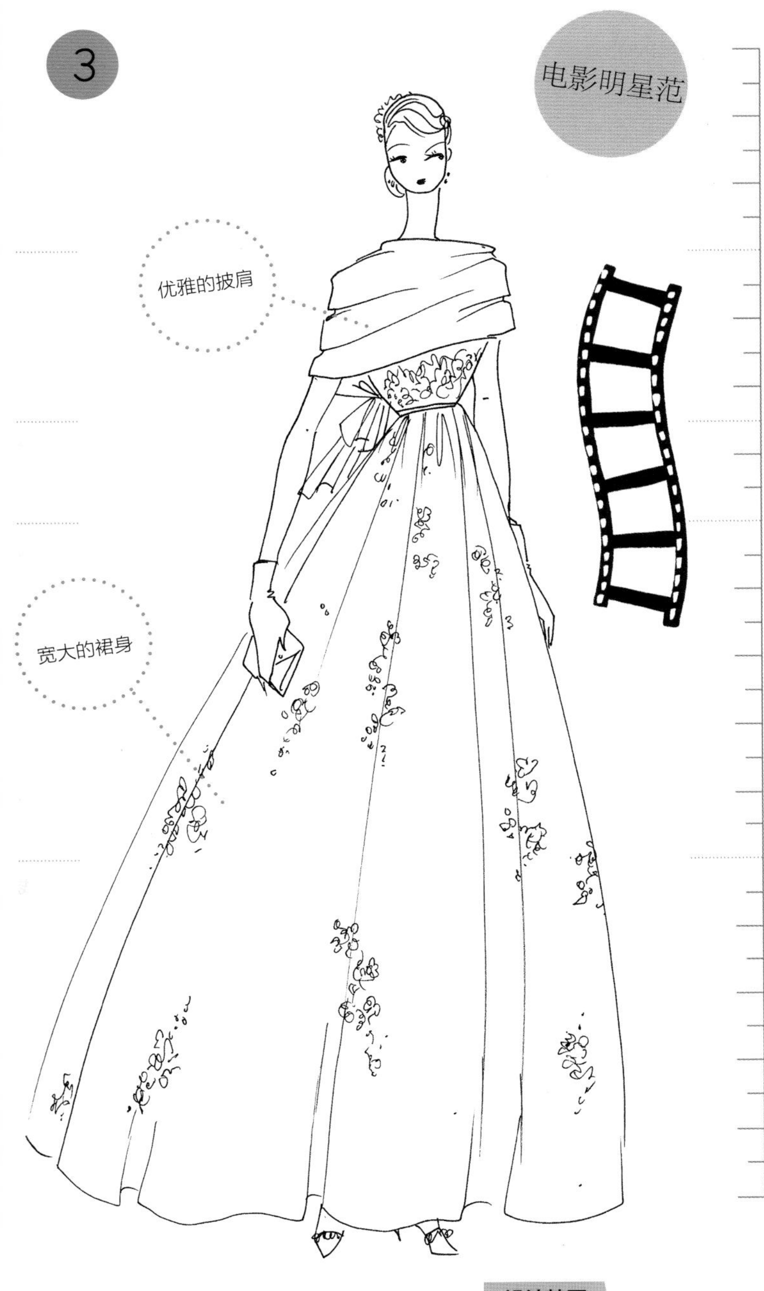

服饰风格简介

1999年蔡勒尼（Bellville Sasson Lorcan Mullany）为歌星麦当娜设计的手工刺绣的金色珠串高级礼服裙。

经典好莱坞明星的全盛时期是20世纪30年代到50年代之间。好莱坞的魅力常常来自闪亮的女明星，例如珍·哈露、丽塔·海华斯和玛丽莲·梦露这些举世闻名的美人。这些女星有时候被称为“银屏塞伦”，因为她们确实优雅性感，非常迷人。舞美设计师们会帮助每位明星塑造独特的个人形象和风格。

有时候时尚设计师会为电影设计舞台服装，或者为某位女明星定制服装，20世纪30年代可可·香奈儿曾因此想去好莱坞发展，而让·保罗·高提耶也曾和著名电影导演彼得·格林纳威、吕克·贝松，以及佩德罗·阿尔莫多瓦多次合作过。

好莱坞优雅的女神造型近年来因为红毯走秀又复苏了。大量的电影盛典、颁奖典礼和电影展开幕式给时装设计师们最好的推广机会，他们为高知名度的女明星们、名模和音乐人提供设计，并藉此而快速成名。上图展示的是1999年歌星麦当娜出席某音乐盛典时所定制的服装。

迷人优雅的礼服裙

首先从大披肩入手，先从右到左画出披挂在胸部的披肩形状，左肩弧度较大，表现出左臂的弯曲状态。

然后向下画出纤细的腰部，再从腰线开始，绘制蓬松的裙体，裙上有较长的折痕。

最后刻画细节和配饰，例如裙上的刺绣和手腕长度的手套。

设计特写

这款优雅迷人的风格是受到格蕾丝·凯利的启发，格蕾丝·凯利是20世纪50年代好莱坞著名女星。

研究伊迪丝·赫德的诸多设计作品后可以发现，她一直在为格蕾丝·凯利设计服装，无论是舞台装，还是生活装。

服饰风格简介

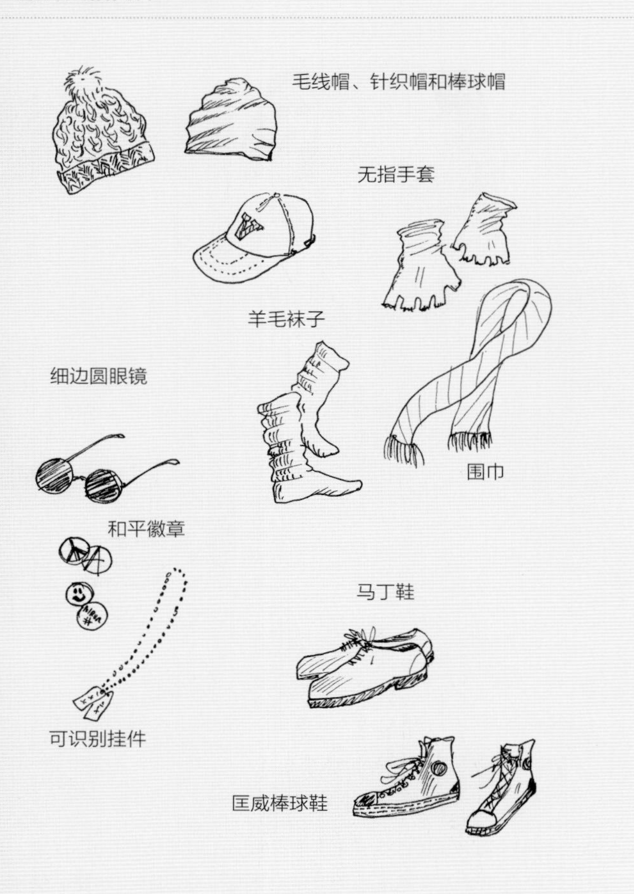

“垃圾摇滚”是另类摇滚音乐的官方名称，起源于20世纪80年代后期的北美西雅图。“垃圾摇滚”最主要的特征是重金属乐队制造的嘈杂轰鸣的音乐，例如著名的涅槃乐队和珍珠酱乐队。

源自“垃圾摇滚”的颓废摇滚风服饰是20世纪90年代最重要的风格，直到今天还在影响着时装设计师们。但颓废风格本身是绝对“反时尚”的，它们与高级定制可以说是势不两立。颓废摇滚风总有着令人意想不到的组合：邋遢的工作服搭配女性化柔软的配饰，风格如此硬朗粗犷的牛仔、靴子、T恤、超大码套头衫、格子衬衫却能与飘逸长裙或漂亮的娃娃裙搭配，乱蓬蓬的发型搭配精致妆容也是这种风格的特点之一。

西雅图吊带裙

首先从领部开始绘制，先画出伐木工格子衬衫敞开的门襟，再画出肩部，拉毛的衬衫袖窿和侧缝线。

接着画连衣裙的V字形领，领口装有钮扣。再从衬衫下方开始画连衣裙的侧缝线，在脚踝处连接两侧的侧缝线形成裙摆。

最后绘制工靴，同时在连衣裙上勾勒出花卉图案。

设计特写

颓废风对高级成衣设计师一样具有深远的影响，例如下图中的服饰造型，就被认为对1993年马克·雅克布为派瑞·艾磊仕设计的颓废风服饰具有明显的影响。

娃娃装连衣裙

牛仔夹克需要大量的细节刻画去表现块面分割和装饰缉线。首先绘制上衣的外轮廓线，然后是肩部育克、口袋和拼缝的细节刻画。

接着绘制领子和连衣裙上的横向公主分割线，领口边画上纵向的装饰褶边。然后绘制连衣裙的轮廓线并连接裙摆。在裙摆下画出自行车短裤的细节线条，完成整体人物形象的塑造。

设计特写

为了获得更多的设计灵感，读者可以研究名模斯特拉·坦南特、克莉丝汀·麦玫娜蜜和凯特·莫斯的时装照片，她们拍摄的流浪者风格就源自经典的颓废风设计。

花形褶边连衣裙

首先使用一条波浪弧线绘制匀形的领口和裙子的肩带，再画两侧的衣形线，垂直的扣位和平行的蕾丝装饰条，然后绘制丝绸流苏腰带，并在腰前方画出扎结的细节。接着绘制裙身的其他部分，裙长长至大腿中部，下摆垂荡成波浪形，裙上绘制纵向的垂折纹，表现出雪纺面料薄透轻软的质感。

设计特写

这种造型俏皮可爱，既有公主设计元素，也有较为硬朗的线条。读者可以思考是哪些细节塑造出这款裙装的颓废风呢？

都市慵懒的西装

首先绘制上装的结构：狭长的青果领，耸起的袖山和瘦窄的袖型，再沿着领驳线向下画出外套的门襟，外套的下摆呈斜切的圆弧形。

然后绘制内穿的勺形荡领衬衫，并画出衬衫的门襟和钮扣。

想象长裤掩盖在衬衫下的腰部结构，用两条斜线绘制出斜插袋袋口的形状，裤型在臀部位置变得宽松，裤腿部分则较为挺直。

设计特写

这张速写的灵感受到海尔姆特·朗作品的启发。海尔姆特·朗擅长将精妙的裁剪技术与高科技面料结合进行设计。他的精彩创意有时候可以和那些杰出的日本服装设计师（见本书第166～167页）相媲美。

帅气的运动装和休闲裙

首先用柔和的弧线绘制运动型套头衫的领围线，再在领围线两侧分别画出肩线和袖窿，并从袖窿向下画出瘦窄修长的套衫外形线直至臀部位置。

接着绘制两条细长的袖臂和手腕处面料堆叠的形状。

最后从套头衫下摆向下绘制直筒裙的外形线，在裙身一侧的臀部和腿部连接处勾绘几条面料的斜向受力线。

设计特写

读者可以查阅德国时装设计师吉尔·桑达在20世纪80年代和90年代创作的作品影像，思考她所设计的这些截然不同的轮廓造型。注意设计师是如何使用单色来突出整套服饰的造型和轮廓的。

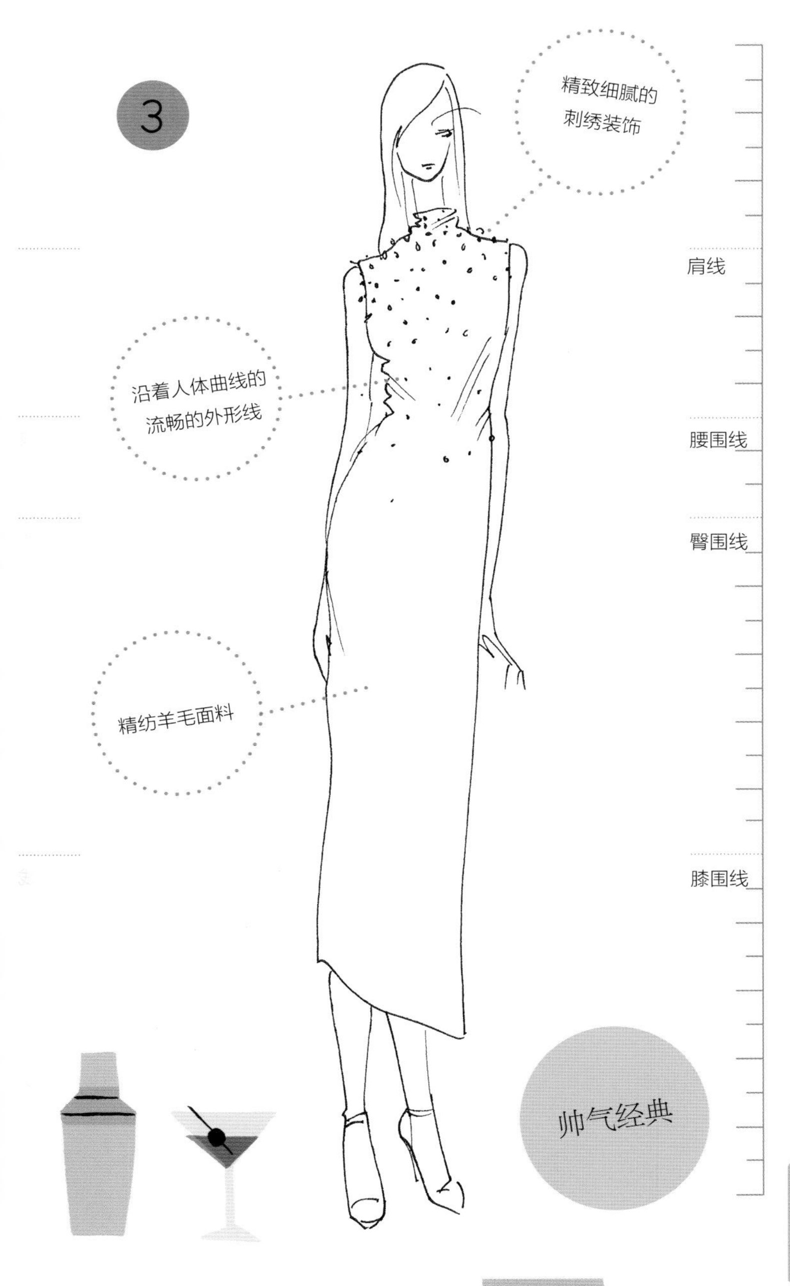

黑色高领连衣裙

首先绘制高帮翻领和柔软的肩部，肩线长度刚好到肩点为止。

接着向下画出袖窿和收腰的上身造型，在身体的两侧，用波折线画出衣片受力后产生的扭曲和褶皱，并向下绘制紧身流畅的裙型线。

裙型线在臀部位置较为贴体，裙片向下自然垂落直至小腿中部，最后用一条斜线绘出不对称的裙摆形状。

设计特写

这件精致的羊毛针织连衣裙是卡尔文·克莱因的经典代表款式。20世纪90年代，卡尔文只选用有限的几种颜色的天然面料进行设计。思考一下，如果这些设计换成其他面料，例如丝绸或皮革将会产生什么样的效果呢?

服饰风格简介

2010年设计师卡尔文·克莱因发布的女装，照片由希尔丝廷·辛克莱2010年2月拍摄于纽约。

朴素的“极简主义”风格是与20世纪90年代那些浮华风格的设计完全对立的，这些奢华设计风格的代表设计师有詹尼·范思哲、让·保罗·高提耶和克里斯汀·拉克鲁瓦等人。在时尚界，极简设计就意味着简洁的线条、精致的裁剪、中性化的色彩、昂贵的面料和严格控制的比例关系。服装被极力简化，只保留必需的结构部分，钮扣被藏起来，装饰物被抛弃，外观尽可能不显露出任何结构细节。

极简设计风格在80年代末和90年代初逐渐流行起来，这得归功于卡尔文·克莱因、海尔姆特·朗和吉尔·桑达这几位时装设计师，他们把都市的流行趋势元素，例如层叠设计与高超的裁剪技术和昂贵的材料相结合，创造了一种全新的服饰外观：简洁、优雅和极具未来感。他们的这些作品被认为是时装界的“实用主义者”。

极简设计不只在时尚界才有，建筑设计师约翰·波森早期发表在建筑学期刊《墙纸》（1996年创刊）上的设计作品，克劳迪奥·西尔伟斯特林在1997年的科幻电影《变种异煞》里的建筑造型都是极简设计的代表作。

寻找研究资源

时装常常是经典服饰的翻新版本。时装设计师也会从浩瀚的历史服装或某些特定时期的流行中寻找设计灵感。他们是如何展开自己的设计思路并进行构思的呢？这里罗列了一些获取资源的渠道和方法，读者可以在这些地方找到需要的资料素材。

1

博物馆

博物馆里的展览

·博物馆和画廊里不定期举办的时尚展览可以让你近距离了解经典服饰的细节内容。

重要的收藏品

·收藏有国际意义的重要藏品的博物馆有纽约大都会博物馆服装研究所（超过35，000件收藏品）和英国伦敦维多利亚阿尔伯特博物馆。

地方民俗博物馆

你所在的地方民俗历史博物馆可能也有展览或档案。事先通过书籍和网络做些前期研究，了解这些资料馆的馆藏情况。 如果服装不属于展品范围，它们可能会被借给其他展览或被贮存保管起来，你可能需要与相关的馆长预约在档案室里参观这类藏品。

2

世界各地的文馆收藏

专业的时尚博物馆

全球各地有许多专门进行时尚研究的博物馆，如果你正在旅行或度假，不妨参观当地那些相当有价值的馆藏作品，这类分布在世界各地的时尚博物馆有：

·西班牙吉塔里亚巴黎世家博物馆

·纽约时装学院

·伦敦时装纺织博物馆

·英国巴斯时装博物馆

·美国时尚设计商业学院

·日本京都时装学院

·比利时安特卫普时装博物馆

·比利时哈瑟尔特时装博物馆

·巴黎时尚博物馆加列拉宫

·智利圣地亚哥时尚博物馆

·法国巴黎卢浮宫的时装和纺织品博物馆

·法国马赛装饰艺术和时尚博物馆

·新西兰时装博物馆，该馆网址为www.nzfashionmuseum.org.nz。这家博物馆并没有固定的场馆，但经常在全国各地举办巡回展览。

3

展览会

展会上都展示了什么？

随着时尚业的不断发展，服饰的艺术性和趣味性不断增加，越来越多的博物馆和画廊开始热衷于筹划时尚展览和服装静态展。试着发掘你身边的这类展会，这将有助于激发设计灵感和创意。

独立的设计师展

参观这类展会可以直观地研究不同时期的经典服饰和独立设计师风格，例如下列两场著名的展会：

·2011年纽约大都会博物馆策划的英国设计师亚历山大·麦克奎恩的“狂野之美”时装展，这场展览适逢设计师去世一周年，当时有超过650，000名观众参观了麦克奎恩的作品，成为有史以来最热门的展会之一。

·2004年由维多利亚阿尔伯特博物馆策划的薇薇安·韦斯特伍德作品回顾展，迄今为止已经在世界各地举办了10场巡回展览。

4

银幕形象

舞台剧、芭蕾舞和戏剧

· 观看演奏会、芭蕾舞或戏剧都可以激发设计师创作古典服饰的热情和灵感。如果某个作品有历史剧情的话，通常制作团队会仔细研究舞台道具，并手工制作出来，这其中就包括舞台服装设计师设计的复古服饰。

· 研究戏剧或舞台服装的细节，观察服装穿在人体上的服饰形态。

历史剧

· 去观看你感兴趣的某个时期的历史剧表演。

· 如果你不能去现场观摩一场表演，你仍然可以借助其他方法了解这些古典服装。如果你研究20世纪50年代的风格，你可以去看音乐剧《可可》（1969年），剧中凯瑟琳·赫本扮演著名时装设计师香奈儿，她的剧服是由塞西尔·比顿设计的，塞西尔·比顿是当时的著名摄影师，曾获奥斯卡最佳服装设计奖。

5

商场与购物

古董商店

· 这种古董店给设计师提供了很好的机会去了解时尚的历史。他们允许你去看服装的细节，演示服装是如何制作的，甚至还允许你试穿。

· 仔细区别哪些是真的古典服装，哪些是二手服装和仿制品，你可能会找到很多故意做旧的服装，其实是古典服饰的仿制品。

旧货市场

· 无论你在世界的哪个角落，你都能遇到卖旧服装的地方。有些城市有专门的跳蚤市场和古董商人。

· 如果你对古典服装感兴趣，就要研究服装上的标签，区别手上的服装是设计师定制还是高级成衣，你也可以咨询卖家这些服饰的来历。

拍卖行

还有许多其他地方可以深入研究服装、配饰和珠宝。这些物品在每次交易前会被公开展示，目的是便于买家近距离观察和选择。

寻找研究资源

观察古典服装实物确实是最直接的研究方法，但也有可能，设计师从手边就能找到激发灵感的素材，例如阅读书中对服装的描绘，观看服饰装扮的影像资料等。这里列举了几种你足不出户就能收集到资料的方法。

1

书籍

时装和摄影类书籍

· 这类书刊不仅提供观察历史服装的新视角，也展示了它们是如何穿戴的。

· 从细节入手，研究你喜爱的服饰的照片，观察模特的姿势和配戴的配饰，了解如何才能准确体现出这种风格特征。

文学作品中的服装

· 古典小说可能会对书中人物的服饰进行精彩的描述。

· 设计师回忆录和人物传记也会对研究他们的设计作品提供新的思路。

经典服装书籍

有些经典服装书籍可能在二手店出售，有些会被出版商在21世纪再版。

· 塞西尔 · 比顿撰写的《时尚的玻璃》（1954年出版）

· 克里斯汀 · 迪奥撰写的《时尚手册：如何穿出裙装的优雅》（1954年出版）

· 克莱尔 · 麦卡德尔撰写的《我该穿什么？时尚的3W定律和时尚是什么？》（1956年出版）

· 保罗 · 葛里克撰写的《阿里太太逛巴黎》（1958年出版）

· 伊迪丝 · 赫德撰写的《如何为成功着装》（1967年出版）

2

杂志

哪个年代的杂志?

今天时尚界许多著名的称谓100年前就已经存在了。时尚杂志忠实地记录下了每个时期的风格、款式和服装设计师们。杂志上的广告会让你对那个时代的风格有所了解。试着寻找你感兴趣的那个时代最热门的杂志。

· 全套装订的杂志常常只会保存在图书馆中，但你仍可以在二手书店里找到单册的复印本。

具有时尚影响力的杂志

这里举例几种权威时尚杂志：

·《时尚》（*Vogue*）1892年创办于美国，迄今为止全球已有超过20种发行版本，被称为世界上最具影响力的时尚杂志。

·《芭莎》（*Harper' s Bazaar*）19世纪首次在美国出版发行，20世纪40年代和50年代特别具有时尚号召力。

·《她》（*Elle*）杂志创办于1945年法国，20世纪80年代开始在美国和英国发行。

·《妇女服装日报》（*Womenswear Daily*） 号称美国零售服装的时尚圣经，在20世纪60年代很受大众欢迎。

·《新星》（*Nova*）1965年发行于英国，该杂志极具创意和实践性。

3

电视

历史剧

· 历史剧中的剧服和人物装扮，可以为你的设计提供有用的信息和灵感。

历史和新闻

· 寻找早期制作的电视节目，在那里你能发现一些珍贵的历史镜头和特定时期的静态照片。

· 20世纪70年代之前，新闻报道的画面都是黑白的，所以你可能还需要去查阅当代的杂志来确定某件历史服饰的色彩。

验证准确性

· 谨慎看待你用于研究工作的电视节目内容。记住来自任何一部历史剧的戏服，始终是表现那个时代特征的表演性道具服饰，即便这些剧服设计是经过认真研究制作的，但它们的外形仍然会受到现代时尚审美的影响。

· 比较新闻短片和一些现在拍摄的古装剧，了解在面对21世纪的观众时，舞台服装设计师是如何重现那些古老服饰的。

4

网络

在线资源

· 网络是一个不可思议的巨大信息资源库，在网络上你不仅可以浏览海量的经典服饰的照片，还可以搜索到相关信息，例如哪里可以看到这些，如何购买等内容。

· 网络的在线资源是独一无二的，包括视频网站，在视频网站上你能看到历史新闻影片、博物馆和大学档案馆资料，以及时尚专家和设计师们的博客。

社会媒体平台

· 你也可以使用社会媒体平台就经典服饰提出问题，这些问题是你在其他地方得不到答案的。

拓宽你的寻找范围

· 数字杂志中的内容、社会媒体平台和在线照片文章，都可能引起你的兴趣，但注意在线信息极不全面，你可能需要访问不同的网站，使用不同的搜索引擎，并逐条浏览网页内容，才可能获得某个时代较为完整的背景资料。

5

电影

电影中

· 看电影：无论在电影院还是在家看DVD 或蓝光碟片，都是一个不错的学习方式，老电影展示了某个时期已经约定成俗的服装和配饰。

选择你感兴趣的时代

无论是哪个年代，你都能找到一些电影和人物角色，它们能反应当时的服饰潮流。

· 例如你如果想了解爱德华时期，你可以观看1958年拍摄的音乐歌舞剧《琪琪》和1963年拍摄的电影《窈窕淑女》，这两部电影中的服饰都是由舞台服装设计师塞西尔 · 比顿设计的爱德华时期的经典代表服饰。

· 比较原创电影与翻拍作品中的剧服，例如1940年凯瑟琳 · 赫本主演的的电影《费城故事》中，她扮演一位富有的美国名媛；1956年，这部电影被翻拍并更名为《上流社会》，由格蕾丝 · 凯利扮演同样的角色，两部电影中的两位女星的服装款式完全不同，反映了不同拍摄时期的不同审美风格。

设计速写本和情绪板

思考如何记录和保存下你的经典服装构思、图像和信息，你可能会想在未来某个时间重温这些想法。如何通过研究时装设计师、设计年代和服装种类组织自己的设计调研呢？

充分利用你的绘图速写本，记录下那些让你感到有趣的经典服饰。尝试在一款人体模板上画出这些服饰造型，这可以帮助你更好地理解它们的形状、比例和结构细节。

· 精巧的构思常通过细节描绘来体现，某一件设计作品和另一件设计作品之间的联系总要有所体现，所以当你在构思时，各种想法都会出现。

· 在画速写时，试着先将某些特殊的细节单独放一边，你可能在后面的草图修改或定稿时需要。如果是在禁止拍照的博物馆或档案馆中工作的话，设计手稿就是非常珍贵的参考资料。

· 你的速写本是你的私人空间，可以把所有喜欢的元素收集在里面，无论这些素材你以后觉得有没有用，都不要紧，重要的是理解为什么你觉得它们有意思。通过这种速写本的记录，你能在以后的设计中想起最初发现它们时的美好感觉，并且在后面的设计中再现这种感觉。

· 尝试用不同的方式表达自己的构思，你可以拼贴插画和照片，剪贴报纸上的文章，或用文字记录、添加注解或名称。

· 速写本的页面格式有很多种形状和大小。挑选你喜欢的可随身携带的速写本，这样你随时都能画起来。速写本尺寸有大有小，页面上可能印着头像、风景或广场，被完美地装订或是用螺旋活页固定，有的速写本中还附有拷贝纸。

· 每天坚持在速写本上进行练习或创作。

这位设计师在速写本上快速记录下转瞬即逝的灵感

你可以选择这种活页夹式的素描纸速写本

这张情绪板展示了几种不同蕾丝花型和20世纪40年代的经典服饰风格

制作一块情绪板可以帮助你从视觉上直观地整理创作思路，激发设计灵感。情绪板就是一块大展板，你可以把所有感兴趣的设计素材贴在上面。

· 情绪板常用一块大卡纸板或黑板做成，上面附有图钉或磁贴，可以方便设计师移动各种素材和资料，你也可以用电脑设计软件做一个数字化的情绪板。

· 如果要建立自己的经典服饰情绪板，首先你需要确定感兴趣的服饰的年代、设计师或服饰种类。拿出你的速写本，翻阅你先前收集的资料，找出真正吸引你的设计元素。

· 一旦你有了初步的想法，就可以去查找有关这些设计元素的发布会或系列作品，或收集含有这些元素的图片或手绘稿，把所有能找到的素材放在一起，比较哪种组合的效果最好。

· 酝酿能表达主题设计的关键词汇，并仔细推敲情绪板上的字体或图形风格与这些文字内容是否准确。

· 材质的肌理或仅仅是面料的种类也需要认真比较。如果你的设计进展到这一步，要注意材质、面料与设计效果密切相关，例如为了某种效果，你可能会增加一些特别的钮扣或亮片装饰的包包在你的情绪板上。

最后，你制作的这张情绪板要能带给你灵感，在情绪板上调整设计素材、服饰款式的顺序和布局，直到你感觉整体满意为止。

创造全新的风格

现在你已有了充足的创作素材，可以创建自己的经典服饰风格了，尝试混和搭配不同时期的元素，从而开拓思维，获得新的设计灵感。下页的例图示范了一些款式组合搭配，供读者参考。

时装设计师常常会被过去的服饰激发出灵感。认真思考如何引用、借鉴经典造型，并将它们运用到现代设计中。

如何从过去的经典设计中获取灵感?

· 你的目的是创造一种符合“当代审美需求”的设计。有时候，对经典设计的“全新诠释”就是表现当代时尚的最佳途径。

·尝试把经典服饰的设计理念与现代生活方式联系起来，观察周围现实世界的变化——新科技发明、经济和社会的变化，以及流行文化的变迁。

哪些元素可以用来混合和搭配?

· 首先要确认自己热爱的经典服饰设计的类型：是维多利亚时期的衬衫连衣裙，还是20世纪60年代的超短裙？你如何将它们和21世纪的时尚潮流嫁接到一起？认真思考一场时装秀的设计组成：从体积大的服饰开始设计，例如外套、茄克或礼服裙等。

· 另一种方法是从重要的单品开始设计：裙子、裤子和上装，或者先构思好服装的上半部分，再进行其他部分的搭配设计。

· 在你的速写本上把喜欢的元素取下来，贴在情绪板上 （见第179页的例图），与收集到的灵感图片组合在一起，调整这些构思直到清楚如何去做具体的设计。

如何构思自己的设计?

· 首先构思设计，确定情绪板的主题，设计理念和色系，规划系列作品的造型轮廓。

·然后把三、四款手稿放一排，比较整体效果，观察各款风格是否一致，搭配是否和谐，在画手稿时，你要能从前一个手稿衍生出下一个款式。

·接着考虑轮廓、造型、平衡、比例和制作材料，仔细推敲会产生意想不到的效果。

·重新绘制你最得意的构思，尝试加上时髦的配饰或用大胆的方式搭配这些单品。

·最后和指导老师、朋友们分享你的设计心得，并虚心听取他们的意见，他们的建议会帮助你从一个新的视角观察自己的作品。

圆形半裙搭配
20世纪80代
风格的T恤衫
热裤搭配
朋克风的
针织套头衫
T恤衫搭配无吊
带鸡尾酒裙
实用连衣裙搭配
牛仔短夹克外套
维多利亚式
衬衫使用
荷叶边装饰
香奈儿小外套
搭配T恤衫
和七分裤
名媛风直身裙
搭配男式休闲
开衫和短靴
艺术图案装饰的
针织衫搭配
超短裙和运动鞋

学习一定的面料知识，了解并掌握纺织品的外观特点，对于设计师逼真地表现出服装的穿着效果尤为重要。通常情况下，服装设计中使用的纺织品种类非常繁多，这里仅举例介绍部分常见的面辅料种类。

面料可以统分成三类：梭织类、针织类和毡缩类。学习中注意梭织类面料有三种常见组织织法：平纹组织、斜纹组织和缎纹组织，每种织法表现的质感和肌理均各不相同。

如需了解不同面料的绘制表现技法，可参见本书第118～119页。

经过煮沸的羊毛（Boiled wool）：针织和毡缩羊毛经过热水加工，再反复晾干后，可产生一种独特的磨砂质感。常用于制作外套、毛衣和手套。

毛圈花式线织物（Boucle）：毛圈花式线织物是20世纪20年代流行的一种保暖厚实的羊毛织物。毛圈花式线织物表面呈毛圈形或绒球状，多用于制作大衣、外套、秋冬裙装和套头衫。

凸花纹织锦缎（Brocade）：凸花纹织锦缎是指一种传统纺织工艺制作而成的丝织品。这种织物采用添加纬纱（面料纬向的纱线）的方法，在面料表面形成凸起的精美图案。凸花纹织锦缎常用于晚礼服的设计，有时会用金银丝或金属丝线进行缝制，以增加服饰的奢华感。

印花布（Calico）：印花布是历史悠久的常见纺织品之一。在英国，印花布是指平纹的棉布，在美国，印花布则指那些印有小花形或其他图案的棉布。

细薄布（Cambric）：细薄布是一种手感细腻、光泽柔和的棉布，常用于上装、裙装和内衣的设计，最早是由细亚麻纤维制作而成，后来逐渐出现了羊毛、丝绸、涤纶或棉混纺纤维加工而成的细薄布。细薄布也常被简称为细布（Batiste）。

山羊绒（Cashmere）：山羊绒是一种来自喀什米尔山羊的绒毛层高档羊毛纤维。山羊绒常用于制作精纺针织衫、围巾和大衣等单品。

条纹、格纹布（Chambray）：条纹、格纹布是一种轻薄的棉织物，是由单色的经纱（通常是蓝色）与白色的纬纱织成，外观类似斜纹布。条纹、格纹布的英文名称“Chambray”是根据原产地法国“Chambrai”（康布雷）命名的。

雪尼尔花线（Chenille）：雪尼尔花线是一种手感柔软，外观呈厚实丝绒状的织物。雪尼尔花线的英文名“Chenille”源于法语“Caterpillar”（毛毛虫）。雪尼尔花线常用于针织开衫、围巾和帽子的设计，有时也会与棉纤维混纺使用。

人字呢（Chevron）：人字呢是一种表面有V形图案或印花的梭织面料，常用于制作套装或大衣。

雪纺（Chiffon）：雪纺最早是由真丝织造而成，是一种轻薄、透明的织物。雪纺制成上装或裙装后，外形美观贴体，线条流畅，垂感良好。现在的雪纺也采用人造丝和涤纶纤维制成。

印花棉布（Chintz）：普通棉布在经过印花和上浆后，再通过热压处理形成富有光泽的印花棉布。印花棉布上的图形常选用色彩明艳的花卉图案。

灯芯绒（Corduroy）：灯芯绒是一种沿着面料的经纱方向，通过增加纬纱密度在织物表面形成整齐的隆起和凹陷的山脊状绒条的起绒面料。灯芯绒在20世纪前半叶仅用于男式户外装和工作服的设计，到20世纪60年代才逐渐在女装中流行起来。

棉布（Cotton）：棉布最初是指非洲、美洲和印度产的棉纤维纺成纱线制成的织物。

绉纱（Crepe）：绉纱是一种表面起绉的弹性梭织面料。羊毛成分的绉纱常用于高档裤装、裙装、外套和礼服的设计（相似内容介绍见乔其纱）。

广东绉纱（Crepe de chine）：广东绉纱是一种轻薄细腻的裙料，是选用真丝纤维采用梭织工艺织造而成。广东绉纱的织物表面布满均匀的细小皱痕和肌理纹路。

斜纹粗棉布（Denim）：斜纹粗棉布是指一种厚实、耐磨的面料。传统的斜纹粗棉布是采用斜纹织法加工棉纱线织造而成，最初用于制作工作服，现在则常用于牛仔服装的设计。

烂花绒（Devore）：烂花绒是指一种使用化学方法烧掉织物表面凸起的部分绒面而形成半透明效果的丝绒面料。

犬牙花纹粗纺呢绒（Dogstooth）：词语解释见犬牙花纹（Houndstooth）。

毛毡布（Felt）：毛毡布是指通过磨毛和毡缩形成的织物。毛毡的密度可根据设计需要进行调整，通常由羊毛制成，多用于帽子的设计。

法兰绒（Flannel）：法兰绒是一种柔软的棉织物或羊毛织物。法兰绒的特点是表面有较短的细密绒毛，并形成一层浅浅的绒面。法兰绒可以是平纹组织或斜纹组织，常用于制作礼服和裙装，有时也用于内衣和睡衣的设计。

华达呢（Gabardine）：一种质地紧密，耐磨性好的梭织面料，用于风衣、防水大衣、制服和坚固型工作服的设计。传统的华达呢是用精纺羊毛纤维加工而成，而现在多用人造丝和棉纤维混纺来取代昂贵的羊毛纤维。

薄纱（Gauze）：薄纱是一种轻薄、透明的面料，织物表面上经纱起伏交叉，形成网状结构。薄纱常用于宽松的休闲上装、礼服和裙装的设计，可由真丝、羊毛、棉和人造丝织造而成。

乔其纱（Georgette）：乔其纱也被称为绉纱（Crepe Georgette），这种光泽柔和的轻薄面料有着类似绉纱的手感和质地，织物上交缠的纱线不仅形成了特别的质感，也增加了面料的重量。乔其纱有着良好的悬垂性，多用于晚礼服设计。

罗缎（Grosgrain）：罗缎是一种轻薄质地的梭织物，织物表面手感细腻，富有纹理，常用于制作结实的缎带、服装挂面和连接大身与裙片的腰带。

人字呢（Herringbone）：人字呢面料上有着V形梭织图案，也称为断斜纹（相似内容介绍见斜纹组织）。

犬牙花纹（Houndstooth）：犬牙花纹是一种菱形格子图案的双色面料，常用于西装套装、大衣和运动装设计。常见的犬牙花纹面料呈黑白两色，质地为粗花呢。犬牙花纹也被称为狗牙纹（Dogstooth），略小型的同类图案被称为小狗牙纹（Puppytooth）。

针织运动衫（Jersey）：柔软而有弹性的机织针织面料很适合制作针织运动衫。早期的针织运动衫是用羊毛织成的，现在针织运动衫（尤其是T恤衫）多采用棉或其他合成纤维生产加工。

蕾丝（Lace）：蕾丝是用纱线或丝线编结成精美图案的一种半透明网眼组织的面料。传统的蕾丝主要是用亚麻、真丝和昂贵的金银丝加工而成。从20世纪开始，棉和合成纤维逐渐成为蕾丝的主要原材料。

金银丝面料（Lame）：金银丝面料是指由金银丝织造或含有金银丝的梭织或针织面料。金银丝面料在20世纪60年代主要被用于塑造“太空时代”的服饰造型，偶尔也用于晚礼服、裙装和高档针织衫的设计制作。

亚麻制品（Linen）：亚麻制品是指来自亚麻植物的纤维、纱线和面料。亚麻织物常使用平纹组织梭织法织造，多用于上装、裙装、礼服以及夏季服饰的设计制作。

金银纱（Lurex）：包裹金、银的纱线或加入金银丝的纱线以及使用这些纱线制作的面料（相似内容介绍见金银丝面料）。

莱卡（Lycra）：一种人造弹性纤维和面料的商业名称。诞生于20世纪60年代，具有良好的弹性和可塑性。莱卡在欧洲被称为Elastane（氨纶），在美国被称为Spandex（氨纶），常用于上装、紧身裙、紧身裤和运动装的设计。

马海毛（Mohair）：一种来自安哥拉山羊毛的富有光泽的动物纤维，常与普通羊毛或棉混纺使用。马海毛有着毛茸茸的温暖手感，在20世纪50年代广受欢迎，经常被用于设计制作成外套、大衣、裙装和针织衫等款式。

云纹面料（Moire）：一种表面具有云波纹或水波纹图案的面料，例如塔夫绸。云纹面料是通过高超的编织技术或雕刻工艺织造而成的，有时也被称为水纹面料。云纹面料主要用于礼服和配饰的设计，其华丽的图案和光泽可以增加服饰的美感和效果。

细布（Muslin）：一种平纹梭织类棉布，有多种型号和克重，最常见的是坯布细布或白细布，主要用于制作衬衫和裙装（相似内容介绍见印花布）。

尼龙（Nylon）：尼龙是世界上第一种完全人造的合成纤维，在20世纪30年代末期被用于制作尼龙裤、内衣、服装衬里和运动服。

蝉翼纱（Organdie）：也称为玻璃（Organdy），一种精致、轻薄和硬挺的面料。传统的蝉翼纱是用棉纱织造而成，主要用于服装领子和袖口克夫的局部设计，有时也用于晚礼服和新娘装的设计。

欧根纱（透明硬纱）（Organza）：一种轻薄、硬挺的平纹梭织类面料。传统的欧根纱是用真丝织造而成的，用于晚礼服、新娘装、裙装和上衣的设计。

细条纹面料（Pin-stripe）：表面织有或印有细条纹的面料，常用于商务正装的设计。

聚酯纤维（Poly-ester）：聚酯纤维是一种人造纤维，可加工成强韧、耐洗的合成面料。自1953年诞生以来，聚酯纤维被不同生产厂家命名成各种商业名称。聚酯纤维在20世纪60年代和70年代风靡一时，广泛地被用于上装、裙装和礼服的设计生产。

府绸（Poplin）：府绸是一种具有精细纹理的中厚型平纹面料。早期的府绸是由真丝经纱和羊毛纬纱交织而成，20世纪时出现了棉质府绸，并逐渐流行起来，被广泛地用于裙装、衬衫和运动装的设计中。

威尔士亲王格子面料（Prince of Wales）：一种大型格子图案的高档轻纺羊毛西装面料。这种面料上的图案有两种：黑白组合的格子纹和红褐色、奶白色组合的格子纹，20世纪30年代开始流行起来，因为被英国皇室青睐多用于制作皇家服饰用品而闻名于世。

人造丝（Rayon）：人造丝是指从纤维素或木浆原料中提取的人造丝纤维。19世纪末人造丝诞生，随后被广泛用于制作礼服、上装、裤装和裙装。

棉缎（Sateen）：棉缎是一种采用缎纹组织织造的棉织品。棉缎具有手感滑爽、色泽美观的特点，常用于制作礼服、裙装和外套。

缎纹组织（Satin weave）：一种经纱浮线较纬纱长的梭织形式。缎纹组织的面料表面滑爽，富有光泽，手感良好。缎料通指那些采用缎纹组织织成的面料，面料的成分可以是真丝、聚酯纤维或人造丝等。缎料常用于晚礼服或特殊场合服装的设计。

泡泡纱（Seer-sucker）：泡泡纱是一种具有暗条纹的梭织类棉织物：通过对经纱施加不同的张力，从而在织物表面形成凹凸不平的泡泡形皱缩。泡泡纱常用于夏季裙装和女式衬衫的设计制作。

毛哔叽（Serge）：一种斜纹组织的梭织类面料。传统的毛哔叽使用海军蓝色精纺纯羊毛织造而成，而现在的毛哔叽则多采用混纺羊毛纱线织造。毛哔叽多用于礼服裙、西装和大衣的设计制作。

山东绸（Shantung）：山东绸是一种中厚型的丝绸面料，具有华丽的光泽和独特的不均匀纱线结构。用于高级定制的外套、裤装，以及特殊场合穿着的大礼服裙的设计。

真丝（Silk）：蚕丝是从蚕茧中抽出的蛋白丝，是一种强韧、色泽美观的动物纤维，用于纺成真丝（纱线）并制成面料。

塔夫绸（Taffeta）：真丝塔夫绸，是一种采用染色的真丝纱线使用平纹组织加工而成的面料。塔夫绸色泽光亮柔和，手感较硬，面料摆动时发出沙沙的响声，常用于制作舞会礼服裙和新娘装。

格子呢（Tartan）：格子呢是一种斜纹组织的羊毛织物，在各种颜色的斜纹织物底布上，另织有多种独特的格纹图案，形成独具特色的格子呢，其中有些精美的图案是苏格兰世袭贵族指定的专属家族图案。

薄纱（Tulle）：薄纱是一种轻薄的六边形网眼布或网状织物，多用于礼服裙、帽饰和新娘婚纱的设计。

粗花呢（Tweed）：粗花呢是一种手感粗糙的羊毛织物。最早的粗花呢产自苏格兰与爱尔兰接壤的特威德河（River tweed）附近。粗花呢上不同颜色的纤维拧绞成纱线，交织在一起后形成独特的花型图案。

斜纹面料（Twill）：斜纹面料是指表面有斜向纹路的梭织面料。常采用羊毛纤维织造而成，多用于裙装和外套的设计（相似内容介绍见华达呢、毛哔叽、格子呢和斜纹粗棉布等）。

斜纹组织（Twill weave）：斜纹组织是三种基本组织织法中的一种。斜纹组织可以通过织物表面具有清晰的斜纹结构而与其他种类的织物进行区别。斜纹组织是通过将纬纱浮于两根或两根以上的经纱形成的有规则斜向织纹的织造方法。

丝绒（Velvet）：表面呈簇绒状绒面的一种梭织织物。传统的丝绒由纯真丝织造而成，织物表面有独特的浓密簇绒。丝绒常用做装饰日常装的饰边，也用于制成晚礼服或特殊场合的装饰性服装。

薄纱（Voile）：Voile在法语中被称为“Veil”。因为薄纱的纱线经过强捻处理，因此薄纱的质地即轻薄又硬挺。薄纱可用真丝、棉、羊毛或人造纤维制成，多用于女式衬衫、裙装和内衣的设计制作。

黏胶纤维（Vis-cose）：黏胶纤维是一种取自木质纸浆的人造纤维，常用于制作裤装、裙装和礼服。

毛料（Wool）：毛料是世界上最古老的面料之一。普通毛料主要是指成分为绵羊毛、山羊毛或其他动物毛的毛料制品。

精纺（羊毛）织物（Worsted）：精纺羊毛是指羊毛纤维经强捻纺纱后制成的羊毛织物。精纺羊毛织物比普通羊毛织物（例如华达呢和毛哔叽）外观更为平整细腻。

许多现代的英文时尚术语是从法语中衍生来的，因为在20世纪的大多数时间段里，巴黎是世界的时尚工业中心。

如需了解更多相关纺织品专业词汇，参见本书第182-183页。

配饰（Accessories）：配饰是用于搭配服装，完善整体风格效果的装饰品，例如腰带、珠宝和围巾等。

不对称（Asymmetrical）：当某件服装左右不一致时，就成为不对称。

俄罗斯芭蕾舞团（Ballets Russes）：1909年谢尔盖·佳吉列夫创办的芭蕾舞剧团，该剧团因为其选用一流的现代音乐、舞蹈家和杰出的舞蹈编排、舞台服装、舞美设计而闻名于世。

蝙蝠袖（Batwing sleeve）：一种袖口窄小，袖窿极深的宽肩长袖。

斜裁（Bias cut）：斜裁是指将面料沿着斜向45°度丝缕方向进行裁剪，裁出的衣片缝制后可以获得更好的伸缩性和悬垂性。

大身（Bodice）：服装对应人体躯干部分的上半身结构，通常是指从颈部至腰部之间的这部分服装结构。

身体意识（Body-con）：20世纪80年代和90年代广为流行的紧身装或突出身体形态的服装，体现了对人体的表现意识。

波蕾若外套（Bolero）：一种短款的外套或上装。波蕾若外套的产生源于一款经典的西班牙男装。

胸罩（Brassiere）：常简称为文胸（Bra）。胸罩是一种紧身胸衣，用来支撑和修正女性的乳房形状。

基准线（Brief）：模板上特别标识的实用而具有指导性的基础线，用于帮助设计师准确快捷地绘制手稿。

胸围（Bust）：人体的胸部围度尺寸或服装上胸部位置的围度尺寸。

紧身胸衣（Bustier）：一种非常紧身合体，通常是无吊带的齐腰长胸衣，用于支撑和塑造女性的胸部形状。

胸围线（Bustline）：胸部最丰满部位的水平线或整个胸围的水平围度长。

旗袍（Cheongsam）：起源于中国的一种合体修身的女式裙装。

钟型女帽（Cloche）：来源于法语“钟”（bell）的一种贴合头部的窄檐帽。

拼贴（Collage）：拼贴是指一种艺术表现技法：将不同材质的设计元素进行搭配组合，并黏贴在同一张作品中的表现形式。

领子（Collar）：服装上用于装饰和保护颈部的局部结构。

发布会（Collection）：设计师为某个时装周筹划组织的系列设计作品，这些作品通常表现的是同一个设计主题、色彩系列或轮廓造型。

当代（Contemporary）：来自同时代的设计，给人以时尚摩登和新鲜感。

装饰花（Corsage）：用于装饰女装胸部或肩部的立体状小花束，也可以作为胸针或手镯单独配戴。

胸衣（Corset）：一种硬挺而紧身的上装款式，用于塑造人体腰部、胸部和臀部的优美形状，常用作内衣。

高级时装（Couture）：高级时装是指服装界最顶级的奢华服装，一般是专为某位客户度身定制的。高级时装的称呼来自法语高级定制时装（Haute couture），在意大利被称为Alta moda。

人体草图（Corquis）：一种拉长的时装人体模板草图，专门用于设计各种时装。英文词“Corquis”来源于法语中的“Sketch”（草图）。

克夫（Cuff）：服装袖口的衣片结构部分。

省道（Dart）：省道是面料经过折叠和缝制，在服装上形成的立体造型。省道常用于胸部、腰部和臀部的造型设计。

双排扣（Double-breasted）：茄克或外套上的两排钮扣的门襟闭合件设计，通常搭配以宽门襟。

立体裁剪（Draping）：立体裁剪是指将面料放在人台上直接进行设计和裁剪的服装制作方式。设计师采用立体裁剪的制作方式，可以直观地将平面面料制成理想中的立体造型。

刺绣（Embroidery）：刺绣是使用各种不同类型的丝棉线在面料上绣缝出精美的图案或形状。

肩饰（Epaulette）：一种带状的肩部装饰或标识结构，常用于军服或工作制服的设计。

服装人体（Fashion figure）：一种供时装设计师绘制服装的人体模特。普通人体身长约为7.5个头长，但是时装模特人体身长至少为9个头长。

鱼网布（Fishnet）：鱼网布是一种外观形似鱼网的网孔面料，常用于设计时髦的长袜或紧身裤。

喇叭裤（Flares）：一种从膝盖部位开始裤腿逐渐放大成喇叭形的长裤。

男孩风格（Garconne）：“男孩”风格是特指20世纪20年代在年轻独立的女性中流行的一种装扮，这种风格的搭配灵感来自法国著名作家维克塔·马尔葛里特的同名小说。

发际线（Hairline）：发际线是指前额和头皮交界处的边界线，或是额头上头发开始生长的边缘线。

颈部系带式（Halter neck）：领部用两根吊带在后颈处系扎的一种无袖式服装款式。

下摆（Hem）：下摆是指服装上被折叠或缝制的衣片边缘部分，常指裙装或裤装的底边。

苏格兰褶裥短裙（Kilt）：一种周身都是褶裥的裙子，作为传统的苏格兰男子服装是由格子呢面料制成的。

翻领（Lapel）：大衣、外套或衬衫的领口上左右对称，可翻折，并立在颈部的领片结构，也称为翻折领（Rever）。

小黑裙（LBD）：Little Black Dress的缩写。小黑裙是指一种小巧、简洁、精致的鸡尾酒裙或小晚礼服裙。

水手服（Matelot）： 水手服是指航海的水手所穿的服装，常见的有条纹衫（海魂衫）和系扣长裤。

迷你裙（Mini-dress）： 迷你裙是一种裙长仅至膝盖以上的短裙。

领围线（Neckline）： 领围线是指服装颈部位置为了便于头部穿脱设计的领口结构线。领围线上常设计有可闭合的结构设计，例如钮扣或拉链，便于头部的自由活动。

塑胶（Perspex）： 塑胶是一种硬质的透明塑料，也称为有机玻璃。20世纪60年代开始被广泛应用于配饰的设计和加工。

口袋或开口（Placket）： 口袋是指衬衫或外套上用大身面料制作的袋状部件，通常配有功能性的钮扣和扣眼设计。开口是指服装上领部、袖片或腰围等位置的开缝设计。

褶裥（Pleat）： 褶裥是面料经过折叠设计后形成的褶皱。褶裥常用来增加服装的体量感。

设计作品册（Portfolio）： 设计作品册是指时装设计师经过精心整理的作品组合，包含灵感插画、设计作品和情绪板等。作品册通常按设计过程的顺序装订成文件册，也可以做成电子文件展示。作品册展示了设计师的整个设计过程：灵感来源、设计构思、表现技法，以及最后完整的款式手稿等系列内容。

"权利"套装（Power suit）： "权利"套装是指20世纪80年代欧美流行服饰中出现的一种宽肩的高级商务女装。

高级成衣（Pret-a-porter）： Pret-a-porter是法语，意思同Ready-to-wear。

聚氯乙烯（PVC）： PVC是聚氯乙烯（Polyvinyl chloride）的缩写。聚氯乙烯是一种人造材料，可制作成服装面料和配饰。聚氯乙烯色泽光亮，可进行防水处理，并能制作出皮革和橡胶的肌理和手感。

插肩袖（Raglan sleeve）： 一种从领部至袖窿底以斜向弧线连接的袖型。

高级成衣（Ready-to-wear）： 以标准尺码制作和出售的成衣。20世纪60年代时装屋推出的一类较廉价的服装，用以替代当时的高级定制时装，现在这类服装已经成为设计师品牌的主要服装种类，与高级定制具有同等的市场地位。

翻折领（Rever）： 注释见翻领（Lapel）。

罗纹针织衫（Rib knit）： 罗纹针织衫是指竖直条纹的针织衫或下摆有罗纹的针织衫。罗纹可通过一行隔一行交替正反针织法织就而成。

乡村摇滚风（Rockabilly）： 乡村摇滚风是指20世纪50年代美国青年掀起的艺术时尚潮流，起源于当时的美国流行音乐：摇滚乐、乡村乐和民谣等。

衬衫式连衣裙（Shift dress）： 裙长至膝的简洁连衣裙。这种裙型具有上半身修身合体，下摆宽松飘逸的造型特点。

女式衬衫（Shirtwaist）： 起源于20世纪末的钮扣式门襟的女式衬衫。这种衬衫在穿着时，腰部通常系扎在一条长半裙中。这种穿法很受欢迎，并逐渐演变成20世纪盛行的女衬衫式连衣裙（Shirtwaister）和衬衫式连衣裙（Shirt dress）。

廓型（Silhouette）： 廓型是指服装外轮廓呈现的主要造型或线条。

单排扣（Single-breasted）： 单排扣是指只有一排扣子的闭合设计，常见于外套或大衣的前门襟设计。

运动衫（Sportswear）： 运动衫是20世纪人们在观看运动会时穿着的一种休闲服饰，到了20世纪30年代，运动衫逐渐成为非正式社交场合的流行着装。

前肩覆片（Storm flaps）： 风衣或茄克外套上肩胸部位置设计的前后可灵活移动的衣片结构。覆肩结构最初的设计目的是为大衣的衣身遮挡风雨雪。

人体模板（Template）： 人体模板是指时装人体的外形线模板或人体型模板。时装设计师可以通过复制或描摹人体模板，缩短绘图的时间，提高绘制手稿的效率。

面线（Topstitching）： 面线是指呈现在服装表面上的缝纫线迹。

高翻领（Turtleneck）： 高翻领是指运动装或T恤衫上可被翻折的紧身高立领。

实用装（Utility）： 实用装是指第二次世界大战期间英国贸易委员会向民众推广的一种节俭型服饰。与传统服装相比，实用装更加简洁并节省面料。

古典服装（Vintage）： 古典服装通常指过去年代制作的具有收藏价值的高品质服装。古典服装常作为二手服装在旧货市场出售。

腰带（Waistband）： 腰带是指服装上腰部位置的带状结构，通常由大身面料制作而成，例如裙腰带和裤腰带。

女式紧身腰带（Waspie belt）： 也称为塑型腰带（Waist cincher）或腰宽（Waspie corset）（见紧身胸衣的解释）。这种宽形腰带主要用于收细腰围，增加人体的曲线美，并塑造出整体服饰的造型轮廓。

育克（Yoke）： 服装上颈肩部位的衣片结构，常用于加固服装结构上的受力部分。